卡耐基的魅力口才学全集

文轩◎编著

河北出版传媒集团
花山文艺出版社

图书在版编目（CIP）数据

卡耐基的魅力口才学全集 / 文轩编著 . —石家庄：花山文艺出版社，2016. 3

ISBN 978-7-5511-2790-5

Ⅰ. ①卡… Ⅱ. ①文… Ⅲ. ①口才学—通俗读物 Ⅳ. ① H019-49

中国版本图书馆 CIP 数据核字（2016）第 074650 号

书　　名：卡耐基的魅力口才学全集
编　　著：文　轩

责任编辑：梁东方
责任校对：李　伟
美术编辑：胡彤亮
出版发行：花山文艺出版社（邮政编码 050061）
（河北省石家庄市友谊北大街 330 号）
销售热线：0311-88643221/29/31/32/36
传　　真：0311-88643225
印　　刷：三河市华东印刷有限公司
经　　销：新华书店
开　　本：889×1194　1/32
印　　张：8
字　　数：222 千字
版　　次：2016 年 7 月第 1 版
2016 年 7 月第 1 次印刷
书　　号：ISBN 978-7-5511-2790-5
定　　价：35. 00 元

前　言

自古至今，没有人可以否认，语言是人生、生活、工作、成功、经济乃至于战争中最有效的一把利刃。语言不但是一种艺术，更是一种很具有杀伤力的武器。

交际和心理是领悟语言魅力的突破口。

会说话要从会动脑做起，会说什么样的话，要看说话的人从什么角度什么思维出发，有条不紊地逐步瓦解对手的心理防线，就是语言造就成功的必经之路。

卡耐基语言魅力的精髓就在于此。

说话，人人都会说。

但怎么说？说什么？说话的目的是什么？

是你首先要领悟和明白的中心目标。成功之道，就起始于语言，我们从小的语文课本，就是语言的基础课程，让我们动脑、领悟、积累前人经验，明悟人生道理，这每一种都属于语言艺术的基础。一个学富五车的人，他的语言能力不一定是优秀的，但一个语言天赋优秀的人，一定比别人懂得更多，他可以从各方面列举实例，寻找突破口，从而达到自己的目的，这样的人，很容易在社会大流中脱颖而出，凌驾于他人之上。

口才不但是一种语言天赋，还是一种可以通过学习和训练获得的一种技能，只有令自己具备超强的口才，才能迅速提高自己的社会地位，在工作中脱颖而出，在生活中如鱼得水，具备超越于旁人的生存竞争力。

在 1913 年的美国，曾爆发过一次席卷全国的成人教育，戴尔·

卡耐基在这在这次运动中的影响力是惊人的，他对那些演讲的评点，有着令人震惊的影响力，无论从数量上，还是从演讲的角度来讲，都是一种无法超越的存在。

出色的口才，是通往成功之路必须具备的基础条件，卡耐基的口才学，就是你通往成功之路的一块镶金的铺路石。

目录

第一章　注重培养表达能力，提高口才技巧

第二章　提高日常交流和沟通的语言技巧

第三章　努力博得别人的好感，得体地去赞美

第一章　注重培养表达能力，提高口才技巧

一个人的说话能力，可以显示他的力量。口才好的人，说话说得使人钦服，往往可以很顺利地达到自己的目的。一个人如果具有良好的口才，无论是在职场追求晋升，还是在生活中交友待人，都一定会潇洒自如。说话是人的天赋本能，但良好的谈吐要靠后天的练习。

※　良好的口才有助于事业的成功

很多人的成功，在相当大的程度上都应归功于他善于辞令。戴尔·卡耐基指出，第一印象最重要，而口才好的人最能给别人留下深刻的第一印象。优雅的谈吐可以使自己广受欢迎，更有助于事业的成功。许多人能成为显要人物或高级官员，就是因为善于辞令。凭自己在其他方面的实力，他可能升不到高位，拿不到高薪，但是出色的口才却让他们得到了这一切。口才的作用由此可见一斑。

一个人是否拥有好的口才，是否善于表达，效果是大不相同的。与熟练掌握说话艺术的人交谈，简直就是一种享受。娓娓道来的声音就像音乐一样，钻进我们的耳朵，打动我们的心灵。或让人精神振奋，或给人安慰。人们都喜欢与这样的人交往。

无论在什么场合，如果你能够表达清晰、用词简洁，再加上抑扬顿挫、娓娓道来的语调，就能够吸引听众、打动别人。这是你的秘密武器，可以在不经意中助你事业成功。如果你善于辞令，再加上周到的礼节、优雅的举止，在任何场合，你都会畅通无阻、受到欢迎。卡耐基非常欣赏亚伯拉罕·林肯和他的口才。

在卡耐基的著作中，曾这样讲述他的朋友卡尔·舒尔茨回忆与林肯初次见面的情景（那时林肯还没做总统）：

“火车离开一个小站后，乘客中间突然骚动起来，人们从座位上跳起来，迫不及待地围住刚上车的高个子，用老熟人的口气向他打招呼：‘嘿，亚伯，你好吗？’他热情地回答：‘晚上好，本！你好啊，约翰！看见你真高兴，迪克！’他不知说了点什么，又引起一阵欢笑，车厢里声音太杂，我听不清他说的话。我的同伴认出了他，叫了起来：‘哎哟！这就是林肯，是他，没错！’他挤过人群，把我介绍给亚伯拉罕·林肯，这是我第一次和他见面……他对我说话的口气又随和又亲切，好像我们是老相识似的……然后我们一起就座。他话音很高，又很悦耳……他的模样、朴实无华的言辞，没有一丁点矫揉造作，也没有任何优越感，让我感到我们好像从小就认识、早就是好朋友。我们交谈时，他经常在谈话里插进新奇的故事，每个故事都切合当时的话题……”

卡耐基指出，林肯能够与各种人愉快地交谈——不论是作风严谨的科学家、老谋深算的政客、傲慢的外国元首，还是谦卑的农民。他的口语就像农民一样朴实，让人感到他可亲可近，而不是一个高高在上的大人物。听听林肯是怎么形容萨尔蒙·蔡斯吧：“一只大绿头苍蝇，找到臭的地方就下蛋。”他有一句著名的话，用来比喻美国南北方的分裂：“一幢裂开的房子是立不住的。”

卡耐基称林肯是有史以来最乐于与人交谈的美国总统。他在任期间，白宫的大门敞开着，任何人都可以晋见总统，但是控制谈话气氛的人总是这个头脑清醒、思维敏捷的总统。有些人带着非分之想来求见他，还没明白过来是怎么回事就被打发走了。某人出于对格兰特将军的妒忌，向林肯进谗言，说格兰特有可能将总统架空。林肯的答复使对方哑口无言：“如果格兰特当总统更有利于镇压叛乱的话，那就让他当总统好了。”有位女士闯进白宫，理直气壮地要求总统给她儿子一个上校的职位，因为她的祖父参加过莱克星顿战役、她的叔父是布拉敦斯堡战役中唯一没有逃跑的人、她的父亲参加过纳奥林斯战役……林肯说：“夫人，你们一家三代为国服务，对于国家的贡献实在够多了，我深表敬意。现在你能不能给别人一个报效国家的机会？”

林肯善于利用故事来暗示或加强自己的观点。他知道故事比单纯的说教更有说服力。他说："大家夸我会讲故事，我想确实如此。我从长期的经验中了解到，普通民众终日劳碌，举一个容易理解而又幽默风趣的例子，比用别的任何方式更容易影响他们。"有一次，他又说："我相信我讲故事已经讲出了名，但我感兴趣的不是故事本身，而是其目的或效果。我喜欢用简短的故事说明我的观点，避免别人冗长、乏味的议论和费力的解释。一个贴切的故事，可以减轻拒绝或批评所造成的尖锐刺激。既达到谈话的目的，又不伤感情。我不是一个专门讲故事的人，但我把它作为一种缓冲剂，避免不必要的冲突和烦恼。"

在日常生活中，不管是偶尔才能派上用场的特殊技巧，还是随时随地都需要运用的能力，有哪一个的作用可以和语言能力相比呢？人们愿意穷其一生去学习科学、文学和其他各种知识，却完全忽视了语言能力的训练和提高，这常常使他们显得木讷呆板。在自己的专业领域有很高的造诣，在社交场合却羞于开口，沉默不语，像一个无足轻重的人。还有比这更令人沮丧的吗？看到那些才能不及自己 1/10 的人，在公众场合滔滔不绝，自己却静静地坐在一旁，只有洗耳恭听的分儿，心里能平衡吗？你们的区别在于，他平时注意培养自己的语言表达能力，你却毫不在意。

如果你发现了一颗新的行星、写了一本很有价值的书、发明了一套实用的机械装置，说话时却吞吞吐吐、词不达意，甚至不能让人听清你在说什么，这会让你失去多少本该由你来把握的机会啊！一个十分奇怪却很常见的现象是：有些人在特定的行业取得了极高的成就，在会议上却不能勇敢地站起来，把自己的成果介绍给大家。他们驾驭不了局面，根本没有能力主持一个会议，也没有什么清晰的思想，不能用充满感情的话语打动每一位听众。这样的人，真的应该反思自己，向林肯学学啊！

林肯在正式场合的演讲，激情洋溢、抑扬顿挫、富有感染力。葛底斯堡大捷之后，他的一番讲演趁热打铁地鼓舞了士气：

"87 年前，先辈们在这片大陆上创建了一个新的国家，它孕育于自由之中，奉行人人生而平等的原则。

“现在我们正从事一场伟大的内战，以考验这个国家，或者说以考验任何一个孕育于自由、奉行上述原则的国家，是否能够长久存在下去。

“我们在这场战争中的一个伟大战场上集会。烈士们为使这个国家能够生存下去而献出了自己的生命。我们在此集会，就是为了把这个战场的一部分奉献给他们，作为最后安息之地。

“我们这样做，是完全应该，而且非常恰当的。

“但是，从更广泛的意义上说，这块土地，我们不能够奉献，我们不能够将它神圣化。曾在这里浴血奋战的勇士们，活着的和去世的，已经把这块土地神圣化了，这远远不是我们微薄的力量所能做到的。

“全世界将很少注意到、也不会永远记得我们今天在这里所说的话，但全世界永远不会忘记勇士们在这里做过的事！

“倒不如说，我们这些活着的人，在这里，应该把自己奉献给勇士们已向前推进、但尚未完成的事业；我们应该把自己奉献给仍然留在面前的伟大任务，从这些光荣的死者身上汲取更多的献身精神，来完成他们已经完全彻底地为之献身的事业；下最大的决心，不让他们白白牺牲；让国家在上帝的保佑下得到自由的新生，让这个民有、民治、民享的政府永世长存！”

这段话是多么有力量和赋予感染力啊！

不管胸存什么样的雄心壮志，首先得掌握驾驭语言的能力，有让人羡慕的好口才。你也许不能成为律师、医生或商界精英，但你每天都要说话，也就必然要运用语言的独特力量。

渴望建功立业的年轻人，应该掌握谈话的技巧，提高驾驭语言的能力。在各种场合，做到谈吐优雅、从容不迫、应付自如。能够让别人对自己感兴趣，这本身就是一种很高的素质，值得每一个年轻人努力。要想做出一番成就，就要提高自我表达能力，这会使自己受益无穷，可以称得上是一生的财富。

※ 灵活地运用思维是良好口才的重要环节

人们的口语表达过程，是一个直接将思维转化为自然语言的过程，这个思维的运行和转化的过程就叫作运思。运思是思维活动的运行轨迹，运思灵敏而畅通，是讲话有内容、有形式、有程序、有组合的必要条件；反之，运思呆滞与阻塞，无序与紊乱，则是口语表达过程的主要障碍。因此，提高运思能力，是口才训练的重要环节。

1. 选题的运思

选题就是选择和确定口语表达的话题，其中包括论题和题目的确定。选题是口语表达者准备工作的第一步。

口语表达论题的选择，与文章主题的选择区别在于它不仅是一般地考虑到选题的客观必要性和立论的正确性，还必须更加重视全体特定听讲对象的现实状况和现实需要。

论题选定以后，为了更深刻有效地表现主题，还要在选定角度和开掘深度上下工夫，力求角度新颖，立意深远。

2. 谈资的运思

谈资就是口语表达中要运用的材料。谈资选择在运思过程中，应遵循以下几条原则。

一是选用与话题有关并能有力说明、烘托、突出话题的谈资。舍弃对话题表现力弱或与话题无关的谈资。

二是谈资要真实可信，运用恰到好处，使人明了由它而说明的道理或讲述的事情。

三是谈资须精练。要选用一些最典型、最有代表性的事例。舍弃一般的、重复的次要材料。

四是谈资要以新为贵。即使是典型事例，如果反复引用，必会令人生厌。因此，要善于收集新奇的信息材料做谈资。

五是谈资要充实。谈资充实，从多方面加以论证，主题才会丰满，才能透彻有力地证明论题的正确性和必然性，产生令人信服的雄辩力量。

3. 结构的运思

说话与文章也有不同之处：文章要求更加严谨，任何一些多余的、与主题无关的材料、话语都一概删去。但说话除非按预先拟好的讲稿照念，一般都不可能没有水分，特别是即兴发言，材料次序不那么严谨，有时会加插一些题外语，有时发现已讲过的某个问题有某点遗漏又临时补充。这样，更容易显得杂乱。作为高明的讲话者，他是时刻把中心记在脑子里的。因此，不管怎样加插，不管转了多少个话题，总的倾向都是为了表达中心。

要使中心突出，必须在说话前立定格局，理清思路，才能突出逻辑线索。不管材料怎样繁杂，说话前一定要先想清楚，这番话是什么中心，用什么材料，怎样安排先后……把这一切理清后说时就有主干，就不会啰里啰唆，停停说说了。这就要求仔细考虑结构的运思，就是设计和安排口语表达话语的顺序。结构形式是由逻辑结构和篇章结构两个方面的内容辩证统一而组成的。

逻辑结构和篇章结构是两个不同的概念。前者偏重于话题方面的结构安排，指论题、谈资和论说的方法；后者则侧重于整篇话语材料的组织安排。两者各有侧重，但又必须浑然一体。

口语表达的逻辑结构，其基本要求是必须有正确而鲜明的论题；支持论题的真实而充分的谈资；运用谈资去说明论题的完善而严密的表达方法；其中包括叙事、说理、描述、说明、抒情等基本的口语表达方式，以及严密科学、无懈可击的表述形式。不论采用何种表述的形式，都要能用谈资合乎逻辑地说明话题。

口语表达的篇章结构，一般由开头、中间、结尾三部分组成。其具体要求是：开头部分应该精巧，扣紧题意，具有吸引力，能够激发听众的兴趣和思路。中间部分应该顺乎听众的思维习惯，条理分明，富有逻辑性，具有极强说服力和感染力地阐明话题。结尾部分应该有概括力，使听众加深认识，得到鼓舞，回味无穷。

结构的运思方法，可以是打腹稿，也可以是编提纲，还可以在构思的基础上写出文稿，这要根据客观需要和具体情况来确定。无论何种情况均应做到，开头要巧妙，结尾要精彩，重点要突出，层次要清楚，语言要贯通。

说话是人的天赋本能，但良好的谈吐要靠后天的习练。许多人以为口才只是口上之才，这种看法是有些片面的。一个人的口才，有赖于相当的训练。

※ 谈话时要尽量准确、恰当地使用词汇

戴尔·卡耐基指出：“用对了词汇，不仅能打动人心，同时更能带出行动；而行动的结果便展现出另一种人生。”

我们所说的话用对了词汇，就能叫人笑、治疗人的心病、带给人希望；然而，若是用错了词汇，就会使人不快、刺伤人的心、带给人失望。同样地，借着所用的恰当“词汇”，可以让别人了解我们崇高的心志和由衷的愿望。

马克·吐温说：“恰当地用字极具威力，每当我们用对了词汇……我们的精神和肉体都会有很大的转变，就在电光石火之间。”

历史上许多伟大人物就是因为善于运用词汇的力量，大大地激励了当时的人们，决心跟随着这些伟大的人物，结果塑造出今天的世界。

帕特里克·亨利站在十三州代表之前慷慨激昂地说道：“我不知道其他的人要怎么做。但就我而言，不自由，毋宁死。”这句话激发了几代美国人的决心，誓要推翻长久以来骑在他们头上的苛政，结果造成燎原之火，美利坚合众国由此诞生。

戴尔·卡耐基在一次演讲时说道：“当我们今天得以享受到充分的自由时，不要忘了《独立宣言》。虽然那没有几句话，却是两百多年来所给予我们每个人的保障。同样地，当我们这些年致力于种族平等时，不要忘了那也是因为某些词汇的组合而激发出来的行动所致。请问，谁能忘记马丁·路德·金博士打动人心的那一次演讲，他说道：‘我有一个梦，期望有一天这个国家能真的站立起来，信守它立国的原则和精神……’”

第二次世界大战期间，英国正处于风雨飘摇之际，有一个人的话激起了英国全民抵抗纳粹的决心，结果他们以无比的勇气挺过了最艰苦的时刻，打破了希特勒部队所向无敌的神话，那个人就是已故的英国政治家丘吉尔。

许多人都知道，人类的历史就是由那些具有威力的话所写成的；然而，却鲜有人知道，那些伟人所拥有的语言力量，却也能够在我们的身上找到，这能改变我们的情绪，振奋我们的意志，使我们有胆量敢于面对一切的挑战，使人生过得更加丰富。

在生活中时时选择使用积极性的词汇，最能振奋我们的情绪；反之，若是选择使用了消极的词汇，就必然很快地使我们自暴自弃。因此，我们务必要重视使用词汇的重要性。这做起来并不难，只要你能聪明而用心地选择便行了。

一个人若是只拥有有限的词汇，那么他就只能体验有限的情绪；反之，若是他拥有丰富的词汇，那就有如手中握着一个可以调出多种颜色的调色盘，可以尽情来挥洒和丰富你的人生，不仅能够吸引别人，更能使自己感到活力和振奋。

在生活中，学会生动形象的语言是非常有用的。

形象生动的语言把无形变成有形，把概括变成具体，把枯燥变成生动，大大吸引了听众的注意力。形象化的语言让听众的视觉、听觉、嗅觉、味觉都一起参加接收活动，大大增强了语言的感染力。此外，它也是构成其他语言风格的基本手段。

卡耐基指出，为了使用语言的形象生动，必须做到如下几点。

1. 选用有色彩、有形象的词语。色彩词和形象词可将听觉形象转化为视觉形象，而视觉形象留给人的印象往往比听觉形象留下的印象更深刻。

2. 运用各种修辞手法，如比喻、拟人、夸张等。这些修辞手法可以用浅显通俗的事物或道理来说明比较复杂、抽象的事物或深奥难懂的道理。

3. 要注意寓理于事，将深刻的道理寓于具体事实之中。那种干巴巴的说教，往往使听者乏味。要学会善于运用生动典型的事例阐明事理，增强语言的魅力。

一个会讲话的演说家，他会使他的话像一种影像浮映在听众眼前；不会讲话的演说家，只是笨拙地利用模糊平淡而无声无色的一些东西把你催眠入睡。

※ 在谈话中尝试运用不同类型的哲理性语言

日常交谈中，人们爱听那些富有哲理的话语，因为它给人凝练、深远的美，令人回味，发人深省。而一个人的话题是否含有哲理，也标志着说话者的思想成熟程度。为了使你的语言更具有哲理，首先要了解哲理性语言的类型。

哲理性语言有以下几种类型。

1. 警策型。话一出口使人一惊，惊而无险，出人意料，却在情理之中，是这类哲理性语言的特点。例如，卢梭说："有人可能活了 100 岁时走向坟墓，但他生下来就已经死亡。"这段话中"活了 100 岁"与"生下来就已经死亡"是一个大矛盾，然而矛盾的背后却潜藏着深刻的思想。

2. 若愚型。这一类型的语言往往说出最平常的事，然而这些事情一经提示，就变成了很耐人寻味的东西。如爱默生说："站在山的旁边，就看不到山。"歌德说："光线充足的地方，影子也特别黑。"等等。他们说的都是极普通的事实，然而一经他们提示，这些事实就起了奇妙的变化，使人从中领悟到很多东西。

3. 忠告型。这类哲理性语言，常使人在善意中感到亲切，在亲切中领悟道理。如"如果你考虑两遍再说，那你一定说得比原来好一倍。""如果一个人不知道他要驶向哪个码头，那么任何风都不会是顺风。""从伟大到可笑，只有一步远。"等等。

4. 总结型。这类语言明显的特征是归纳经验。例如，"迟疑不决的人，常常找不到最好的答案。""财富往往像海水，你喝得越多，就越感到渴。"等等。

在谈话中运用哲理性语言，可以起到精辟、深邃和简练的效果，可以使自己的言辞更有力量。

※ 巧妙地传达和正确地理解"言外之意"

人们利用语言进行交际，但说话者要传递的全部信息不一定等于句子的字面意义。语言的句子之外往往还含有丰富的信息，这种信息就是通常所讲的"言外之意"。

交际中的“言外之意”的实例随处可见。比如，屋外正在刮风下雨，甲粗心地打开窗户。乙穿得很单薄，想让甲关上窗户，但是嘴里只是说：“这屋子真冷！”到别人家拜访，如果坐得太晚，主人有意辞客，却只对客人说：“是不是再给您添点茶？”

在交际中，有时人们不便把心里想说的话直说出来，或者为了避免使对方不愉快，便采用委婉的说法，或通过某种暗示来传递“言外之意”。有时，由于某种需要，嘴里说的和心里想的正好相反。如果交际的一方（主要是听话人）不能理解“言外之意”，交际就很难顺利进行下去，有时还会使得对方处于很尴尬的境地。

有很多人不愿把自己的爱好爽直地告诉别人。有人告诉他，使用某一种工具能够增进工作的效率，他也许一时不能接受你的意见。反之，你若“暗示”给他采取某种工具确能增进工作的效率，他也许会自动提出他的见解。

如果我们要使别人采纳我们的计划并付以实施，那么最好是将这个计划使对方觉得是自己想出来的，更上之策，则是把这个功绩也归属于对方。

在交际中巧妙地传达和正确地理解“言外之意”，有助于提高表达效果，促进交际。但无论说话者、听话者，都要谨慎从事，掌握适度，避免听话者获得的信息大于说话者所要传递的信息，出现信息增值，也就是平常所讲的“多心”。

在现实生活中，要防止诸如此类的误会，就要求说话人注意避免表达上的含糊不清、意思暧昧，而造成信息传递过程中失真，同时还要顾及听话人以及在场的其他人的心理；听话人则应避免“多心”而造成信息增值。这样，信息传递的通道才能畅通无阻，信息才能传真，交际才能顺利进行并获得成功。

※ 学习和采用更吸引人的说话方式

要想使你的谈话吸引人，是需要一定的技巧的。有些谈话者虽然在内容上不占优势，但有时他的说话方式却会让人觉得满意和舒服。毕竟说话者都有其特定的风格和特点。每一次对话会因为说话技巧的不同而有各种不同的回响、反应。那么，怎样才能使你的谈话达到迷人效果、使对方愿意听你说话呢？卡耐基总结了如下一些要点。

1. 说话风格明快

大多数的人不喜欢晦暗的事物，即使草木也需要阳光才能生长。同样，给人阴沉感的谈话，会让人有疑虑、厌恶感及压迫感。

2. 拥有个性的声音

有的人那动人的声音能使人觉得是一种享受。这样的人谈话时，非常注意说话的声音，而选择说话的声音，完全依自己的天赋、个性、场合及所要表达的情感而变化。有条件的话，你可自我充当对象，把自己的话录下来再仔细地听，你可能会吃惊地发现，自己说话竟有那么多毛病。这样经常检查，发音的技巧就会不断提高。

3. 语气肯定

每个人的自尊心都很强，很容易因为某些微不足道的事就感到自尊心受损。这样一来，会反射性地表现出拒绝的态度。所以，要对方听你说话，首先得先倾听对方要表达些什么。所谓“说话语气肯定”，并不是指肯定对方说话的内容，而是指留心对方容易受伤害的内容。

如果我们无法在内容上赞成对方的想法，我们可以告诉对方：“你所说的，事实上我本身也曾考虑过。”然后再问对方：“那你对这件事有何看法呢？”将判断的决定权交给对方，这并不是单纯地保护对方的高度自尊心，也是了解到自己并不完美的谦虚表现，以这种形式可以获得对方的认同。

4. 语调自然而变化

自然的声音总是悦耳的。你要注意，交谈不是演话剧，无论你是什么样的语调，都应自然流畅，故意做作的声音只能事与愿违。当你交谈的对象不是一个人，而是许多人时，应采用以下的技巧：当前一个人声音很大时，你的起点就可以压低声音，做到低、小、稳；当前一个音量小时，你的开始句就要略提高嗓门、清脆响亮，以引起大家的注意。

5. 注意措辞和抑扬顿挫

人类生存在当今的语言环境中，对于语言各自拥有其运用标准，一旦不符合其标准，就会产生不协调的感觉，其中包括语气与措辞。在人际关系中，确实有必要根据实际情况或对方是谁，而分别使用适当的语言。如果不分亲疏远近，一律以和朋友谈话时的措辞来谈，那么对方就可能会感到不习惯听我们说话。

一句话若没有抑扬顿挫，则流于平淡，引不起对方的兴趣。若能添一些感叹词，则能增加彼此之间谈话的气氛，但要适可而止；过多的感叹词，也会抹杀了言辞的重要性，使对方不能分辨你的意思。

像“冷呀”“热呀”这些极平常的话，如果再说“好冷呀！”“好热呀！”似乎很无聊，而若能使它们变为富有诗意的句子，不是更动人吗？

※ 重视停顿在语言交际中的作用

在《决战谈判桌》一书中，作者讲述了他个人的一段经历。有一次，当他穿着拖鞋走出家门，打算拿邮筒的邮件并给前院的草坪浇浇水的时候，一阵大风刮过，门被“砰”的一声关上了。他身上没带钥匙，而这时已是晚上六七点钟。万般无奈，他只好向邻居借电话，请锁匠来开锁。于是，围绕着劳务费——价格问题，作者和锁匠之间就有了一番“谈判”：他（锁匠）看了我一下之后，说：“价钱嘛……55 美元。”我听了之后，心里想：“糟糕，家里到底有没有这些现金？搞不好得开车去银行取钱。要不要先跟邻居借一下呢……”没想到，年轻的锁匠看我不吭声，以为我生气了，马上不好意思地说：“好吧，好吧，50 块好了。”我这下子更惊讶了，没有作声。“哼……现在是晚饭时候了，应该算加班呢……就算你 45 块好啦。”其实，我根本不知道行情是多少，是他的罪恶让他自动降价。随后我终于开口了：“40 块钱！”这时候，他一副如释重负的样子，说道：“好吧，不过你得给我现金。”

在这场谈判中，价格一降再降，不是因为作者的“舌唇枪剑”

地砍价，而恰恰是他的“沉默”，从一个方面印证了“沉默是金”的道理。

想必很多人在日常生活中都有过类似的经历。其实，这正是从一个侧面说明了停顿在语言交际中的作用，停顿的最直接的表现形式就是沉默。在语言交际活动中，人们不仅需要借助有声语言，而且需要借无声语言表情达意。甚至，在某些特定的语言环境中，无声语言更能表达有声语言所无法表达的思想内容。

停顿就是一种无声语言。说话中的停顿，通常分为语法停顿、逻辑停顿和心理停顿。语法停顿是为了结构明确、层次清楚所作的停顿；逻辑停顿是为了强调某一特殊的意思或某种逻辑关系所作的停顿；心理停顿是由说话人为了表达某种感情或达到某一目的而有意识安排的一种停顿，它常常取决于说话人的心理情绪。

在语言交际活动中，恰当地使用停顿，尤其是心理停顿，能够获得更好的说话效果。

首先，停顿可以增添说话的情趣。通过停顿可以设置悬念，该说而不说，让听者如坠五里雾中；待时机成熟，突然亮底，风趣十足。

里根当选美国总统时，一天上午，全体共和党人举行会议，一位多数党领导人站出来故意说：“总统阁下，开完会之后，我们大家准备共进午餐。倘若您也来和我们一起进餐的话，你必须付餐费5美元；如果实在没有，鄙人愿解囊相助，以解尊驾拮据之难。”这位多数党领导人为什么敢同里根开这个玩笑呢？因为人们知道里根口袋里平时不放钱，想借机让总统难堪。谁知里根听完他的话，笑而不答，一阵沉默。当大家步入宴会厅时，戏谑里根的那个人沉不住气，再次提出借钱给总统，里根却出人意料地从口袋里掏出崭新的5美元，令在场者吃惊不小，迷惑不解。经里根解释，原来是会前有人给他拍照做杂志封面所支付的报酬，恰好是5美元。于是，大厅里响起一阵欢笑。里根开始的沉默，设置了一个悬念，人们不知他“葫芦里卖的什么药”，能否拿出5美元。谜底揭开，不仅使自己摆脱窘境，也为宴会平添情趣。

其次，停顿可以增强说话的吸引力。停顿能迅速消除语言传递中的种种障碍，使听者的注意力集中。“没有一点声音，没有任何喝彩，只有那震耳欲聋的寂静。”——这便是停顿所能达到的最佳传播效果。

一个人说话的内容总有主要和次要之分。在展开重点内容前，一般就应该有所停顿，这既是给对象一个心理准备，也是一种“重要性”的暗示。

林肯在要讲出一个重要意思，并想把这种意思深深地印在听众心上时，他总是把身体略微前倾，两眼直视听众，好久不说一句话。在这里，虽然非语言也在发生作用，但非语言的信息只有和心理停顿这种副语言沟通方式协调时，才能有效地影响对象。

再次，停顿有助于掌握说话的主动权。运用停顿，可以使说话者赢得思考时间，从而增强语言表达的逻辑性，使表达更严谨，减少说话中的失误；运用停顿，将说话的机会让给对方，可从中获取更多的信息，同时也能避免自己将不该说的讲出去；运用停顿，可以造成对方的心理压力，从而使对方做出某些让步。

那么，如何在谈话的时候，恰当地使用停顿呢？

1. 准确把握语境。停顿的含义非常丰富，它以语言形式的最小值换取最大意义的交流。不同语境下的停顿表述完全不同的意思：停顿可以表示默许，又可以是保留己见；既可以表示举棋不定，又可以是不达目的不罢休的标志；既可以表示抗议、愤怒，又可以是心虚的流露……只有结合具体的语境，才能明白停顿的确切含义。

2. 正确把握时机。并非每次交谈必有停顿，不恰当的停顿，会使一个连贯的说话过程中断，影响表达效果。如果不分场合故作深沉、高雅而滥用停顿，只会给人留下矫揉造作的印象。其次，停顿的时间长短要适度。停顿的确能对听者产生一定的影响，但如果时间掌握不当，其结果将会适得其反：停顿的时间太短，听众来不及反应，等于没有停顿；停顿的时间过长，听众有足够的时间“想一想”，在高潮到来之前做好心理准备，本想强调的话反而变得平淡无味。停顿多长时间为宜，要根据说话内容、目的、对象、场合而定。

3. 要恰当地辅以其他态势语言。停顿不是全部说话活动的停止，只是有声部分的暂停。停顿时，要求姿态、表情等态势语言充分发挥作用。常见的停顿，一是用眼睛说话，要表达的情感，从目光中流露。二是用表情说话，表情或严肃，或喜悦，或忧伤，或愤怒。虽未吐一字一词，但停顿给了听者揣摩其“潜台词”的时间。同样可以获得答案。三是用感情说话，举手、投足、坐相、站姿都能传递信息，使听者于无声处看姿势，探究竟。

4. 要有足够的耐心和定力。耐心地沉默，本来就是一种修养。停顿，不仅要给对手施加心理压力，使对手在长久的沉默中失去冷静。而且，可以有助于你的倾听，及时分析对手言行的目的和意图，从而达到超出停顿本身的作用。这就要求，运用停顿时，要有充分的准备，要有耐心。在确定有必要停顿时，不论别人怎样，始终缄口不言。不要怕冷场，不要怕给人难堪，不要想当个“带头人”。假如思绪还没有理清、意见考虑不成熟或说出来可能不合时宜，还是沉默为好。

※ 进行科学适度的发音训练

语音是人们表情达意的物质手段，是相互联系的重要媒介。法国艺术家泰纳曾经说：“人们的喜怒哀乐，一切骚扰不宁、起伏不定的情绪，连最微妙的波动、最隐蔽的心情都能用声音直接表达出来；而且表达有力、细致、正确，无与伦比。”这句话充分说明了语音素质的重要作用。因此，口才训练的第一步应从语音开始。

人类并没有单独的发音器官，而是使用呼吸器官、消化器官作为自己的发音器官的。当我们说话时，横在呼出气流通路上的两条声带，迅速地一开一闭，把稳定的气流切成一连串的喷流，而转换为一种听得见的蜂音。舌、唇、额等器官的移动，不断改变声道的声学性质，将蜂音变成能够区别的语音，通过人体胸腔、咽喉、鼻塞和口腔组成的共鸣器放大，从而发出声音。那么，怎样进行发音训练呢？卡耐基为我们提出如下建议：

1. 呼吸练习

气息是声音的动力来源。我们正常的说话是在呼气而不是在吸气时进行的。在作公开朗诵、演讲时，我们明显地需要有比平时更强的呼吸循环。发音时的正确呼吸方法，应当采用胸腹联合式呼吸法，即通过横膈膜的收缩和放松进行呼吸。它介于腹式呼吸和胸式呼吸之间。具体做法是：

吸气时，小腹向内收缩，大腹、胸和腰部同时扩张。这种扩张不是单纯向前、向上挺胸，还要向左右撑开，感觉到腰带渐紧，后腰有向后撑开的力量。呼气时，小腹要一直收住，使胸部、腰部在努力控制之下，将气慢慢散出，切忌一下子把气放出来。

这种呼吸方法可以使肺部充满气息，为发音提供充足的“气”；同时，小腹向内收缩，胸腔扩展，以小腹、后腰和后胸为支柱点，为发音提供了充足的力，使发出的声音洪亮致远。

采用胸腹联合式呼吸法，进行口语表达时，应注意以下几点：第一，呼吸时，尽量做到自然轻松，吸入的气息量适中，切忌吸得过深或过浅；第二，充分利用讲话过程中存在的自然停顿进行换气，不要在讲完每一段或每一层次后才大呼大吸；第三，只有挺胸抬头，肩背舒展时，才能使胸腹处于良好的呼吸状态。

2. 声带练习

专家指出，人们在正常说话时，声带频率范围在 60 到 350 赫兹之间，或者略大于两个八度音，偶尔也用更高的频率。声带振动的频率，决定了发音的音响、音高和音色。个人除了先天声带条件之外，在后天正确进行声带训练和保护，能够有效地改变声带条件，提高语音素质。

发音时，声带犹如赛跑前的韧带一样，需要做准备活动。方法是，声带放松，用匀缓的气流轻轻地拂动它，发出细小的抖动声，像小孩撒娇生气时，喉咙里发出的那种声音。这种声音像气泡一样，是一个一个颤抖出来的。

声带练习的方法很多，最基本的方法是：吸足一口气，身体放松，张开或者闭合嘴，由自己的最低音，向最高音发出“啊”的连续声响，可以做高低音连续变化起伏。这种练习最好放在早晨空气清新时进行。

在演讲等大场合的口语表达中，发音需要自然轻松，处理好停顿，控制好音量，使声带松紧有节。尤其不可有意使用过高的嗓音，以免声带负担过重，声音嘶哑。在整个口语表达过程中，不宜喝过量、过烫、过冷的水。用少量温水，润润喉咙，有利于保护声带。

3. 共鸣练习

声带产生的音量只占讲话音量的5%，其他95%的音量，则要通过胸腔、咽喉、鼻窦和口腔所组成的共鸣器放大得来。共鸣器官的合理运用，可以使声音变得圆润、优美动听，大大提高发音的质量。

扩大口腔、咽腔共鸣的训练方法是：首先，下巴稍向后、向下移，但不要大开；其次，提嚼肌——脸上嚼肌（面皮）向两边斜上方提起，似放松微笑状态；然后，挺软腭——软腭向上挺住，用张口急吸气体会，发鸭叫声，使口腔形成一个圆筒，否则，声音发暗、发扁；最后，像老虎龇牙咧嘴一样，大张合训练的同时，发“啊”的声音。

鼻腔、胸腔共鸣的训练方法是：学牛叫；用“哼哼”音哼歌；鼻音带出字；做扩胸运动的同时，发尽量高亢的声音和尽量低沉的声音。

4. 读句练习

读句练习的目的是训练讲话时语句流畅，干净利落，出口成章。有些人口语表达时语句阻塞，拖泥带水，重复啰唆，其原因除了思路不清，反应迟钝外，就是嘴巴不灵，舌头不巧，缺乏严格的口齿训练。为了训练口齿灵活，可选择一些有难度的语言片断，进行快读训练。练习时，要求做到词句不增不减，不重不断，由慢到快，读得连贯、流畅、自然。

※ 在不同的场合和面对不同的谈话对象时要调整好声音

在交谈过程中，说话者的语速、音质和声调，也是传递信息的符号。同一句话，说时和缓或急促，柔声细语或高门大嗓，商量语气或颐指气使，面带笑容或板着面孔，效果大相径庭，要根据对象、场合进行调整。

1. 必须发音正确、清晰易懂

说话是一种艺术。要想把话说得好，正确地表达自己的意思，就必须发音正确、清晰易懂，否则由于口齿不清，发音不准，就会影响内容的表达。清晰易懂的发音，可以依赖平时的练习，多注意别人的谈话，多朗读书报；交谈时克服紧张情绪，讲话不急不躁，就能做到这一点。

2. 说话的速度不宜太快，也不宜太慢

说话太快会令人应接不暇，反应跟不上，而且自己也容易疲倦。有些人以为自己说话快些，可以节省时间。其实，说话的目的，在使对方领悟你的意思。此外，不管是讲话的人，或者是听话的人，都必须运用思想。说话太慢，也会使人着急，既浪费时间，也会使听的人不耐烦，甚至失去谈下去的兴趣。因此，谈话中，只有使自己谈话的速度适中，即每分钟讲 150 个单词左右，才最适宜。

3. 要注意语调

人们说话时常常要流露真情，语调就是流露这种真情的一个窗口。愉快、失望、坚定、犹豫、轻松、压抑、狂喜、悲哀等复杂的感情都会在语调的抑扬顿挫、轻重缓急中表现出来。语调同时还流露一个人的社交态度，那种心不在焉、敷衍的语调，绝不会引起别人感情上的共鸣。语调虽重要，但在谈话中却往往被忽视，只注意辞令如何风趣，内容如何美妙，却忘了语调要如何动人，结果使思想的传递受到损失，效果受到影响。

在社交场合，为使自己的谈话引人注目，谈吐得体，一定要在声音的大小、轻松、高低、快慢上有所用心，这样才能收到好的效果。比如，放低声调，总比提高嗓门说话显得悦耳得多；委婉柔和的声调，总比粗砺僵硬的声调显得动人；发音稍缓，总比连珠炮式易于使人接受；抑扬顿挫，总比单调平板易于使人产生兴趣……但这一切都要追求自然；如果装腔作势，过分追求所谓的抑扬顿挫，也会给人华而不实在演戏的感觉。自然的音调也是美好动听的。

※ 把啰唆当作必须克服的缺点

卡耐基认为，说话啰唆是口才的一大禁忌。

说话啰唆的人往往会使人感到不快。社交场合一旦出现了这样性格的人，无论什么人都会感到伤透脑筋：他们大大咧咧、漫不经心；讲起话来啰啰唆唆一大堆，看不出他们所说的话彼此之间有什么逻辑联系。他们既不知道自己是在说些什么（没有明确主题），也不知道自己为什么要说这些（没有明确目的），更不知道自己遇到与人谈话的场合应该怎么办（不了解谈话的基本规则）。这样的人往往心地善良，不含恶意，但就是让人受不了。

在社交场合说话啰唆，无论如何也是表达能力方面的一大弱点。它让人神经紧张、心情厌烦、又不好粗暴地打断话头："闭上你的嘴！"于是，就有人提出了颇具幽默的设想，建议具有这种性格弱点的人，说话时想象自己在挂国际长途电话，说话的每一分钟你都必须付款。这是一种合理的想象，你在浪费别人的时间。而一旦你真正这样想的话，那么你肯定会知道自己要说些什么，也知道为什么要说这些。至于怎么办——这很清楚——唯一的原则就是简洁明快。从任何角度来看，没有人会心甘情愿为自己的一堆废话去付账。所以，这条建议不失为一个行之有效的方法。

问题在于，说话啰唆的人往往觉得自己所说的含义丰富，他们认识不到自己的弱点。有两个多年未见面的老朋友相聚，他们彼此都盼望了很久。结果其中一个带了他热情开朗的新婚妻子一起来，那位妻子从一开始就独占了整个谈话，滔滔不绝，一个接一个地说着一些自己觉得很好笑、很有趣味的事情。出于礼貌，两个男人沉默地听着，偶尔尴尬地彼此对看一眼。当他们分手的时候，那位妻子站在门口的台阶上挥舞着手套，兴高采烈地说："再见！"她觉得度过了一个很有意义的夜晚，认识了丈夫的朋友，还进行了一次快乐的谈话；而两个男人却对老朋友分别多年后的情况仍旧一无所知，心里诅咒着这个开朗得过分的女人，即使她的丈夫也是如此。

卡耐基给说话啰唆招人烦的人罗列出了 7 个典型的特征。

1. 打断他人的谈话或抢接别人的话头，希望整个谈话以"我"为重点；

2. 由于自己注意力分散，一再要求别人重复说过的话题，或自己不记得已经说过了，一再重复；

3. 像倾泻炮弹一样连续表达自己的意见，使人觉得过分热心，以致难以应付；

4. 随便解释某种现象，轻率地下断语，借以表现自己是内行，然后滔滔不绝；

5. 说话不合逻辑，令人难以领会意图，并轻易地从一个话题跳到另一个话题，有时自己也莫名其妙；

6. 不适当地强调某些与主题风马牛不相及的东西，东拉西扯；

7. 觉得自己说的比别人说的要来得更有趣。

凡此种种，都是说话啰唆者的通病，也往往造成社会交往中的尴尬场面。

你不妨对照一下，只要具备了上述七条中的任何一条，你就有必要在交谈的时候注意克服，在说话技巧上加以切实的提高。切记：仅仅有了充分热情的交谈愿望是远远不够的，毫无技巧的谈话只会给人带来烦恼，而不会增进友谊。如果你把这只当作一个无足轻重的小毛病，那你就大错特错了。

有几个具体步骤能提醒你在交谈时更注意技巧，更清晰地表达。

1. 聆听有时比说话更重要。既然是交谈，就要先听清楚别人在说什么，还得用心记住，免得三分钟后你又重新发问，或自己说的和别人说的对不上号。心不在焉、漏听字句和记性不佳，都会使谈话变得冗长、拖沓、无聊。试想，如果你在说话时，有人时时提问："你刚才在说什么？"那是多么令人扫兴的事。

2. 注意观察他人的反应，包括他人的语调是否热情，是否对你说的话感兴趣。谈话就像司机驾车过十字路口一样，要时时注意红绿灯。当别人表情冷淡、哈欠连连，你仍然滔滔不绝往下说，无异于违反了交通规则；如果别人对你说的话感兴趣，就会做出积极鼓励的反应，邀请你说下去。否则就是开红灯，你要赶紧刹车，适可而止。

3. 你如果要开口说话，就要把话说得有条理。最令人困扰的就是缺乏条理的谈话习惯，它会轻而易举地将人引到信口开河、废话连篇、离题万里、一再重复的泥塘里去。说话无组织、无逻辑是思想不清楚的表现，没有人愿意和存在这种缺点的人打交道。

4. 不要把“我”当成谈话中的核心和重点，要引导对话者也积极参与进来。这样，即使你要说很多话，也不会让人觉得太冗长。在与人交谈时摆正“我”的位置，是一门大有学问的艺术，你不是一个伟人，没有必要居住在地球中心。

※ 树立自信，克服当众说话的胆怯心理

生活中，你不可避免地要与各种各样的人打交道。社交是展示个人风采的重要方面。你可能需要和重要人物交谈，在公众场合发表你的观点，出现在谈判、酒会、晚宴等各种社交场所。但是，或许你总是不由自主地退却，或硬着头皮去了，却因表现失态，而让好机会白白溜走。你懊恼、后悔。可当下一个机会出现的时候，你又开始胆怯、犹豫、心慌、手颤……久而久之，自信心在一次次窘态中消耗殆尽。

卡耐基指出，要想获得自信心、勇气以及能力，以便在向人们发表谈话的同时能够冷静而清晰地思考，这并不像大多数人所想象的那般困难。这就如同你打高尔夫球一样，任何人都可以发展出他潜在的能力，只要他有想要这样做的充分欲望就行。

卡耐基的一生几乎都在致力于帮助人们克服谈话和演讲中畏惧和胆怯的心理，培养勇气和信心。在“戴尔·卡耐基课程”开课之前，他曾做过一个调查，即让人们说说来上课的原因，以及希望从这种口才演讲训练课中获得什么。调查的结果令人吃惊，大多数人的中心愿望与基本需要都是基本一样的，他们是这样回答的：“当人们要我站起来讲话时，我觉得很不自在，很害怕，使我不能清晰地思考，不能集中精力，不知道自己要说的是什么。所以，我想获得自信，能泰然自若，当众站起并能随心所欲地思考，能依逻辑次序归纳自己的思想，在公共场所或社交人士的面前侃侃而谈、富有哲理且又让人信服。”

卡耐基认为，要达到这种效果，获得当众演讲的技巧，我们不

妨借别人的经验鼓起勇气。不论是处在何种情况、何种状态之下，绝没有哪种动物是天生的大众演说家。历史上有些时期，当众讲演是一门精致的艺术，必须谨遵修辞法与优雅的演说方式。因而，要想做个天生的大众演说家，那是极其困难的，是需要经过艰苦努力才能达到的。

当众演说不是一门闭锁的艺术，并不是那样容易学到知识，必须经过多年的美化声音，以及苦学修辞学多年以后才能成功。平常说话轻而易举，只要遵循一些简单的规则就行。

卡耐基指出，当众说话需要遵循正确的方法，其方法有以下几个要点。

1. 融于自己的题材中

选好题材后，依语言的顺序加以整理，并在朋友面前“预演”。但仅这样的准备是不够的，你还得相信自己的题材具有价值，你应具备那些伟人们所拥有的品质——坚定自己的信念。如何才能煽动自己生起自信之火呢？深入挖掘题材，把更深层次的内容展现到听众面前，并且自问说：我如何才能让听众信服，如何才能让我的演讲对他们有所启发？

2. 避免自己有反面的想法

什么是反面的想法呢？举例来说：设想自己的修辞会出现错误、语句不通顺，或是在演讲中出现卡壳的现象，这都是反面的假想。这些负面情绪，很可能在你未登台前，就先将你的自信消耗殆尽。在开始演讲之前，你最需要做的，就是把思想从自己身上转移开，将全部的注意力都投入到听众身上，这样就不会为登台的恐惧所击溃了。

3. 给自己打气

除非怀抱有某种远大的理想，并坚信自己可为之付出生命，否则，任何人都会有怀疑自己观点、题材的时候。他会问自己：这题目适合我吗？听众们会不会感到厌烦？甚至有些人会在惶惑之下，临场修改题目。这种疑惑实际上会毁掉人们的自信，使他们被恐惧所征服。当你也处在同样的情况下时，你就该为自己做一番精神上的鼓励。用简洁、直白的口吻告诫自己，这个题目就是为你量身定做的，因为它来自于你的内心，是你生活经验的积累，反映了你对生命的看法；告诉自己，你比任何人都有资格来做这次演讲；告诉自己，你也确实将全力以赴，把它阐述得淋漓尽致。

也许你要问，这种老套的方法真的管用吗？卡耐基会回答：“是的，也许管用。”现代的心理学家都认同这一点——由自我启发而产生的动机。即使你只是在自我催眠，但也是最强有力地快速刺激自己的好方法。那么，凭借着这种心态全神贯注地投入到你的演讲当中去，又怎么会再被恐惧缠身呢？

4. 临场抱定豁出去的心态

任何人都不是天生的敢在公众场合自如说话，都有一个艰难的“第一次”。罗斯福总统说过：“每一个新手，常常都有一种心慌病。心慌并不是胆小，而是一种过度的精神刺激。”古罗马著名演讲家希斯洛第一次演讲就脸色发白、四肢颤抖；美国的雄辩家查理士初次登台时两个膝盖抖得不停地相碰；印度前总理英迪拉·甘地首次演讲不敢看听众，脸孔朝天。只要抱定豁出去的心态，“既来之，则安之”，就自如了。

5. “忘记”听众

就是自己在发言前，心中有听众，但在发言时，眼中不能有听众，只顾按自己的意图去表达。一位教师第一次登台讲课效果就不错，有人向他请教经验：他说：“备课时我心中一直想着学生，可一上讲台，我眼中所见，只有桌椅而已。这样，我就放松自如了。”

※ 摆脱过去当众说话失败的阴影

英国现代杰出的戏剧家萧伯纳以幽默的演讲才能著称于世。可他二十岁初到伦敦时，却羞于见人，胆子很小。若有人请他去做客，他总是先在人家门前忐忑不安地徘徊多时，而不敢直接去按门铃。

有一次，一位朋友邀请他参加学者的辩论会。在会上，他怀着一颗非常紧张的心站起来，作了有生以来的第一次演讲。当他讲完时，受到了别人的讥笑。他于是便觉得自己充当了一个十足的傻瓜，蒙受了莫大的耻辱。此后，他每星期都当众演讲。人们在市场、学校、公园、码头、在挤满成千上万听众的大厅或只有寥寥几人的地下室，都经常看到他慷慨陈词的身影。最后，他终于成了一名杰出的世界级演说大师。

还有许多人深信自己的第一次演讲比萧伯纳有过之而无不及，甚至更糟。英迪拉·甘地夫人初次登台时，吓得连一点声音也发不出来，讲了点什么自己也不清楚，只听一个听众在说："她不是在讲话，而是在尖叫。"她在一场哄堂大笑中结束了讲话。

国际工人运动杰出的女活动家蔡特金第一次演讲时，虽然早就作过细致准备，可一上台，"要讲的话一下子从脑子里全溜掉了，大脑出现了空白"。

美国前总统福特初入政坛时，讲话结结巴巴，人们听起来很不舒服，有人戏称他为"哑巴运动员"。

英国政治家路易·乔治，第一次试着作公开演说时，舌头抵在上腭，竟不能说出一个字。

美国著名作家马克·吐温谈起他首次在公开场所演说时，也说那时仿佛嘴里塞满了棉花，脉搏快得像争夺田径赛跑的奖杯……

上面列举大量的事实，不外乎是想说明一个问题：成功者也曾经失败。

但是，如果一个人总是向后看，只是看到失败，那就只会畏缩不前。无论对谁来说，目标向前，塑造自己光彩、良好的形象，都十分重要。说话失败过的人，只要摆脱过去失败的阴影，藐视过去的自己，才能战胜失败，成为能言善辩之人。

那么，怎样才能忘却痛苦，摆脱失败的阴影呢？卡耐基为我们提供了如下两点建议。

1. 把听众当作朋友或客人。不论是谁，与亲密的朋友说话都不会怯场；初次见面，一想不了解这个人，就会拘束。所以，说话者应视每一位陌生人为旧友故知。日本有位当配角的滑稽演员，为了防止怯场，常在手心写一个"客"字，意为装作把观众不放在眼里，也就是说："不要把客人当回事，就不怯场了。"另一位日本歌手则反其道而行之，他一怯场，就自言自语地念叨：“我是客人所喜欢的！客人都很喜欢我！”这样一来，抗衡感就消失了，取而代之的是镇静自若。

2. 脑子里要经常清楚浮现成功的情景。有的人一想起过去自己失败的情景，脑子里便闪现出“这一下又要失败啦！”“脚哆嗦起来了！”“话音异常啦！”等信息，并导致说不出话来。所以，说话者最好多想象一下自己与初次见面的人侃侃而谈，在公众面前指点江山的潇洒英姿。如果觉得自己有过成功的经历，胸中就会鼓起“定能获得成功”的信心和胜利的希望，并产生说话的动能。如果说话之前想象到听众对自己热烈喝彩的情景，则会倍增自己说话的勇气。

把向后看变成向前看，把回忆尴尬变成想象荣耀，从失败心情转为成功心理，无疑能为成功地说话奠定良好的基础。

※ 在谈话中要善于运用幽默

卡耐基发现，西方政界领袖和社会名流很重视自己有无幽默才能。他们认为，幽默是智慧、才能、学识和教养的象征，是自我表现、取悦于民的极好手法。为了总统竞选、当众论辩、演讲致辞、社会交往等活动，必须要充分显示自己的幽默感。一句得体的俏皮话，立刻就会让你和听众之间的距离缩短，获得好感；几句对付难题的机智问答，不但会使自己一下子摆脱困境，还会体现美好的自我形象，获得人们的同情和赞美。所以，在许多国家，不仅总统有幽默顾问，而且社会各界还创办各种新奇的报刊、活动和组织，如幽默杂志、幽默协会、幽默俱乐部、笑话公司、设有开心护士的幽默诊所等。人们借此消除疲倦，增进健康，松弛绷紧的心弦，开展社会交往活动。卡耐基指出，在生活中，积极运用幽默的力量是非常聪明的，也是很有效的。

1. 用幽默风趣的语言表现自己的良好风度

幽默是人的思想、常识、智慧和灵感的结晶，幽默风趣的语言风格是人的内在气质在语言运用中的外化，在公关交际中有很重要的作用：第一，幽默能激起听众的愉悦感，使人轻松、愉快、爽心、舒情。这样可活跃气氛，联结双方感情，在笑声中拉近双方的心理距离。第二，幽默的一个显著特点是寓庄于谐，通过可笑的形式表现真理、智慧，于无足轻重之中显现出深刻的意义，在笑声中给人以启迪和教育，产生意味深长的美感趣味。第三，幽默风趣还可使矛盾双方从尴尬的困境中解脱出来，打破僵局，使剑拔弩张的紧张气氛得以缓和平息。第四，幽默风趣还有利于塑造交际中的自我形象，因为幽默的风度是良好性格特征的外露。对每个人来说，幽默风趣的语言风格固然有先天成分的影响，但更有后天的习得。我们应掌握一些构成幽默的方法，并在语言表达中注意加以运用。

2. 使人际交往变得更顺利

心理学家认为，除了认识和劳动之外，交际是形成人的个性的重要活动。幽默，在某种意义上讲，是人与人交往的润滑剂，它可以使人们的交际变得更顺利、更自然。

下面这样的情况在生活中是屡见不鲜的：某人打算向自己的朋友提出一个要求，但不知道对方能不能应允。当然，这一要求一旦被对方拒绝，定然令人难堪，甚至会危及多年的友谊。而幽默往往是解决这种令人困窘局面的最好办法。也就是说，他应该以开玩笑的方式提出自己的要求。如果那个熟人由于种种原因不可能或者不愿意满足这一要求，他可以同样以开玩笑的方式婉转地予以拒绝。这样，任何一方都不会感到为难或自尊心受到损害。如果以幽默的方式所提出的要求为对方所应允了，那么，两个人经过半开玩笑的一番交谈以后，便可转入严肃认真的讨论。这时幽默作为一种不得罪人的“侦察方式”，起到了试探作用。

幽默能稳定集体的情绪，特别是当一个集体正酝酿着一场冲突时。这时，恰到好处地说几句幽默风趣的话能缓和紧张的气氛，使剑拔弩张的情绪平稳下来。

挪威著名的探险家图尔·赫伊叶尔达勒在为“野马号”挑选乘员时，就十分注意他们是否有足够的幽默感。他曾经这样写道：“狂暴的寒风、低沉的乌云、弥漫的雨雪，与六个由于性格不同、主张不一而可能出现的威胁相比，只是较小的危险。我们六个人将乘坐木筏，在汹涌的洋面上漂流好几个月。在这种条件下，开开有益的玩笑，说几句幽默的话，对我们来说，其重要性绝不亚于救生圈。”

3. 幽默地化解尴尬

英国前首相威尔逊与一个小孩有过一件趣事。

有一天，威尔逊为了推行其政策，在一个广场上举行公开演说。当时广场上聚集了数千人，突然从听众中扔来一个鸡蛋，正好打中他的脸。安全人员马上下去搜寻闹事者，结果发现扔鸡蛋的是一个小孩。威尔逊得知后，先是指示属下放走小孩，后来马上又叫住了小孩，并当众叫助手记录下小孩的名字、家里的电话与地址。

台下听众猜想威尔逊是不是要处罚小孩子，于是开始骚乱起来。这时威尔逊要求会场安静，并对大家说：“我的人生哲学是要在对方的错误中，去发现我的责任。方才那位小朋友用鸡蛋打我，这种行为是很不礼貌的。虽然他的行为不对，但是身为大英帝国的首相，我有责任为国家储备人才。那位小朋友从下面那么远的地方，能够将鸡蛋扔得这么准，证明他可能是一个很好的人才，所以我要将他的名字记下来，以便让体育大臣注意栽培他，使其将来能成为我国的棒球选手，为国效力。”威尔逊的一席话，把听众都说乐了，演说的场面也更加融洽。

也许有人会说，威尔逊是小题大做、故弄玄虚。但不管怎么说，他懂得从别人的过错中发掘长处，积极寻找具有建设性的建议，不仅让不愉快的事情随风而逝，而且还将坏事化为好事，帮助自己摆脱尴尬的境地。抛开其他而不论，多数听众认为，威尔逊对待小孩子的趣事，还是幽默与可贵的。

4. 在轻松中达到教育的目的

幽默式批评就是在批评过程中，使用富有哲理的故事、双关语、形象的比喻等，缓解批评的紧张情绪，启发被批评者的思考，增进相互间的感情交流，使批评不但达到教育对方的目的，同时也能创造一个轻松愉快的气氛。

如果你希望有所成就，希望引人注目，希望社交成功，那么你就应该学会和别人来点幽默。幽默是极易接近感情的热线，它像春风一样，使愉悦充满两个人的交际场中，表达着你的真诚和温情。幽默宛如一座桥梁，是沟通人心灵的桥梁。幽默者最有人情味，与这样的人相处，每个人都会感到快乐。

深受美国人爱戴的美国第十六任总统林肯的容貌很难看，这是讨人喜欢的一个障碍。他认识到这一点，但并没有回避它，反而利用它拉近了与人们的距离。

一次，他的论敌说他是两面派。林肯平和地说："现在，让听众来评评看，要是我有另一副面孔的话，您认为我会戴这副难看的面孔吗？"幽默，显示了林肯对自己的达观态度，体现了他的真诚，赢得了人们的理解，更表露了人们所需要的人性和人情味。

幽默是人际沟通的润滑剂。幽默能使激化的矛盾变得缓和，从而避免出现令人难堪的场面，化解双方的对立情绪，使问题更好地解决。

人们凭借幽默的力量，打碎自己的外壳，主动地与人交往，触摸一颗颗隔膜的心，通过幽默，人们能感受到你的坦白、诚恳与善意。

严肃的交谈与例行公事般的来往，往往给人一种戴着假面具的感觉，也似乎只能让人了解你的外表，却无法探知你的内心，这样的交流是极难深入下去的，因而没有心灵的沟通的社交，不能算成功的社交。幽默能够让人们看到你的另一面，一个似乎是本真的、人性的、淳朴的一面，这是人性的共同之处。

美国总统里根曾回到他的母校，在毕业典礼上致辞时，他嘲笑自己在学校的成绩。他说道："我返回此地只是为了清理我在学校体育馆里的柜子……但获此殊荣，我心情十分激动，因为我过去总认为只有得到第一名才是荣誉。"

这一番展示自己另一面的讲演，取得了很好的效果。

奥地利精神分析大师弗洛伊德讲过："最幽默的人，是最能适应的人。"

的确，幽默能使我们在社交场合应付自如，用幽默来化解各种各样的危机和困境。

我们都知道丘吉尔那段著名的幽默。

有一次，英国首相、陆军总司令丘吉尔去视察一个部队。天刚下过雨，他在临时搭起的台上演讲完毕下台阶的时候，由于路滑不小心摔了一个跟头。士兵们从未见过自己的总司令摔过跟头，都哈哈大笑起来，陪同的军官惊慌失措，不知如何是好。丘吉尔微微一笑说：“这比刚才的一番演说更能鼓舞士兵的斗志。”效果的确如丘吉尔所戏言的，士兵们对总司令的亲切感、认同感油然而生，必定会更坚定地听从总司令的命令，去英勇战斗。

幽默是社交成功的法宝。运用幽默的力量，我们就能通过成功的社交，走上成功的道路。运用幽默，我们也可以回答自己不愿听的问题。

芬兰一个建筑师说话很慢，当记者访问他时，一直担心时间不够。万般无奈只好说：“沙先生，时间不多了，能否请您说快点？”沙先生一听，慢吞吞地掏出烟斗，点上，能多慢就多慢，懒懒地说：“不行，先生，不过，我可以少说一点。”

有时，朋友提出一些你无法接受的要求，但若生硬地拒绝，又容易伤害彼此之间的感情，运用幽默，能使人避免这种难办的事情。

幽默是有雅俗之分的。好的幽默不但令人笑，笑过之后精神还为之振奋，情操得到陶冶，感情得到满足，得到美的享受，而且也表明了幽默人的修养、气质的高超；而低俗的幽默，是智力贫贱的产物，使人觉得荒唐、无聊与庸俗，幽默者本人是不会得到真正的朋友的。

幽默不应只是为笑而笑，它应该是在严肃和趣味之间达到一种平衡，它应该使人睁开眼睛更好地认识世界，认识自己，调整错误的观念，使我们的身心和周围的一切均衡成长，实现更高级的文明。

幽默的背后是严肃，幽默的背后还藏着人的情趣、修养和心理。

情趣高雅靠的是我们自身的修养，包括道德修养、知识修养、艺术修养等，只有自身变得高雅了，你的幽默才会随之高雅。反过来，高雅的幽默也表露了你人格的高尚，能够吸引更多的人和你交往。毫无疑问，谁都喜欢和高尚的、高雅的人做朋友。

※ 依靠幽默的力量能够化解困境

我们在个人生活中，总是不断地、交替地扮演着主人和客人的角色。因此我们有可能要去应付不合理的要求、令人不快的行为或者闹得不像话的场面。有人想平息餐桌上的争论，他提了一个十分意外的问题："诸位，刚才是一道什么菜？大概是鸡！""是的。"一位客人回答。"一定是公鸡！"这人一本正经地说，"原来是鸡在作祟，难怪大家要斗起来。"说完他举起酒杯："来点灭火剂吧，诸位！"一场餐桌上的征战顷刻间平息了。

有时候为了化解困境，没有任何合适的方式，只有依靠幽默的力量。

当百货公司大拍卖，购货的人又推又挤的时候，每个人的脾气都犹如枪弹上膛，一触即发。有一位女士愤愤地对结账小姐说："幸好我没打算在你们这儿找'礼貌'，在这儿根本找不到。"结账小姐沉默了一会儿，说："你可不可以让我看看你的样品？"那位女士愣了片刻，笑了。

作家欧希金也曾以幽默摆脱了一个困境。他在《夫人》一书中，写到了美容产品大王卢宾丝坦女士。后来在一次他自己举行的家宴中，一位客人不断地批评他，说他不应该写这种女人，因为她的祖先烧死了圣女贞德。其他客人都觉得很窘，几度想改变话题，但是都没有成功。谈话越来越令人受不了，最后欧希金自己说："好吧，那件事总得有个人来做，现在你差不多也要把我烧死了。"这句话马上使他从窘境中脱身出来，随后他又加上一句妙语，"作家都是他的人物的奴隶，真是罪该万死！"

有一位年轻人新近当上了董事长。上任第一天，他召集公司职员开会。他自我介绍说："我是杰利，是你们的董事长。"然后打趣道，"我生来就是个领导人物，因为我是公司前董事长的儿子。"参加会议的人都笑了，他自己也笑了起来。他以幽默来证明他能以公正的态度来看待自己的地位，并对之具有充满人情味的理解。实际上他委婉地表示了：正因为如此，我更要跟你们一起好好地干，让你们改变对我的看法。

有时候，我们确实需要以有趣并有效的方式来表达人情味，给人们提供某种关怀、情感和温暖。据说有位大法官，他寓所隔壁有个音乐迷，常常把电唱机的音量放大到使人难以忍受的程度。这位法官无法休息，便拿着一把斧子，来到邻居门口。他说：“我来修修你的电唱机。”音乐迷吓了一跳，急忙表示抱歉。法官说：“该抱歉的是我，你可别到法庭去告我，瞧我把凶器都带来了。”说完两个人像朋友一样笑开了。

这位法官并不是想把邻居的电唱机砸坏。他是恰当地表达了对邻居的不满——请注意：是对音响而不是对人——他的行为似乎是对音乐迷说：“我们是朋友，我希望和你好好相处，至于唱机是唱机，可以修理一下。”当然，所谓“修理”只是把唱机的声音开低些罢了。

某大公司董事长和财税局长有矛盾，双方很难心平气和地坐在一起，可是又必须把他们都请来，参加一个重要的会议。他们不得不来了，但是双方都视而不见，犹如两个瞎子。这时会议主持人抓住他们的矛盾，进行了一瞬间的趣味思考。他向人们介绍这位董事长时，说：“下一位演讲的先生不用我介绍，但是他的确需要一个好的税务律师。”听众爆发出一阵大笑。董事长和财税局长也都笑了。

这就是“趣味思考法”——不要正面揭示或回答问题，而是用愉悦的、迂回的方式揭示或回答问题。著名足球教练罗克尼，也是个善于进行趣味思考的人。有一次球赛，罗克尼的诺特丹足球队在上半场输给威斯康辛队 7 分。可是他在休息室中一直与队员们开玩笑，直到要上场进行下半场比赛时，他才大喊：“听着！”队员们惊慌失措地望着他，以为他要把每一个人都大骂一通。但是罗克尼接下去说：“好吧。小姐们，走吧。”没有责备，没有放马后炮，也没有指手画脚强调下半场如何踢球。罗克尼的乐观、豁达，帮助队员们克服了心理上的障碍，帮助他们忘掉艰难的处境。他的队在下半场创造了奇迹，踢出了一连串漂亮的球。后来罗克尼对采访他的人说：“不是我赢了，而是我的趣味思考法赢了，因为我知道我们精神上赢了，那么球也赢了。”

幽默作家班奇利，在一篇文章中谦虚地谈到他花了 15 年时间才发现自己没有写作的才能。结果一位读者来信对他说："你现在改行还来得及。"班奇利回信说："亲爱的，来不及了。我已无法放弃写作了，因为我太有名了。"这封信后来被刊登在报纸上，人们为之笑了很长时间。事实是班奇利的幽默作品闻名遐迩，但他没有指责那位缺乏幽默感的读者，他以令人愉悦的、迂回的方式回答了问题，既保护了读者可爱的自尊心，也保护了自己的荣誉。

如果你对自己幽默的手法没有足够的自信，不妨学学孩子式的幽默。即使在 50 岁以后，我们也经常为孩子们由天真而产生的幽默所感动。他们是真正以坦诚待人，不会隐瞒任何事实。当他们毫不掩饰地道出心里想的或事实真相时，人们一下子就喜欢上他们，跟他们在一起会感到跟任何人在一起都无法感到的轻松、愉快。

有一次，李卡克在家里请几位朋友吃饭。朋友来了，他妻子要他的小女儿向客人说几句欢迎的话。小女儿不愿意，说："我不知道要说些什么话。"这时一位来做客的朋友建议："你听到妈妈说什么，你就说什么好了。"小女孩点点头，说："老天！我为什么要花钱请客？我们的钱都流到哪儿去了？"李卡克的朋友们大笑起来，连他妻子也不好意思地笑了。

这就是孩子式的幽默。小女孩把她的母亲的想法以极纯真的方式说了出来，使大人们也不得不认真地检讨一下自己的想法，同时也减轻了我们对金钱方面的忧虑。这就是幽默的力量！

※ 幽默是不可缺的说话艺术手段

每一个人都有上台讲话的机会，也许是在餐会、宴会上，也许是在教室、学校、家长会上，以及其他社交聚会上，也许是在工作、日常生活中的许多场合里，然而，不论是否常常在公众面前讲话，幽默都是不可缺的说话艺术手段。

当你以幽默来做幽默演讲的开始，你就抓住了听众的注意力，造成气氛，松弛紧张，并建立你与听众之间的友好关系。当你渐渐进入演讲的主题时，仍然需要不断利用幽默来充实谈话内容。

如果你在谈到有关季节性话题时，可以这样说："月圆的时候，犯罪率会升高。这很容易理解，因为强盗小偷在这时候看得比较清楚。”

如果你在谈到人与人之间的关系时，可以这样说：“当今这世界上并非充满爱。如果你在街上看到两个人手挽着手，很可能其中一个是强盗。”

如果你正在为某项事业筹募基金，在演讲中可以引用一段牧师对教友讲的话：“我常在讲道中说，我们教会十分欢迎穷人。从最近几个主日的奉献金额看起来，穷人终于来到我们教会了。”

如果你正在谈有关推销的问题，你可以举例说：“张先生是一位很不错的推销员，他终于能使那位年轻漂亮的招待员点头了，不过他问的是她今晚是否很忙。”

如果你演讲的内容和沟通有关，那么下面这则故事则可帮上忙：

泰勒先生打电话给医生：“请你赶快来！我太太病得很严重，我猜想她是得了盲肠炎。”

“泰勒先生，你疯了吗？”医生回答说，“六七年前我亲自为你太太割掉了盲肠的。你听说过一个女人有第二条盲肠吗？”

“没听说过，”泰勒先生说，“但难道你没听说过一个男人可能有第二个太太吗？”

如果你演讲的内容与执法有关，你又可以讲述这样的故事：某先生把车停在不准停车的地方，并留下一张字条：“我在这一带转了20圈。因为我已经和人约好，必须准时赴约，否则就会丢了我的饭碗。”回来时，他发现车上照样有罚单，且罚单上也附了一张字条：“我在这一带转了20年。如果我不给你开罚单，我就会丢了我的饭碗。”

可见，生活中处处都有幽默，幽默的力量在我们的演讲或说话中时时都可展示魅力。不仅如此，不论在演讲中或生活中，幽默都能帮你处理困难的话题和情况。当你想表达的信息是别人不希望听到的，可能是涉及对方痛处的地方，或者需要他们作较大的牺牲，或者会是他们忌讳的话题，这时幽默的力量就会发挥它的作用。它能给说话者力量，使听者免于受到痛苦情绪的威胁，解除他们对禁忌话题所产生的不安和紧张。幽默可以造成一种轻松的气氛。使听者置身其中，放松神经，舒展情绪。

卡耐基为我们在日常生活中表现幽默和讲笑话提供了一些规则和技巧。

1. 控制和操纵。天才幽默家列奥·罗斯特说过，讲笑话最重要的是充分认识和牢牢把握境况，“听众是不会让那种没有能耐的说笑话者随意摆布的。”

2. 显示技巧。必要时可借用别人的手法。那些最出色的讲笑话能手运用多种多样的形体和言语手段来表述并引发笑声。你可以从幽默大师那里学习这样的技巧。

3. 弄清楚你该在什么地方抖“包袱”。讲笑话之前，应确信你对讲述的节奏和抖出“包袱”的方式已有把握了。最关键的，是把你的“包袱”留到最后，绝不要预先泄露。

4. 添油加醋，力求完美。说笑话有一条老规矩：若你缺乏技巧，讲笑话时请尽量简单、直截了当，别玩花样。但当你的能力足以把握听众时，不要错过添油加醋而使笑话表述得更加完美的机会——插科打诨、增添细节和运用幻想什么的。

5. 有真实性才更有挑逗性。只要你的听众不是街上行路匆匆的过客，那笑话的组织就非常重要了。最好的组织方式是真实材料加上幻想成分，也就是说，笑话要以第一手知识或经验为基础，这样易于引发听众的共鸣。

6. 成功的幽默经常是自嘲的。换句话说，你想逗乐别人，得拿你自己“开涮”。说笑话时，真正安全和适宜的话题还是你自己。不少人认为话题还可以扩展到自己的配偶、父母或孩子身上，但切记别走得太远了。

7. 吃不准时就别说出来。许多笑话与痛苦、同情、怜悯相联系。马克·吐温曾说过，“幽默自身的秘密源泉不是快乐而是悲哀，天堂里不会有幽默。”也许有人不同意马克·吐温的观点，但不能不留意某些笑话可能包含的苦痛。好多年前就有人说过：“忘掉不合时宜的笑话是一件大好事。”带有污辱性的笑话，与种族和宗教信仰相关的笑话，都应尽量避免使用。涉及性生活的笑话也容易遭人反感。

※ 真正的幽默需要具备一些基本的素质

幽默往往是有知识、有修养的表现，是一种高雅的风度。大凡善于幽默者，大多也是知识渊博、辩才杰出、思维敏捷的人。他们非常注意有趣的事物，懂得开玩笑的场合，善于因人、因事不同而开不同的玩笑，能令人耳目一新。

卡耐基指出，一个人要想培养幽默感，就得以一定的文化知识、思想修养为基础，多学习那些诙谐、风趣的人开玩笑的方式、方法。至于那些性格比较内向、做事过于认真呆板的人，要学会欣赏别人的幽默，在社交过程中尽量让自己轻松、洒脱、活泼，想办法将话说得机智、委婉、逗笑。当然，开始尝试会感到不大自如，但只要我们坦率、豁达地在与朋友的交往中不断实践，幽默感便会变得自如，往往会油然而生，使交往更加情趣盎然。

善于理解幽默的人，容易喜欢别人；善于表达幽默的人，容易被他人喜欢。幽默的人易与人保持和睦的关系。现实生活中常常不乏令人碰得头破血流仍然得不到解决的问题，但是，如果来点幽默，却往往会迎刃而解。使同事之间、夫妻之间化干戈为玉帛。幽默还能显示自信，增强成功的信心。信心有时也许比能力更重要。生活的艰难曲折极易使人丧失自信，放弃目标。若以幽默对待挫折却往往能够重新鼓起未来希望的风帆。

真正的幽默是一门学问，是科学，并不仅仅是引人发笑，引人发笑并不都是幽默。它需要具备一些素质和特征。幽默的前提是谐趣，必然有滑稽的因素，我们能认识到的一切似乎是一种突然的顿悟，是一种愉快感和包含笑的行为的具体感受。幽默的智慧是理智。它能将现实生活的丰富经验，敏锐的洞察力，广阔的知识融合起来揭示出现实生活中的特殊矛盾，从中发掘喜剧情趣，创造出崇高的幽默。幽默的标志是高尚。有些自以为幽默的人常将别人作为笑料，以求哗众取宠，结果往往适得其反，真正的幽默是尊重人、赞美人，将严肃的人生哲理寓于滑稽与微笑之中，即使是贬抑伪恶，其实质是褒扬真善，幽默的高尚正体现在其中。幽默的价值是审美。美感是人们欣赏审美对象时产生的怡情悦性的情感体验。幽默的美感反映在嬉笑戏谑中给人以轻松愉悦的感受，反映在灵活的言行启迪人的智慧。美感使得幽默永远保持隽永迷人的魅力。

培养和提高幽默心理能力，要注意以下几点。

1. 要仔细观察生活

观察生活，寻找喜剧素材，需要我们善于变换视角，去发掘和表现这些素材。

2. 要学习幽默技巧

幽默不是天生就会的，是后天学习掌握的。许多关于幽默的书籍和先人的经验，都为我们提供了不少范例，值得我们广泛涉猎，借鉴之用。

3. 要敢于表达幽默

幽默能力只有在表达幽默的过程中才能得到检验和提高，因而积极实践至为重要。选择适当的场合，针对适当的对象，都可显示自己学习的幽默技巧。

※ 要掌握一些谈吐幽默的实用方法和技巧

我们经常看到和听到一些政治家们的幽默言行。他们大多把幽默的力量运用得十分自如，真实而自然。没有耸人听闻，也不哗众取宠，更不是做戏。这是因为，他们都知道太精于说妙语和笑话，对个人的形象并无帮助。

但是有的政治家就不那么高明了，他们摇头摆尾、手势又多又复杂。有的人智力平平，却非要附庸风雅，企图以成串的笑料和廉价的笑来博得听众的欢心。他们硬要把自己塞进别人的肚子里，不顾别人是不是有这个胃口。结果也许是真的引起了笑，但很可能是笑他形象的滑稽和为人的浅薄。为了避免这种情况，就要掌握一些谈吐幽默的方法和实用技巧。下面为大家介绍一些比较实用的方法和技巧。

1. 对比是造成幽默的基本方法之一。通过对比可以揭示事物的不一致性，使用对比句是逗笑的极好方法。古罗马政治家西塞罗就常用这一方法，比如，“先生们，我这个人什么都不缺，除了财富与美德。”

2. 反复也可以成为一种幽默技巧。反复申说同一语句，能够产生不协调的气氛，从而获得幽默效果。比如牛群的一段著名相声《领导冒号》。

3. 故意啰唆。画蛇添足也能引人发笑。如马季的相声名段《打电话》，主要用的就是这种技巧。

4. 巧用歇后语。歇后语也是一种转折形式，它分为前后两部分，前面部分一出，造成悬念，后面部分翻转，产生突变，“紧张”从笑中得以宣泄。如“三九天穿裙子——美丽动（冻）人”。

5. 倒置作为一种幽默方法，颇为人们推崇。通过语言材料变通使用，把正常情况下人物关系，本末、先后、尊卑关系等在一定条件下互换位置，能够产生强烈的幽默效果。如“连说都不会话”。

6. 倒引。比较常用的幽默方法是倒引，即引用对方言论时，能以其人之语还治其人之身。如老师对吵闹不休的女学生说：“两个女子等于 1000 只鸭子。”不久，师母来校，一个女学生赶忙向老师报告：“先生，外面有 500 只鸭子找您。”

7. 转移也是行之有效的幽默手段。当一个表达方式原是用于本义，而在特定条件下扭曲成另外的意义时，于是便获得幽默效果。

空中小姐用和谐悦耳的声音对旅客命令道：“把烟灭掉，把安全带系好。”

所有的旅客都按照空中小姐的吩咐做了。过了 5 分钟后，空中小姐用比前次还优美的声音又命令道：“再把安全带系紧点吧，很不幸，我们飞机上忘了带食品。”

⑧夸张也是人们常用的幽默技巧。运用丰富的想象，把话说得张皇铺饰，也能收到幽默效果。大家比较熟悉的幽默“心不在焉的教授”，也是运用了夸张这一手法的。

教授：为了更确切地讲解青蛙的解剖，我给你们看两只解剖好了的青蛙，请大家仔细观察。

学生：教授！这是两块三明治面包和一个鸡蛋。

教授（惊讶地）：我可以肯定，我已经吃过午餐了，但是那两只解剖好的青蛙呢？

9. “天真”也是一服有效的笑的药方。弗洛伊德就曾把天真看成是最能令人接受的滑稽的形式。

一位妇人抱着一个小孩走进银行。小孩手里拿着一块面包直伸过去送给出纳员吃。出纳员微笑着摇了摇头，“不要这样，乖乖，不要这样。”那个妇人对小孩子说，然后回过头来对出纳员说，“真对不起，请你原谅他。因为他刚刚去过动物园。”

语言幽默的方法还有很多，诸如比喻、转折、双关、故作曲解、故作天真、谐称等也都为人们所喜闻乐见。仅仅懂得了幽默方法还不足以表明富于幽默，正像有了毛笔不一定就能成为书法家一样，问题的关键在于运用。

※ 在日常生活中恰到好处地运用幽默

在社会场合中，开开玩笑是为了活跃气氛，显示出你智慧的幽默，但事情往往有两方面，有其利处也有弊处，玩笑过了分，乐极生悲，搞得大家不欢而散，那就不是成功的交际了。

那么如何恰到好处地运用智慧的幽默呢？

1. 开玩笑时首先确定你的朋友类型。一般说来，朋友类型可分三种：一种是机智狡猾型，另一种是大智若愚型，还有一种是介于二者之间。开第一种人玩笑时，这种人不会让你占任何便宜，会组织语言进行反攻，使你无法得逞；开第二种人玩笑时，他会显得若无其事，与大家一道欢笑，或者装傻，似乎不懂得此事。因此，这两种人的玩笑都可以开。最担心的是你的第三种类型的朋友，这种人被人笑过之后很容易恼羞成怒，搞得大家不欢而散。

所以，开朋友的玩笑必须事先了解朋友是属于哪种类型的人，这样，开起玩笑来，既无伤大雅，又热闹满室，显得交际水平特别的高。

2. 不要把自己的快乐建筑在别人的痛苦上。开玩笑时，不应取笑他人的生理缺陷，例如驼背、断足、麻脸等。也不要笑别人考试不过关，做生意倒了霉，或别人衣衫褴褛。对于这些东西，你应该显示你仁厚的同情心，去安慰、鼓励他们，让他们觉得你是个有情有义的人，他们会对你产生信任及尊敬。

所以，你不能以“牺牲”他人为代价来“制造”玩笑和幽默。最劣质的玩笑，莫过于当着一大群人的面拿其中一个作“靶子”来取笑。即使你能赢来一时的哄堂大笑，那位为你的幽默而“献身”的同伴却是很久都不会原谅你的。

同时，也不能拿不在场的人当幽默“原料”。就算所有的在座者都热烈参与了你发起的玩笑，也保不住你的“出卖行径”不传到那一位的耳中。

而如果拿一般人的禁忌话题再来“幽上一默”，这就无异于“自杀”的举动了，若是想重创对方或给你自己树敌，这种方式将具有百分之百的成功率。

3. 不要开下流低级的玩笑。当着陌生人的面，或对着有女士存在的场所大谈特谈低级下流的玩笑，人们不仅不认为你是个交际高手，反而会认为你太浅薄了。

如果你能够恰如其分地把你的聪明机智运用到智慧的幽默中来，使别人和自己都享受快乐，那么，你就得到更多喜欢你、钦佩你的人，获得支持和关心你的朋友。这对你实现自己的目标，逐渐步入成功者的行列会非常有帮助。

4. 采取幽默的态度提醒对方。有位法官请霍加·纳斯列丁去做客，他为了表示自己的好客，特意叫来厨师说：“霍加是位稀客，今天要好好招待他，你要用无花果和鲜奶油做一道甜食。”

可是偏偏这位厨师记性不好，又因为太忙了，把法官的这句吩咐忘掉了。

一直到吃完饭，这道可口的甜食始终没有向霍加等客人“报到”。法官因为忙着和客人东拉西扯，也把这道甜食给忘了。霍加可没把那可爱的无花果忘了，只是不好意思向主人直言相告罢了。

当晚，霍加等客人就住在法官家。祈祷之后大家就要睡觉了，法官清了清嗓子说：“诸位，让我们赞扬真主，诵读一章《古兰经》，享受一下精神上的清福吧！”

《古兰经》第九十五章开头的句子是：“我用无花果和橄榄起誓……”

但霍加在诵读时故意去掉了“无花果”几个字，读成：“我用橄榄起誓……”

法官见霍加篡改了《古兰经》，马上跳起来叫道：“喂，霍加，你怎么忘记了‘无花果’几个字？”

霍加微笑地反问：“法官先生，你好好想想吧，是谁先忘记了‘无花果’？”

法官一想，才知道霍加的含意，马上抱歉道：“对不起霍加，确实是我把‘无花果’给忘了。既然大家又聊了半天，那么就来点‘无花果’甜食吧。”

在座的人因此又一饱口福。

※ 开玩笑一定要掌握住必要的分寸

在与人交往中，开个得体的玩笑，可以松弛神经，活跃气氛，创造出一个适于交际的轻松愉快的氛围。因而，诙谐的人常能受到人们的欢迎与喜爱。但是，玩笑开得不好，则适得其反，伤害感情，因此开玩笑要掌握好分寸。那么，怎样才能把握住适度的分寸呢？

1. 内容要高雅。笑料的内容取决于开玩笑者的思想情趣与文化修养。内容健康、格调高雅的笑料，不仅给对方启迪和精神的享受，也是对自己美好形象的有力塑造。

2. 态度要友善。与人为善，是开玩笑的一个原则。开玩笑的过程，是感情互相交流传递的过程，如果借着开玩笑对别人冷嘲热讽，发泄内心厌恶、不满的感情，那么除非是傻瓜才识不破。也许有些人不如你口齿伶俐，表面上你占到上风，但别人会认为你不能尊重他人，从而不愿与你交往。

捉弄别人是对别人的不尊重，会让人认为你是恶意的。而且事后也很难解释。它绝不在开玩笑的范畴之内，是不可以随意乱做乱说的。轻者会伤及你和同事之间的感情，重者会危及你的饭碗。记住“群居守口”这句话吧，不要祸从口出，否则你后悔也晚矣！

另外，就是不要拿同事的缺点或不足开玩笑。你以为你很熟悉对方，随意取笑对方的缺点，但这些玩笑话却容易被对方觉得你是在冷嘲热讽，倘若对方又是个比较敏感的人，你会因一句无心的话而触怒他，以至毁了两个人之间的友谊，或使同事关系变得紧张。而你要切记，这种玩笑话一说出去，是无法收回的，也无法郑重地解释。到那个时候，再后悔就来不及了。

3. 行为要适度，不要板着脸开玩笑。到了幽默的最高境界，往往是幽默大师自己不笑，却能把你逗得前仰后合。然而在生活中我们都不是幽默大师，很难做到这一点，那你就不要板着面孔和人家开玩笑，免得引起不必要的误会。

4. 对象要区别。同样一个玩笑，能对甲开，不一定能对乙开。人的身份、性格、心情不同，对玩笑的承受能力也不同。

有一次，美国前总统卡特因使用幽默不当而陷入绝境。有一次，他把助手给他的笑话全用上了，这简直是一场灾难。那时他准备出访盐湖城，他当时正被摩门教信徒授予“本年度家庭男人”称号。他的参谋为他写了一份讲稿，特别注明“加幽默”，于是助手给了他三四个笑话，他全用上了。卡特和他的助手们当然没有意识到，摩门教徒一贯教育他们的孩子不要轻率地看待世事。“我们站在一座圣堂里，大约有两千人在场，当卡特讲笑话时，他们只是瞪着他，呆若木鸡。”

一般来说，后辈不宜同前辈开玩笑；下级不宜同上级开玩笑；男性不宜同女性开玩笑。在同辈人之间开玩笑，则要掌握对方的性格特征与情绪信息。和残疾人开玩笑，注意避讳。人人都怕别人用自己的短处开玩笑，残疾人尤其如此。

对方性格外向，能宽容忍耐，玩笑稍微过大也能得到谅解。对方性格内向，喜欢琢磨言外之意，开玩笑就应慎重。对方尽管平时生性开朗，但恰好碰上不愉快或伤心事，就不能随便与之开玩笑。

相反，对方性格内向，但正好喜事临门，此时与他开个玩笑，效果会出乎意料的好。

5. 场合要分清。比如，在庄重严肃的场合不宜开玩笑，否则极易引起误会。此外，朋友陪你不熟悉的客人时，忌和朋友开玩笑。人家已有共同的话题，已经酿成和谐融洽的气氛，如果你突然介入与之玩笑，转移人家的注意力，打断人家的话题，破坏谈话的雅兴，朋友会认为你扫他面子。

(1) 口才好的人最能给别人留下深刻的第一印象；出色的口才是获得成功的有力武器。

(2) 用对了词汇，不仅能打动人心，同时更能带出行动；而行动的结果便展现出另一种人生。

(3) 人们的喜怒哀乐，一切骚扰不宁、起伏不定的情绪，连最微妙的波动、最隐蔽的心情都能用声音直接表达出来，口才训练的第一步应从语音开始。

(4) 要想获得自信心、勇气以及能力，以便在向人们发表谈话的同时能够冷静而清晰地思考，其实并不难。

(5) 幽默是智慧、才能、学识和教养的象征，是自我表现、取悦于人的极好手法，因此，在谈话中要善于运用幽默。

第二章 提高日常交流和沟通的语言技巧

人人都离不开日常的交流和沟通。沟通就是为了彼此建立关系。沟通，是使你的理想被接受，或获得你所想要的东西的一种力量，为的是要影响他人，接受你的见解。美国有一句名言：“你想改变世界，得先改变自己。”这不是要去讨好人家，而是要你学习和掌握一些必要的技巧，能接受改变，才有办法适应，进而改变别人，改变生活。

※ 掌握日常沟通和交流中的基本技巧

说话是一种简单的技能，一个三岁的幼儿经过训练就能说话。但是，想把话说好、说得出色，就必须要学会一些技巧了。那么，在日常沟通和交流中，应该注意哪些技巧呢？在这方面卡耐基给我们提出了如下建议。

1. 即使不是第一次碰面，也应自报姓名

人际广阔，每天会见许多人的人物，如果只和你见过一面，通常不容易将你记牢。尽管如此，在第二次见面时，不愿自报姓名的人为数不少。如果站在另一方的立场想想，这是再难堪不过的事。就许多人的感觉而言，“很抱歉，您是谁？”却不是容易提出的问题。在这种情况下，尽管不得不和对方交谈，却只能流于表面形式。

自认只见过一面的对象必能牢记自己的想法，其实是傲慢的想法。如此一来，永远也无法让别人记住你。即使是第二次或第三次见面，果真希望对方记牢你，就必须详细报出姓名。

“我是前回与您见过面的某某。”向前回见过面的人如此寒暄或许有点不好意思，一旦当作习惯之后，就会变成理所当然的事情。

另外，在要求别人回电给你时，无论是留言机或别人代接的电话，你最好养成习惯在最后说出自己的联络号码。此外，[illegible]的电话号码也很容易说得太快。由于数字通常不易听懂，所以[illegible]能缓慢明亮地发音。“我的电话号码是……”说到这里，对方必定希望你能给他准备纸笔的充裕时间。而且，最好再说上一遍自己的姓名。如果只靠最初的自报姓名，有时会记不牢对方是谁。只要你站在接话人的立场想想，自然可以明白这种注意是理所当然的。

2. 端正态度，充分尊重对方

与人交谈，首先要尊重、体谅别人，对人要谦虚谨慎，诚恳率直。不要妄自尊大，盛气凌人；不要自以为是，武断专横；不要虚情假意，恭维奉承。只有这样，大家才能和谐融洽地相处，推心置腹地交谈。态度不端正，就会引起别人的反感，思想上一旦形成鸿沟，交谈就很难进行。

3. 交谈时要放松情绪

因为许多人不知道如何开始一次对话，特别是同陌生人在一起时，他们常常感到障碍重重。其实他们拥有丰富而有趣的思想，这些思想随手可得，只需了解如何把它们表达出来。

威廉·詹姆斯说，如此多的人发现自己难以成为出色的交谈者，原因在于他们担心自己所谈的事或者流于无味的肤浅，或者言不由衷，要不就害怕他所讲的东西对交谈的对方毫无价值，或者方式方法不适合于某种场合。他的纠正方法是：“无论何时，只要人们消除心理的障碍，并且让自己的舌头自如地活动，交谈就一定会顺畅而友好，并且令人振奋起来。”

约翰·莫菲指出：“我们不要硬是通过深思熟虑从头脑中挤榨出一些警句和名言。当我们放松下来，不用恐惧的时候，这些名言妙句就会自然而然地产生出来……”可以这样说，甚至在最具刺激性的谈话中，也有50%的内容不仅是陈俗的，而且毫无意义。至少在谈话的最初阶段是这样。经过一段加热过程，思想的车轮变得转动起来了，只要谈话的参与者不急切地使谈话进入正题，全部谈话就会很快言归正传。

4. 使交谈启动起来

每个人在谈话之初都可能只谈些既缺乏机智又毫无意义的事情。其实，这种短暂的交谈对于使“轮子转动起来”是必要的，一旦你认识到这一点，并且不再担心自己是呆板的，你将发现，你也能引发一次交谈，甚至是与一位完全陌生的人。你便会惊奇地发觉，在许多情况下，你说的是机智而有趣的事情。

不要期望对方一开始就很热情高涨，善言者总是等到对方变得热心以后，才试图从他们那里引导出一些有趣的想法。例如，他们先问：“那么，请问您尊姓大名？您是哪里人？您是干什么工作的？乘飞机来我市的吧？”等等，以激起对方的谈话兴趣。谁关心这些？你也许会这样问。诚然，这些问题似乎没有任何风采和智慧可言，但它们的确能使交谈启动起来。

5. 让对方谈论自己

当你被引见给某人，并且“不能想出一件事来谈”时，不妨试着用下面这样的问题使对方变得热心起来，以引发出有趣的事情、聪明的观点和幽默的话题来：“琼斯先生，你从哪里来？”“你打算在我市待多久？”“你认为这里的气候怎么样？”“你原来是学什么专业的？”确实有那么一些能使别人变得热心的人，因为这些人善于使对方谈论自己。他们能打破僵局，感化别人，只因为表现出他们对别人感兴趣。你不必寻找一个对方能谈论的话题，只需马上使他谈论自己——每一个人都是关心自己的专家。

6. 保持谈话顺利进行

成为一位出色的交谈家的艺术，并不过多地依赖于你能想出多少聪明的事情，或者与你有关的某些传奇般的经历来说，而在于启发、诱导别人讲话。如果你能激发别人的谈话——你将获得优秀的交谈家的荣誉。更重要的是，如果你能让别人讲话，并使他坚持下来，那么当你讲话时，没有什么能比这更有效地想使他对你热心起来，对你更感兴趣和更易于接受你的观点。

值得一提的是，“你”在谈话中是一个前进的信号，而“我”则是一个停止的信号。要设法把谈话引向对方的兴趣点，如多用“为什么”“哪里”“怎么样”等。当他说“我在纽约住过 4 年时”，你不要匆忙抢着说："啊，我也住过，我还在华盛顿工作过"。而应该问："在纽约的什么地方？你在那里工作还是学习？"

类似的问题，将使你赢得你的伙伴曾经遇到过的人中最有趣的交谈者的荣誉。

7. 谈话切忌以自我为中心

无可否认，人们总是对自己的工作、家庭、故乡、理想表现出浓厚的兴趣。其实，即使像"你从哪里来"这样一个简单的问题，也说明你对别人感兴趣，结果会使别人也对你产生兴趣。但你千万别像一位年轻的剧作家那样，向他的女朋友谈论了自己和他的剧本两个小时后，接着说："有关我已经谈得够多了，现在来谈谈你吧。你认为我的剧作怎么样？"

请记住，你也是一个人。对你而言，你的本能使你往往一开始谈话，就马上以自己为中心。你想表现自己，想给人留下深刻印象。但事实上，如果你把话锋转向对方，就能赢得别人的更高评价。他会认为你是一个极为聪慧的人。

有关这个问题的一个准则是，你只需在心里给自己提一个问题："通过交谈我究竟想得到些什么？"是想表现和炫耀自己呢，还是想与别人进行友好的交往？如果你需要的只是前者，那你就只谈自己好了。但是，那样你就别期望通过交谈得到任何别的东西。

8. 不要打乱别人的谈话

不要打断别人的发言，要让人家尽情地讲，你要恭恭敬敬地听。即使你不同意人家的看法，也不可匆忙打断他，要等他讲完再阐明你的意见。要善于听讲，要分析话中之音，做到既明白对方谈话何时达到高潮，又知道对方言谈何时接近尾声。这样，你的发言才能适时、稳妥，而无须打乱别人谈话，影响他人思路。

9. 适当地发言

交谈是一种有来有往、相互交流思想感情的双边或多边活动。参与谈话的人，不但要"听"，而且还要"讲"。听人说话，要做到聚精会神，心领神会，切不可漫不经心。与此同时，还要做出积极反应，有什么想法和感受，通过点头、微笑、手势、体态等不同方式随时表露出来；不要消极活动，呆头呆脑，无动于衷。

全神贯注地听，仅是交谈中的一个方面。谈，在某种意义上说，显得更为重要。谈的方式多种多样，你可采用任何一种：直截了当地陈述事实，提出问题，发表看法；委婉地表示不同意见，进行评论。这些方式都能使谈话顺利进行。

对某一话题，你可能有很多东西要讲，但他人也可能有高见要谈，要做到使大家都有发言机会。说话要干净利落，简明扼要；发言冗长，使人烦躁。

10. 知道什么时候谈论自己

公共演说家谈论他们自己，他们讲自己的经历，自己的旅行、功绩以及思想。但要记住一点：这些人是被邀请来谈他们自己的，他们被请来讲他们自己的事，听众知道自己为何而来。演讲者面对的不是强制的听众，而是自愿的听众。

谈论你自己的恰当时间是当你受到邀请和有人要求你讲自己的时候，你可以指望：如果别人感兴趣，他会问你。当他确实对你提出邀请让你谈论自己时，不要守口如瓶地拒绝他。稍微告诉他一点你的情况，他会感到十分荣幸。因为你是用非常友好的姿态与他交谈，以便让他了解一些你的情况的。但不要做得过分，回答他提出的问题以后，再把谈论的中心回到他的身上。

11. 跟上交谈的节拍

当话题几分钟以前已由乒乓球赛转到篮球赛，如果你再谈乒乓球赛，显然是跟不上谈话节拍；当大家正兴致勃勃地谈论篮球赛，假若你把排球赛也塞进来，显然是不识“火候”；当大家正评论球类比赛，你却谈起织毛衣、逛超市一类风马牛不相及的东西，显然是离题十万八千里，那只会使人觉得难于接茬。

密切注视谈话进行的情况，要把注意力始终集中在正谈论的话题上。只要头脑清醒、目光敏锐，跟上谈话的“节拍”，就不会出现那种对方需要你作答、而你却未听见的尴尬局面。

12. 巧妙使用“我也”这个字眼

从心理学上讲，将你自己引进交谈的另一个正确的时间，是当你能告诉对方你自己的一些事，而这些事情将与他所说的某些事联系起来，或者在你们之间形成一种结合的时候。

如果他说："我是在农村长大的。"你最好回答："我也是。"或多少讲一点有关农业方面的知识和经验，这让他感到更重要。

如果他说："喜欢吃冰淇淋。"并且恰好你也如此，一定要想办法告诉他。如果他说他出生在郊区的一个小镇上，而碰巧你过去喜欢在那里度暑假，那你也一定要告诉他……

13. 倡导"愉快交谈"

要想成为一个健谈的人，使人们愿意和你交谈的另一个秘诀是尽可能地创造一种愉快的交谈氛围。

那些形成了习惯总是悲观失望地谈论问题的人，指出世界正在走向深渊的人，或者唠叨他个人的所有麻烦的人，在任何获得名誉的竞争中都不会取胜。

如果你有一些个人的烦恼需要与别人交谈的话，最好到你的亲属、心理学家或一些可靠的、富有同情心的朋友那里去，而不要在公共场合张扬你的难处。不要不着边际地谈论你的手术，详细地描述从进入医院直到返回工作岗位的每一次疼痛。因为告诉别人你忍受了多少痛苦，并不能使你变成英雄，而只会使你变成令人厌烦的人。

14. 切忌取笑、逗弄或讽刺

如果你想通过谈话成为一个受欢迎的人，那你就得努力抵制取笑、逗弄或讽刺的诱惑。

我们中的许多人都好取笑别人。因为我们以为别人会喜欢。丈夫会在公共场合下逗弄妻子并错误地认为这是表达感情的一种极好的方式。我们带着嘲讽的意味与对方谈话，希望对方在挖苦中认识到我们的聪慧，看到我们的幽默，而且不希望自己受到别人的伤害。

逗弄和取笑的真正目的在于触痛别人的自尊。而威胁他人自尊的任何事情都是危险的，即使是在玩笑中进行的也是如此。因此，讽刺总是带着残酷的成分，总是在算计着使别人感到渺小。显然，大家都不喜欢被取笑，即使是自己的亲朋密友。

只有少数情景中，在非常亲密的朋友之间，才可以开一些充满善意的玩笑。因为他们是不会计较和追究那些无关紧要的小事的。如果别人非常了解你，非常喜欢你，你也可以与他开个玩笑，但千万别开得过了头。

※ 采取受人欢迎的说话态度

与人谈话态度如何，一定程度上决定你是否受人欢迎。一个与人和颜悦色交谈的人，总能打动对方的心。那么，怎样才是良好的谈话态度呢？卡耐基归纳了如下几点。

1. 表现出兴趣

别人讲话时，要注意倾听，如果你望天望地望别处，或是玩弄着小物件、翻弄报纸书籍等等，别人就会以为你对他的话没有兴趣，会很扫兴。

在人多的时候，你还不能只对其中的一两个你熟悉的人发生兴趣，你要把注意力分配到所有的人身上；对于那些话说得很少，或是精神不太自在的人，你更要特别留神，找机会特别关照一下他们。你的注意、你的关心，对他们是一种尊重和安慰，正好把他们从冷落中挽救出来。

2. 表示友善

如果你对别人表现出刻薄的神情，或者你对别人所谈的话表示冷淡或鄙视，那么对方谈话的兴趣也就消失了。

哪怕你不喜欢听他的话，或者你不同意他的意见，但是你对他本人还应该表示友善，不要因为他说了一句不得体不适当的话就否定了他的人格。你尊重他，并不妨碍你表示与他有不同的意见。没有经验的人，一听到不喜欢的话，立刻就表现出不快和不满来，把彼此的关系弄坏、搞僵，而失去了继续交谈、深入了解的机会。

3. 轻松、快乐、幽默

真诚、温暖的微笑，是打开别人心灵的钥匙。人的心灵好像对温度有强烈的敏感，遇见抑郁的、冰冷的表情就凝结了起来，变硬了起来；但遇见了欢乐的、温暖的笑容就柔软了、融化了、活泼了。所以，真诚的、温暖的微笑，快乐的、生动的目光，舒畅的、悦耳的声调，就像明媚的阳光一样，使一切欣欣向荣，使谈话进行得生动活泼，使大家谈笑风生、心旷神怡。

至于幽默感，需要慢慢地培养，它是一种兴致的混合物，富于幽默的人，常常能使客厅中充满欢声笑语；有时一个笑语，或是两句妙语，就能驱散愁云、消弭敌意，化干戈为玉帛、化凶戾为吉祥。

4. 适应别人

有些人跟自己趣味相投的人在一起就舒服、话多得很；一遇见趣味不投的人就感到别扭、不想开口。像这样依着自己的脾气去接近别人，真正投机的人就少了。

跟别人谈话多关心别人，重视别人的口味，善于适应。有的人喜欢讲大道理，有的人喜欢高谈阔论，有的人喜欢娓娓而谈，有的人喜欢深思，有的人拙于应对……不管面对什么样的人，你都要能调节自己去迁就一下别人的兴趣与习惯。有满腹经纶的，让他尽情地宣泄；有守口如瓶的，由他吞吞吐吐；失意的，多给予一些安慰与同情；软弱的，多给予一点鼓舞和激励。假如对方对某一个问题发生特别强烈的兴趣，就让他在这方面继续发展，畅所欲言；假如对方对某一个问题不想多谈，就及时转换话题把谈话引到另一个方向，免得引起不快的局面。

注意了如上几点，说话的时候才会变得受人欢迎，减小彼此之间的距离或隔阂。

※ 掌握巧妙引导话题的技巧

什么是引导话题呢？就是导出你谈话的内容，安排你们话题的先后顺序等。其实，有些事情不用刻意去做的，在你们的交谈中你慢慢引导着别人一步一步地往下，自然而然地往更深处谈论，这就是引导话题的成功了。

大家都知道，在我们第一次和别人交谈的时候，不大可能会谈及很隐私的问题。因为大家都不熟悉，还没有关系好到这个程度。

而且刚接触的人，都不知道对方有什么忌讳的话题，因此大家首先谈论的肯定都是一些无伤大雅的大问题。

因此，你就要细心去部署你的话题，装扮你的谈话内容。最开始可以从一些不会有什么意义但是可以让大家互相之间开始交谈的话题开始。比如最常见的就是谈论天气，周围的环境，简单地询问一下对方的情况等话题，让他和你联系起来，在你们之间找到你们共同的语言，方便下一步的交流。

下一步就是该更深入一点地去说了。说一些发生过的事情之类的，既消除了大家的尴尬期又能够给你下一步的话题创造一点过渡，当然，在这一部分我们可以谈论安全的话题，不存在冒犯他人或者引起争议的危险。

更深入的话题当然就是谈论到大家感兴趣的事情了，在这个话题的谈论上，大家一般都是已经觉得合适、谈得来，有必要进行下去的。因此，你在这个时候要尽量发挥你的口才，让对方和你的谈话进行得顺利，当谈话结束的时候，人家仍觉得意犹未尽。通过这样的谈话，你更可以了解到对方的喜好，也让别人更加了解自己。当然，这是一种统一的模式，你在实际中不一定完全这样做，如果你和一个陌生人感觉特别聊得来的时候，早早就发现了可以共聊的话题，那么恭喜你，你可以很快地进入畅谈中了。

而且在你与人谈论的时候要记住，不要总是把自己想说的说出来，就听见自己一个人在那儿夸夸其谈，要说一些让对方感兴趣的话题，对方擅长的话题，让对方有话可说。众所周知，谁也不喜欢在交谈的时候插不上嘴，只是听着别人说话自己却只能当个收音机。恐怕这样的人遇上一次就不想再遇上第二次了。我们要善于引导对方说出自己的兴趣，让对方也互动起来，这样的交流才有意思，才会有结果。

只有双方都对这个话题感兴趣，才可能你一言，我一语地不断对话。如果对方对提出的问题根本不感兴趣或者根本就不懂，那么就有可能缄口不语，或者打断你的话。这样的话，谈话就会很不愉快了，这一层人际关系就不好再往下发展了。

美国第三十二任总统罗斯福以知识渊博而闻名，无论是牛仔或骑兵，政治家或外交官，他都能以最恰当的话题和对方谈话。他怎么能做到这点呢？答案很简单，如果他要接待某个人，事先他就要翻阅这个人的有关材料，研究对方最感兴趣的问题。谈论对方感兴趣的话题是使谈话愉快进行的最保险的方式之一。

另外，我们在话题的选择上，不必拘泥于大事，也不要觉得只有去谈那些所谓的有品位、高雅的东西才能提高你的魅力。其实，有时候平淡的话题更容易产生共鸣。大家都是社会人，生活上的凡事接触得更多，更容易找到交谈之点。最近的股市、新拍的电影、热门新闻……只要你在合适的场合，讲到了别人也感兴趣的话题，让你的谈话就像网球一样有来有回就可以了。

当然，有时候并不需要你自己去寻找话题，当谈话的对方提出什么的时候，我们尽量回应他们，这样就会找到说话的话题了。即使你对别人说的东西不太懂，你可以让对方向你讲解，这样，你就可以学到东西，而且对方也很愿意说自己的话题。等到说得差不多的时候，你就可以适时改变话题，去说一些更加广阔的东西。其实，一个话题打开以后，发挥的空间就很大了。但是，如果一开始话题就没打开，交谈自然就无法持续下去了。

乔治和洛克是同事，但是互相都不熟悉，星期一早晨，他们聊了起来。

洛克：哦，上个周末我家可热闹了。我陪两个儿子练习了足球，老婆的家人来到城里，我累惨了！真想好好休息一下。

乔治：我很同情你。但是上个周末，我生病了。所以我有时间躺着看看电视，昨晚我看了一个有关林肯的纪录片，真的很棒！我从来都不知道……

洛克：真的吗？可惜我错过了……我其实更喜欢音乐。我看了关于爵士乐时代的录像，我十分喜欢那一类音乐。

谈话就此结束，两个人都觉得很郁闷，洛克对历史知之甚少，当乔治谈到纪录片时，他感到不舒服，觉得自己很无知，如果继续这个话题，他的这些缺点将暴露无遗。所以，他改变了话题。不过洛克打断了乔治的话，乔治觉得洛克很糟糕，也很粗鲁。

但是换一个方式，如果洛克客气地问问乔治这个纪录片讲了什么啊，接着就可以顺势谈一些美国的情况或者电影的情况什么的。有很多的空余地带可以发挥的，但是大家都没有掌握好，才导致了这样的不愉快结局。

其实，每个人都是喜欢和别人交流的，怕的就是尴尬，找不到该说的话。因此，我们要做一个主动者，积极去引导话题，让谈话“你来我往”；当对方试图支配话题的时候，我们则应该先认真对待，积极附和。

※ 在日常交流中进行积极有效的沟通

沟通对于个人身心的健康、人格的健全和完善、人际关系的协调、冲突的解决乃至社会分工协作都具有至关重要的作用。随着社会的发展，现代人自我独立意识的增强、各种不同文化的融合、世界一体化趋势的增强等，都使得沟通这个问题显得比任何时代更为重要。纵观当代社会生活中，沟通已是我们这个时代的重大主题。人们对沟通抱有莫大的希望，希冀着所有的问题能在沟通过程中迎刃而解。

那么如何进行有效沟通呢？卡耐基总结的如下几点建议可供参考。

1. 使对方从容不迫

当对方紧张时，你会发现，你很难与他沟通。他被自己害怕的心理缠住了，不能集中精神听你谈话，也不可能无拘无束地发言。

准备与别人交谈时，一定要弄清他是否有点紧张，可以观察他的眼神。一个人若是避开你的视线，或眼睛不知望哪里，这通常表示他紧张或腼腆。此时，你要消除他的紧张。否则，你们交谈的效果会大受影响。

为了消除对方的紧张，你要注意如下几点：首先，要友好、微笑，这是消除别人紧张心理的最有效方法；其次，做个好客的主人，给对方一个舒适的位置坐下，如认为合适，可给他弄点喝的或吃的；最后，开始交谈时先谈一些对方感兴趣的话题。如问一问他的家庭、业余爱好和其他情况。你的目标是与对方建立融洽关系，让他从容不迫地跟你聊天。

2. 不要把别人当“机器人”

心理学教授坎贝尔说：“我始终不明白，为什么要有机器人这个说法。只要词语中带有人字，无疑意味着人为地拔高物质的高度。我认为应该把机器人称为机器鬼，这样就不至于把机器和人搅和在一起。反正机器人这个说法令人觉得别扭。”

不要以为他人是机器人，可以由你想怎样操纵就怎样操纵。只有学会尊重他人，意识到对方也拥有充分的潜能，能够从他人的角度理解问题，才会有真正意义上的沟通。

永远没有完美的技巧，但经由技巧却可能有完美的结果。这也是果实优于枝条的道理。

沟通是彼此的事，一个巴掌拍不响。当你运用技巧时，别人也会运用技巧。当然，沟通是有目标的，你可以使自己的愿望处于优势，并且尽可能达到这个对自己有利的结果。但这多少有些一厢情愿，因为别人也运用技巧，彼此力量的消长有一个合适的中点，那是双方可以接受的结果。沟通能达到这个目的，双方都应该满意，虽然这个结果跟你渴望的结果有些差别，但也应该坦然接受。

3. 培养有效的聆听习惯

人们之间的交流充满变数（如自己和别人的谈话及聆听风格等），因而既复杂且具挑战性。设身处地是成功交流的一个关键因素。

聆听，但不要受别人情感的感染。别人有难处时，应设身处地理解别人，但不能为这种情感左右。必须为自己留点精力去做自己的事。记住，不要做一块海绵，什么都予以吸收。

4. 表示共鸣

见过罗斯福的人，都认为他是一个非常博学多才、知识渊博的人。而罗斯福做到这点的方式很简单，就是在与人接触的前一个晚上，花一点时间研究一下客人的兴趣爱好，于是一见面，共同话题就源源不断，谈话自然让双方兴趣盎然。

戴尔·卡耐基评价说：“罗斯福和其他领导者一样，都知道通向别人内心的坦然大道便是谈论他们感兴趣的事。”生活中每一个人都有自己的兴趣与爱好。因此，如果人们在与人交往时，能克服自我中心，避免固执己见，尊重别人的兴趣爱好，将使他具有较高的人际魅力。

在经理人与员工、下属以及外部利益相关者的交往中，查明对方的兴趣所在并以此作为沟通的一个话题，用不着太多的客套与寒暄就能立刻找到共同语言，其交际过程肯定令人愉快。兴趣上的共鸣还可以：使每一方都能从自己的亲身经历中认识与欣赏对方；共同的兴趣爱好也使交际双方能找到更多的共同活动的机会。要想在交际中与人建立更为有效的关系，很值得花费一点时间来拓宽自己的兴趣范围，以保持交际中的兴趣共鸣。

5. 把话要说到点子上

我们生活在一个繁忙的世界上，时间是最宝贵的东西。所以，相互交流贵在说到点子上。交谈时所花时间越少，效果越好。无论什么方法，只要能避免误解就是好方法。

所以，无论你是一对一地与人交谈，还是小组讨论，最重要的是你一开始就阐明你的意见，然后才作补充解释。这样做不但可以节省大家的时间，而且可免去听众猜测你究竟要想说什么，或者一下子得出错误结论。有时你会发现，你准备作的解释都不必要了，因为你的观点无须解释已经很清楚了。

6. 要尽量得到对方回应

要留神观察对方非言语回应。要弄清你是否能成功表述你的观点，最佳方法是得到对方的口头回应，给对方一个回应的机会。可以叫他用自己的话复述你刚说过的内容，鼓励他在适当的时候发问，或在讲完一个要点之后，问问他听懂了没有，然后才讲下一点。如果对方一直不说话，你就无法了解他是否领会了你的话，是否同意你的话。

7. 运用动作进行暗示

我们的人体是有语言的，我们的动作往往可以暴露我们的心情。同样地，他人的动作也会泄密。所以，沟通中的人对他人的动作是很敏感的，你正可以利用它。

如果与人交谈时，你做侧头深思的动作，你的身体语言就告诉对方，这个问题你有疑问，这比直接予以打断他人的语流更有效，不至于立刻和对方抵触。他人一定会问：“有什么不懂吗？”这样由他人自己中断语言流程，可以有效地保证他人自尊心不受伤害。

如果想中断谈话，急于离开去做别的，你可以不停地偷看手表。手表有时候可能就是心理时间的外壳。他人会问：“有事吗？你可以先走。”你就可以很有礼貌地全身而退。

体语的运用，很讲究空间。在宽敞的房间里交谈，彼此可以做到公平。但要达到亲密关系的程度，还是狭窄房间为好。谈话时中间不隔着桌子更容易融洽。距离上的靠近也会造成精神的靠近。

体语也可以保全自己的尊严。迟到时气喘喘地表现着急赶来的样子，他人容易原谅。

8. 把思考、语言和社交技巧结合在一起

卡耐基指出：与其他的因素相比，错误的沟通对人际关系中出现的问题要负更大的责任。你常常听到“我们只是不会沟通”这样悲观的话吗？正如我们发现的，有效的沟通需要把思考、语言和社交技巧结合在一起。例如，人们在交谈时，常常只想着接下来要说什么，因而并未真的用心去听。有的人彼此相识多年，然而对对方的所思所想却缺乏深入的了解，之所以会出现这种情况，就是因为他们不努力去听和了解。

为了参与有效的讨论，你必须清楚地表达自己的观点，认真地聆听他人的反应。在此基础上或做出回答，或进行提问，以便更好地了解对方的观点。当两个人以这种方式进行对话时，他们就处于一个彼此尊重的气氛之中。这样一来，就能进行有意义的沟通。每个人的沟通风格是有差异的，为了避免误解、冲突以及关系破裂，你需要对不同的沟通风格有所了解。

有效沟通的另一个方面是清楚和准确地使用语言。如果某人在沟通中使用的语言很含糊，不准确，那么，对方一般就无法准确地把握说话者的真正意思，而认为他或她是在很精确地表达自己的思想。结果，人们往往会因此而导致沟通不畅，出现麻烦。如“我爱你”是一句极其简单的表述，但由于不同的人物和地点，它却能够表达多种不同的意思。对某个人来说，“我爱你”可能意味着：“我认为你是一个可爱的人，对我有很强的性吸引力”；而对另一个人来说，则意味着：“你是我最好的配偶，我希望我们能天长地久”。如果是这样的话，沟通的双方很可能要产生误解，甚至使双方的关系破裂。鉴于此，你自己无论在说话和行为方面，一定要努力做到清楚、准确，这样就能避免误解。误解是良好的人际关系的大敌，它往往在一开始并不显眼，但如果不注意，慢慢就会像滚雪球一样发展成为危害彼此关系的大问题。

※ 使你的谈话更能吸引别人的注意力

卡耐基指出，吸引注意力的 4 大秘诀为：弄清谁是你的倾听者；找出对方的强烈需求；谨慎地决定如何帮他满足需求；避免冷场发生。

1. 弄清楚谁是你的倾听者

假如你将要和一批雇员讨论增产问题或者你正召集推销人员开会，那么你的态度、重点乃至整个方法，都不同于你就相同话题向上司作的汇报。

这里不是建议你对下属说话可颐指气使。遗憾的是，很多管理人员都这样做，却不明白他们为什么得不到下属的合作。很多家长教育子女时也这样。有些牧师对教徒的态度一如许多教师对学生那样居高临下。坦率地说，最易令人反感的就是高人一头的腔调。

吹捧上司或其他权威人物，极尽谄媚讨好之能事亦不足取。阿谀奉承像透明罩衫一样易于识破，也令人生厌。

总的来说，对人居高临下或奉承谄媚皆不明智。不论他是谁，干什么，最好同他推心置腹。想要把握支配他人以便让他对你言听计从，更应如此。

但是，倾听者的地位、职位和职业，即他是谁，干什么，都肯定会影响你的开场白或最初的态度。

2. 找出什么是他最强烈的需求

当你了解清楚你的倾听者是谁、他将会是什么样以后，你就应该找出什么是他最强烈的需求。

每一个正常的人都希望了解怎样才能得到爱——怎样挣钱，如何得到名誉或权力——以及怎样保持健康。你应该弄清什么是一个人最大的愿望以便帮他实现。

怎样才能做到这一点呢？首先要密切注意他说些什么，以便发现他到底缺少什么或需要什么。你如此关注一个人的时候，对方也会对你留意。

道理很简单，你知道无论贫富、老幼、幸与不幸，我们每个人都有一种强烈的受关注的愿望，甚或渴求。比如，一个哭闹的小孩拉扯他母亲的衣服就是在呼唤母亲的关注。母亲给了他所希望的关注之后，他便会停止哭闹和拉扯。

一个不忠而出轨的丈夫最需要的是什么呢？大多数的情况是他在寻求其妻子未曾给予他的关注。妻子给予他所需要的关注后，他将迷途知返，留在家里。

喋喋不休的妻子、不忠的丈夫、出走的少年、不驯顺的孩子、医生诊所里的疑病症患者、精神病医生长椅上的病人以及街上的暴徒，所有这些人都在疾呼：请注意我！

还要记住你的倾听者也是人。他也需要你的关注，所以要满足他。注意他、注意他说些什么，以便发现他最需要的是什么，对什么最感兴趣。

当你首先把全部关注给予一个人的时候，对方也将对你报以专注。他的确没有任何其他选择，此法不会失利。

3. 明确决定如何帮他满足需要

得知你的倾听者对什么最感兴趣之后，你应该分析自己的产品、服务或意图，以便确定你怎样帮他。多数情况下，你都知道该怎么做。那就是做些调整满足他的特定需要。

你也许会说：“可我不是推销人员，我不会像人家那样利用这些得到我的需求。”

你不必非得是专业推销员。不论做什么我们都是销售人员，都想向他人推销自己的观点，以便让他们按我们的意志行事。

例如，你可以利用这些销售技巧说服你的家人接受你的观点；为了让孩子打扫他的房间或在学校取得好成绩，你可以许他一惠；你可以向你丈夫说明，带你出去用晚餐、给你买那件新衣服以及到海滨度假，而不只是为钓鱼或露营才去海滨的诸般好处。

4. 避免和控制冷场的发生

和别人交流的时候，最怕的情形之一就是冷场。冷场分为两种情况：一种是单向交流，听的人毫无兴趣，注意力分散；另一种是双向交流中，听者毫无反应，或者仅以“嗯”、“噢”之类应付。

不管是哪种情况出现的冷场，根本原因都在于听者不愿听你所说的话。听者仅仅出于处世的礼貌而扮演一个“接受”的角色。因此，冷场完全应由说话人负责。

冷场的出现，是发言者的失败，因为它不能达到彼此沟通交流的目的。发言者既要发言，必须实施控制，避免冷场的发生。卡耐基指出，避免和控制冷场的办法是：

（1）发言简短。

单向交流中那种应景式讲话，越短越好。在双向交流中，任何一方都不要滔滔不绝地包场，要有意识地给对方留下发言的时间和机会。自己一轮讲不完，应待对方有所反应后再讲，不要一轮就讲得很长。

（2）变换话题。

单向交流的话题变换是暂时的，所变换的话题是为了吸引听者的注意力，调动他们的兴趣。这一目的达到后，仍要回到原有话题的轨道上。比如，教师在讲课过程中，发现学生精力分散，东张西望、打瞌睡、窃窃私语、在桌上乱画，可以暂停讲授，穿插几句应景、时髦、诙谐的话；或者简短地讲个与教学多少相关的掌故、趣闻，学生的精力便会一下集中起来。之后，再继续教学。

双向交流的话题变换是不定的，根据现场情况随时进行。比如，你与别人谈今天凌晨看的一场世界杯足球赛的电视直播，可别人并不喜欢足球，也没有在半夜里爬起来观看，对你所议显得毫无兴趣，出现冷场。这时，你就应及时将话题扯到其他方面去。

（3）中止交谈。

任何人在交谈时都不希望听者不愿接受。但若这种情况出现后，自己又采取了诸如简短发言、变换话题、加强语气等控制手段，仍然不能扭转冷场的局面，那就应中止交谈。没有接受的交谈是无意义的，既白白耗费自己的精力，又无端浪费别人的时间。比如你同他谈足球他无兴趣后，变换话题他仍无兴趣，就不可再谈下去。这叫作“话不投机半句多”。要么各自走开，另寻开心；要么各自静止，闭目养神。

※ 轻松自如地表达出自己想要表达的东西

也许你会羡慕别人站在万人讲坛或辩论场上滔滔不绝地演说，或是进行激烈的唇枪舌剑，再看看现实中的自己，却好像总是笨嘴拙舌，老是讲错话。其实，你如果懂得在自己的讲话中间巧妙地穿插一些口才方面的小技巧，也许你根本不会比那站在讲坛上的雄辩家逊色。

当然，在与同事和上司的交往过程中懂得使用适当的言辞，也并非易事。专家建议，在商业谈话中应该尽快切入正题，但在切入正题之后，一些人总是喜欢使用一些烦冗的托词，例如，“我原来只是认为……”，“我们也许可以……”这就使得表达效果大打折扣。要知道，谦虚不过是粉饰之物，这样做的结果只会是大家继续讨论——不知不觉已没有了你的份儿。

要想改掉这些不恰当的言辞其实并不难，法则就是——让你的讲话听上去更有力。卡耐基指出：“语言就像一个人的名片，你完全可以通过言辞来伸张你的个性，使自己变得与众不同。”我们头脑中已经有了成千上万的词汇，现在的问题就是，要如何来唤醒这些词汇，使它们成为我们成功的资本。因为只有懂得有意识地巧妙运用言辞，并避免讲那些毫无意义而空洞的话，才不会让自己变得很被动，而是轻松自如地表达出自己想要表达的东西。要做到这一点，可以参考下列的各项建议。

1. 不要说“但是”，而要说“而且”。试想，你很赞成一位同事的想法，你可能会说：“这个想法很好，但是，你必须……”这样会使人觉得你对他持的是否定的态度。为了使对方更愿意洗耳恭听，你完全可以说出一个比较具体的希望来表达你的赞赏和建议，比如说：“我觉得这个建议很好，而且，如果在这里再稍微改动一下的话，也许会更好……”

2. 不要再说“老实说”。公司开会的时候会对各种建议进行讨论。于是你对一位同事说：“老实说，我觉得……”在别人看来，你好像在特别强调你的诚意。你当然是非常有诚意的，可是为什么还要特别强调一下呢？所以，你最好说：“我觉得，我们应该……”

3. 不要说“首先”，而要说“已经”。你要向老板汇报一项工程的进展情况。你跟老板讲道：“我必须得首先熟悉一下这项工作。”想想看吧，这样的话可能会使老板（包括你自己）觉得，你还有很多事需要做，却绝不会觉得你已经做完了一些事情。这样的讲话态度会给人一种很悲观的感觉，而绝不是乐观。所以，建议你最好是这样说：“是的，我已经相当熟悉这项工作了。”

4. 不要说“仅仅”。在一次通力攻关会上你提出了一条建议，你是这样说的：“这仅仅是我的一个建议。”请注意，这样说是绝对不可以的！因为这样一来，你的想法、功劳，包括你自己的价值都会大大贬值。本来是很利于合作和团体意识的一个主意，反而让同事们只感觉到你的自信心不够。最好这样说：“这就是我的建议。”

5. 不要说“错”，而要说“不对”。一位同事不小心使一项工作计划泡了汤，正在向客户道歉。你当然知道，他犯了错误，惹恼了客户，于是你对他说：“这件事情是你的错，你必须承担责任。”这样一来，只会引起对方的厌烦心理。你的目的是调和双方的矛盾，避免发生争端。所以，把你的否定态度表达得委婉一些，实事求是地说明你的理由。比如说：“你这样做的确是有不对的地方，你最好能够为此承担责任。”

6. 不要说“本来……”，你和你的谈话对象对某件事情各自持不同看法。你轻描淡写地说道："我本来是持不同看法的。"一个看似不起眼的小词，却不但没有突出你的立场，反而让你没有了立场。不如，干脆直截了当地说："对此我有不同看法。"

7. 不要说"几点左右"，而要说"几点整"。在和一个重要的生意上的伙伴通电话时，你对他说："我在这周末左右再给您打一次电话。"这就给人一种印象，觉得你并不想立刻拍板，甚至是更糟糕的印象——别人会觉得你的工作态度并不可靠。最好是说："明天 11 点整我再打电话给您。"

8. 不要说"务必……"，而要说"请您……"。你不久就要把自己所负责的一份企划交上去。大家压力已经很大了，而你又对大家说："你们务必再考虑一下……"这样的口气恐怕很难带来高效率，反而会给别人压力，使他们产生逆反心理。但如果反过来呢，谁会去拒绝一个友好而礼貌的请求呢？所以最好这样说："请您考虑一下……"

※ 耐心倾听，让对方充分地说出他的看法

卡耐基认为，多数的人，要使别人同意他自己的观点时，将话说得太多了，尤其是推销员，常犯这种划不来的错误。尽量让对方说话吧，他对自己事业和他的问题，了解得比你多。所以向他提出问题，尽量多让他告诉你几件事。

如果你不同意他，你也许会很想打断他。但不要那样，那样做很危险。当他有许多话急着说出来的时候，他是不会理你的。因此，你要耐心地听着，抱着一种开放的心胸；要做得诚恳，让他充分地说出他的看法。

让另一个人讲话，不但有助于处理商场上的业务，也有助于处理家庭里发生的事情。

芭贝拉·维尔逊和他女儿洛瑞的关系快速地恶化下去。洛瑞过去是一个很乖、很快乐的小孩，但是到了十几岁却变得很不合作，有的时候，甚至于喜欢争辩不已。维尔逊太太曾经教训过她，恐吓过她，还处罚过她，但是一切都收不到效果。

维尔逊太太在卡耐基课程的一个班中说："一天，我放弃了一切努力。洛瑞不听我的话，家事还没有做完，就离家去看她的女朋友。在她回来的时候，我当然要对她大吼一番，但是我已经没有发脾气的力气了。我只是看着她并且伤心地说：'洛瑞，为什么会这样？'洛瑞看出我的心情，用平静的语气问我：'你真的要知道？'我点点头，于是洛瑞就告诉了我，开始还有点吞吞吐吐，后来就毫无保留地说出了一切情形。我从来没有听她要说的话，我总是告诉她该做这该做那。当她要把她的想法、感觉、看法告诉我的时候，我总是打断她的话，而给她更多的命令。

"我开始认识到，她需要我不是一个忙碌的母亲，而是一个密友，让她把成长所带给她的苦闷和混乱发泄出来。过去我应该听的时候，却只是讲，我从来都没有听她说话。

"从那次以后，我让她尽量地说。她把她心里的事都告诉了我，我们之间的关系大为改善。她再度成为一名很合作的人。"

※ 保持对方的谈兴，使谈话愉快地进行

与人成功交谈的一个重要因素便是谈什么，即选择什么话题。

话题的选择不能一厢情愿，因为交谈是双方的，不能只是沿着自己的思路讲下去，还要设身处地地为对方想一想，看对方对什么话题感兴趣。因此，在交谈开始时，你就要想方设法诱导对方说话，从而探出对方的兴趣所在。有了共同的兴趣，谈话当然就能愉快而顺畅地继续下去了。

那么，具体该怎样探出对方的兴趣呢？

这需要从当时具体环境中觅取话题。或谈服装、饮料，或谈电影、电视，或谈国际新闻，或谈足球比赛，或谈房间陈设，或谈子女爱好……当发现对方对你所谈的内容显出冷漠的表情时，你就要立即改换话题，再作试探。

另外还需提及的是，即使是对方感兴趣的话题，也不能无尽无休地谈下去，同一内容谈得太多了，必然令人厌倦。要善于掌握交谈的火候，及时地转换话题，使对方始终保持浓厚的兴趣。

每个人都时时渴望得到别人的尊重，这是与人交谈不可忽视的一个重要原则。有些人不懂得这一点，与人交谈的语气傲慢无理，摆出一副居高临下的架势，对方一听，就觉得受了污辱。例如，你是某厂厂长，你发现两个工人在悬挂着“严禁吸烟”的牌子旁边吸烟，你就狠狠地指责他们说：“难道你们都是文盲？你们没有看到这块牌子吗？”这两个工人受了厂长这样傲慢的反诘之后，心里会痛快吗？即使对方迫于环境或地位的限制不马上予以回击，也可能会对你耿耿于怀。

交谈的语气除了要表现出平等谦恭、尊重对方而外，还要表现出意恳情真的热情。白居易说：“动人心者莫先于情。”唯有炽热的感情，才会使“快者掀髯，愤者扼腕，悲者掩泣，羡者色飞”。与人交谈，倘若你自身对所谈的内容缺乏热情，语气显得冷漠，无动于衷，你又怎能感染对方，激起对方心灵的共振呢？还有些人与人交谈时，“话到嘴边留三分，未敢全抛一片心”，用堂而皇之的言辞掩饰自己的真情，但却要求对方袒露情怀，敞开心扉，这当然是办不到的。因为只有以心才能换心，只有用真情才能换真情。

有些人与人交谈和马拉松演讲者一样，东拉西扯，唠唠叨叨。他自己以为所讲的都是最重要、最精彩、最有趣的，其实人家早已厌倦不堪，只是碍于面子或迫于形势，才没有打断交谈罢了。

保持对方的谈兴，才能使沟通顺利愉快地进行下去，怎样才能做到这点呢？卡耐基总结的下面的几点建议值得借鉴。

1. 要善于进行心理安抚

在与人交谈时，我们应积极配合，以示对方的话题正在引起我们的兴趣，也暗示我们在注意对方。还可以顺着他的话题，以积极倾听和从容不迫的态度鼓励他继续讲下去，或者为他倒上一杯茶，或者适时表态：“我也这样认为。”“确实是这样！”“你的观点和我的完全相同。”这种心理安抚的行为，似乎示意着一种积极的配合，使对方向你滔滔不绝地讲出内心感受。

2. 要积极鼓励对方

在与人交谈时，我们应该表现出有兴致的、关心的和赞同的态度，使对方有一种自己被你认同的强烈感受。这时你主要是鼓励对方多说。如果他又提出让你发表看法，一般不要因为插话而中断对方的思路。当然，在一些细节问题上可以重复对方的语句，以表示重视、肯定和强化其感受，“是的，只有当自己也处在这样的境地才能理解别人的难处。”这样语句的重复，是对对方的一种重要的心理支持，也是对他高谈阔论的助兴。同时，还可能为对方能够更清楚地表达自己的内心思想和内心世界起到提示“台词”的作用，从而使对方保持较高的谈话兴致。如果你想使对方进一步敞开胸襟，多给予同情、理解和共鸣感是十分必要的。让对方知道，你是在设身处地地为他着想。你可以常提到:“你谈到这一点我也有同感”，“虽然我不这样认为，不过却觉得你把道理讲清楚了”。这样便于彼此间加强共同点，促进彼此理解和沟通。

3. 要诚恳地表达自己的观点

在与人交谈时，如果对对方的每一句话都随声附和，不说一个“不”字，不发表自己的真实意见，人云亦云，这会被看作是无主见和滑头的人，别人也不会愿意与你交朋友。

在日常生活中，只要我们得体地向别人表示自己的不同观点，不仅不会得罪人，而且还会大受欢迎，使对方知道你是在认真地考虑他提出的问题。因为在日常生活中所涉及所谈论的事情，许多都是没有绝对的是非标准的，只要我们诚恳地表达自己的观点，也许恰恰是从另一个侧面去分析问题，对方一般来说也会通情达理地接受，以完善他的设想。

4. 要注意适时转移话题

再好的话题都有谈完的时候。当交谈者的兴趣减弱后，只是重复一些没有新意的内容的时候，就应该换个话题了。

转移话题方法很多，如你可以停止谈论旧话题，沉默片刻，让其他人谈一些话，从中引出新的话题，也可以在谈话中断后，再谈一些有关旧话题里涉及的问题，当然还可以直接转移话题。

但是，有一点需要明确，如果其他人仍对某个话题有兴趣，你千万不要因为自己不感兴趣就去打断别人谈话。

※ 把握住与人交谈的基本原则

语言是一把双刃剑，用好了，既能提升自己的形象，又能愉悦别人，密切彼此的关系；用不好，则伤人害己，后患无穷。因此，说话的技巧不可不学，与人交谈的基本原则不可不懂，以下几点建议，不可不看。

1. 不独占谈话时间

在与人谈话时口齿伶俐虽然是件好事，但是，如果独自一人滔滔不绝地大发议论，可就不恰当了。如果非得长篇大论时，至少也得让听众不会感到枯燥无聊。只有这样，大家才会乐意地听你发表高见。即使如此，也还应尽可能地做到长话短说，因为，谈话是不该一个人唱独角戏的。你总不希望自己一个人霸占了所有人的时间吧！尤其是在场所有的人均有能力支配属于自己的时间时，你更应该谨守本分。

我们常能看见一个人独自讲得口沫横飞，但是，这种人往往可怜得很，他为了施展自己的演讲才能，在大众不耐烦听下去的情况下，他不得不强抓某个人——通常都是那些最少张口的人，偶尔便是邻座，和他悄声交头接耳，以继续他的谈话。这是相当不明智的举动，也常常招致别人的厌倦。

2. 因应不同的对象，选择不同的话题

谈话的内容，应该尽可能选择在座人士喜欢听的话题，或是聚会的主题。如果尽说些历史、文学，抑或是外国的事，倒不如谈些天气、服装，或东家长西家短的，更能引起别人的响应。偶尔也需要谈些诙谐的话题。虽然内容不见得有任何意义，但是在不同类型的人们聚会时，作为共通的话题，可以活跃气氛。尤其是在谈判时，由于时间拉长，将使气氛越发的险恶；如果能谈些轻松的话题，必能将层层的阴霾一扫而空。在这种场合，如果爆出几句俏皮话，并不是一件不恰当的事。

要迎合不同的对象来改变话题，这是无法经由他人的教导而得的经验。道理很简单，若是老使用同样的态度，谈同样的话题，岂不是蠢不可及！政治家有政治家的话题，企业家们的话题又有所不同，当然，女性们也有属于她们自己的话题。如果是人生经验丰富的人，必然能极力迎合对象，有如变色龙般地变换颜色，选择话题。这并非是世俗的态度，也不是卑贱的态度。换言之，它是建立良好的人际关系所不可或缺的技能。自己无须去扮演各种场合气氛的营造者，只需配合周遭环境即可。最好能留意现场的气氛，时而正经八百，时而粗犷凶悍，若有必要，疯癫一场亦无不可。

应该尽可能避免会引起对立意见的话题。在意见相左的团体里，若是不慎丢下火苗，不久，便会引发一场恶战。假使谈话苗头不对，唇枪舌剑将会一触即发，应该尽快机灵地岔开话题，结束不愉快的争端。

3. 尽量少谈论自己

在众人聚会的场合里，最糟的莫过于将所有的话题都放在自己身上。这点应极力避免。无论是多么出众的人物，只要是谈论自己，自然而然地脑海中便让虚荣心与自尊心给盘踞了，如此一来，必将引起众人的不快。有些人会在谈话中突如其来地冒出与别人正在谈论的话题无关而只与自己有关的事，结果给旁人落得一个傲慢自大的印象。有些人则会以自认为巧妙的方式提起自己，例如，大伙儿正在批评某些不正当的行为时，他会洋洋自得地举出自己的优点来加以比较。如“说这种话是相当可笑的，我是绝不愿意说这种话的”，“如果是真有那种事，我也说不出口”，“对我来说，为了自己没做过的事，而遭受他人猛烈的抨击，即使是说破了嘴，我也会百般辩解的”之类的话。这样标榜自己，极易引起别人的反感。

也有人虽然同样是在诉说自己的事，却会故意采取低姿态的方式，拼命贬低自己，以博得别人廉价的同情与关注。这种人就更加愚笨了。首先他表露了自己是个弱者，然后，慨叹自己不幸的身世，并向上帝发誓。最过分的是，当他说这些话时，还表现出一副羞怯腼腆、踌躇不决的模样。我们真的不了解这种人。即使再怎么怨叹自己的不幸，就算因而取得周遭人们的同情，也是于事无补，徒增烦恼罢了。就如同他自己说的，他真是能力不足，所以什么事也做不成。别人也无法施以援手。但是，到了这种田地，他们依然不能觉悟，尽管了解自己尽干了傻事，却只能满腹牢骚地怨天尤人。他们的结局就不言而喻了。

4. 切忌自我吹嘘

有些人表面上不露痕迹，巧妙地掩饰了自己的虚荣心与自尊心。但是，当他遭逢挑衅不得不亮出底牌时，便会开始露骨地自吹自擂。你也曾见过这种情形吧！有人一心一意地想听别人的奉承，于是便先自夸自耀。和自己没多大关系的事也一一拿来吹嘘，说自己是某某伟大人物的后裔或亲戚，仿佛自己也是一代名人般。他的祖父是某某人、伯父是谁、亲友是干什么的……不停地背着家谱。就算他所说的全是事实，又如何？这样就能证明他自己的伟大？事实恐怕并非如此吧！某些人常因虚荣心作祟，常说些愚蠢、夸张的话。但这样做反而无法获得预期的效果，旁人对自己的评价反而会一落千丈。选取与本质全然无关的事物，大肆地吹嘘，只会暴露自己少内涵的缺点罢了。

5. 不可中伤他人

应该注意到，对于他人的丑闻，自己不可热衷，更不应加以传扬。或许在座的某些人会表露极大的兴趣；但是，若冷静地想一想，这种行为绝对是有百害而无一利的。如果是无中生有的中伤，更会对当事人造成莫大的伤害。

以上讲述的只是与人交谈的基本原则。这些看似简单，却不能不引起我们的重视，否则，就可能因“失言”而后悔，甚至造成巨大的遗憾。

※　在大家面前表示出对每一个人的尊敬和重视

当你只和一个人交谈时，关注你的谈话伙伴并不是难事。而若你同时和一群人谈话，要给予每一位谈话伙伴应得的重视，并把所有谈话伙伴都当作“特殊人物”来对待，那难度就高得多了。

同时与多人谈话时，当然不可能把你的时间和注意力平均“分配”给在场的每个人，而且一定有某些人是你需要特别重视并想特别关照的。

但尤其是这种场合，在场的每个人都特别在乎你对他的重视程度。每个人都希望你在大家面前表示出你对他的尊敬和重视，给足他面子。要是你忽视了他，这种在众人面前的怠慢和轻视会让他尤感失望。

所以，这种场合下，你也要把每个人都视为独立的个体而不是"群体中的一员"。对他们的态度不能有太大的厚此薄彼的差别。请让每个人都明白，你在注意他并尊重他，别让任何人感到你对他的尊重程度不如他人。

切记的是不要心不在焉，只顾周旋于主要客户之间，而忽视了他的同事或陪同人员。当你和重要客人的谈话结束时，不要就此大松一口气，开始漫不经心，要自始至终也给在场的其他人一份关注和照顾。

谈话时，要直接与每个人交流，与每个人交换眼神。

很多人在场时，不要只跟其中几个人讲话，而把其他人排除在谈话圈子之外。如果没有特别原因，请不要谈论多数人不感兴趣、无法插话的话题，也不要进行令多数人兴味索然的争论。

也别让自己被某位有演讲欲、倾诉欲的顾客牵着鼻子走。要是他滔滔不绝，不给其他人说话的机会，你就不要再向他提问或详细回答他的问题。否则，他会更加没完没了。你可以礼貌但简洁地回答："这个想法确实不错。"然后，你稍作停顿，再开始一个与此有些联系的新话题。说话时，请看着在场的人员，用目光鼓励其他人也来加入发言。向那些一直没有机会发表意见的人提些问题，这会让他们感到你的细心和周到。

对任何人都不能显得冷淡，更不能故意用脊梁对着人家。要是有新来的人加入会谈，请注意挪一下给他腾出座位，别冷落了他们。

请不要让对方觉得，你在寻找比他更有趣的谈话伙伴。由你开头的话题，就要把它认认真真地进行到底，别在他面前频频调转头去，显出对他的话没有兴致的样子。也不要给人这种印象：你老在张望门口或打量整个屋子，或是盯着墙壁发愣。

大家谈兴正浓时进来一位新的谈话伙伴，这是常有的事。此时，你若是能够费点心，让新加入者马上融入你们的讨论，则可以突出地体现你的一片好意。

请热情地注视新到场的客人，用微笑向他表示欢迎。若刚好是你说到一半，请不要立即自顾自继续讲下去，你可以借此机会用一两句话把正在讨论的话题简要地告诉新来者：“我们这会儿正在说……”

这样做，你等于帮了他个大忙。他不会对你们的谈话内容根本摸不着头绪，无须花时间去猜测或向左右打听。你等于向他的到来表示了欢迎，“正式”向他发出参与谈论的邀请；他也不必谦恭地沉默片刻才敢发言。

刚见面的时候，问候他人要周到细心。应热情地问候每个人。如果可能，要跟所有在座者握手，不要只因为有些人离你稍远些或职位稍低些，你就忽略了他们。尤其此时，你要费点事儿上前招呼。正因为人们知道大多数人怕麻烦，不会特意这样做，所以，你“不嫌麻烦”的举动就更显突出，能得到对方的欣赏。

在道别时，这些礼仪规矩也很重要。如果道别时被你忽略，对方可能留下的印象就是你认为他无足轻重。别冷落任何人。

※　与人初次见面要善于打破沉默

许多人和陌生人说话都会感到拘谨。这主要是因为你对陌生人一无所知，特别是进入了充满陌生人的群体，有些人甚至怀有不自在和恐惧的心理。你要消除这种拘谨，就要设法把陌生人变成老朋友。首先要在心目中建立一种乐于与人交朋友的愿望，心里有这种要求，才能有适当的行动。

特别需要指出的是，有些人你可能不太喜欢——尽管只是刚刚见面——可是也应该学会与他们谈话。要知道，人都有以自我兴趣为中心的习惯。如果你对自己不感兴趣的人不瞥一眼，一句话都不说，恐怕也不是一件好事。你可能被人认作是骄傲，甚至有些人会把这种冷落当作侮辱，从而产生隔阂。和自己不喜欢的人谈话时，要把握以下两点：第一要有礼貌；第二不要接触有关双方私人的事。

这是为了使双方自然地保持适当的距离，一旦你愿意和他结交，就要一步一步设法减小这种距离，使双方融洽相处。

在你决定和某个陌生人谈话时，不妨先介绍自己，给对方一个接近的线索，你不一定先介绍自己的姓名，因为这样人家可能会感到唐突。不妨先说说自己的工作单位，也可以问问对方的工作单位。一般情况，你先说说自己的情况，人家也会相应告诉你他的有关情况。

接着，你可以问一些有关他本人的而又不属于秘密的问题。对方是有一定年纪的人，你可以向他问子女在哪里读书，也可以问问对方单位一般的业务情况。对方谈了之后，你也应该顺便谈谈自己的相应情况，才能达到交流的目的。

和陌生人谈话，要比对老相识更加留心对方的谈话。因为你对他所知有限，更应当重视已经得到的任何线索。此外，他的声调、眼神和回答问题的方式，都可以揣摩一下，以决定下一步是否能向纵深发展。

如果遇到那种比你更羞怯的人，你更应该跟他先谈些无关紧要的话，让他心情放松，以激起他谈话的兴趣。和陌生人谈话的开场白结束之后，特别要注意话题的选择。要尽量避免那些容易引起争论的问题。为此，当你选择某种话题时，要特别留心对方的眼神和小动作，一发现对方厌倦、冷淡的情绪时，应立即转换话题。

刚刚相识的人毕竟还有某些生疏感，交谈难以深入，这就很容易冷场、沉默，出现令人难堪的局面。

交谈中发生沉默、冷场的情况大体有三种原因。

一是问题提出后需要思考，或者有什么干扰不便继续交谈。遇到这类情况，一方或双方可以耐心等待，不必打破这种正常沉默。

二是由于时间限制或主意改变，对方不想再谈下去了，往往会以沉默不语来暗示。这种情况，就要准确判断，适可而止，及时告辞，一般不要让对方为难，不要只是“一厢情愿”。

第三种沉默、冷场是由于双方相互不了解，不知怎样谈才比较得体；或是一方提出的问题难于回答，使人越发拘谨，影响了交谈顺利进行。这种谈过几句就冷场的现象，经常在与陌生人初次交往的过程中出现。很多人之所以不愿与陌生人交往，其主要顾虑就是怕无话可说，或是话不投机。遇到这种沉默的情况，就要巧找话题，打破沉默。

怎样巧找话题，打破沉默呢？那就要从具体情况出发去考虑，如果彼此完全陌生尚未相识，那就要察言观色，以话试探，寻求共同点，抓住了共同点就是抓住了可谈话题。如果是因为话不投机，出现难题，那就要高姿态，求同存异，或是检讨自己的不妥之处，表示歉意；如果对方有什么顾虑，或是沉默的原因不明，那就没话找话说，随便找个话题，引起对方的兴趣，说个笑话，谈点趣闻都可以活跃气氛。

从具体情况出发，可以选择采取下面的方法。

1. 讨论对方的姓名

对他来说，他自己的名字是全世界最重要的。因此你只需说："你的名字真让我好奇，我想我以前从没听到过，你能和我讲讲它的出处和意思吗？"这样的开端总是能够让你们的交谈取得意想不到的良好效果。

哈里·贝洛斯是一处苗圃批发行的地区销售经理。他们公司多年来一直试图拉到一个叫彼得·梅诺斯基的大零售商。已经有好几个推销员都找过他，但都没有结果。最后总裁把贝洛斯叫来让他为此跑一趟。

贝洛斯做的第一件事就是叫每一个推销员去调查梅诺斯基先生的喜好，每个人告诉他的都一样：梅诺斯基先生特别在意自己名字的发音和拼写。

因此，贝洛斯到图书馆查梅诺斯基一名的民族起源，之后才去拜访他。

刚刚被带到他办公室，贝洛斯就说："我很早就想见到您，梅诺斯基先生，您知道我一直对姓名的民族起源很感兴趣，这是我的一种爱好。目前我知道您的名字源于斯洛伐克语，但我没能查到它的意思是什么。我知道您的首字'彼得'意思是可靠、可信赖，但字典上却查不到您的姓是什么意思。您能告诉我吗？”

梅诺斯基先生盯着贝洛斯说：“你怎么知道我是斯洛伐克人？你怎么知道我不是波兰人？所有的推销员好像都认为我是波兰人！”

“因为您的名字。”

“天哪！你真聪明，”梅诺斯基说，“我想我愿意和你做生意。”

后来，他跟贝洛斯讲了他父亲到美国时身无分文，举目无亲，还谈了一个多小时他的家庭背景，他父亲的祖国，他的爱好和兴趣。

然后，贝洛斯带着迄今为止从苗圃零售商那里得到的最大订单离开了。从那时起，梅诺斯基就成了他们的稳定客户。

2. 了解他的工作性质

你只需说：“我一直对您的职业感兴趣，您能告诉我一些有关您的职位和您所做的工作的情况吗？”这通常足以让对方滔滔不绝地讲上整整一个钟头或更长时间。有一次，卡耐基让一位年轻的打字员向他解释自己的工作。他告诉了卡耐基有关打字机的很多事情。卡耐基快要被那些技术名词淹死了。事实上，你很可能像卡耐基一样得到许多许多信息，但这时候一定要耐心，记住你的目标是为了支配和控制对方。

3. 关心他的爱好

多数人都有某种业余爱好，或是滑雪，或是垂钓、打保龄、高尔夫、园艺、音乐，等等。很多情况是人们在业余爱好和在自己的职业上一样都是专家，他们通常都爱谈论其爱好。想成为他们的挚友，只需问问他们的爱好即可。

4. 你想了解什么就问什么，谈什么

在初次交往中，各自都有一定的意图，那就可以依据你的意图，提问求答，你想了解什么就可以问什么。但在这样做的时候要注意两点：一是不要形成一串的盘问；二是不要探听对方的隐私。最好的做法是，你想了解对方的什么情况，你就先谈自己的什么情况，扩大自己的开放区域，来促使对方扩大开放区域，这样就容易找到许多可谈的话题。如果你想了解对方的业余生活，可以问对方：平时有什么兴趣爱好？业余时间喜欢做点什么？但是很可能对方只说了“喜欢旅游，听听音乐”这么一句话，就不再说了。那你就谈谈自己的业余爱好，谈得具体、详细一些，这样就会引发对方的谈兴，使交谈趣味相投。

5. 就社会热点问题进行交谈

陌生人双方刚一接触，纯属个人生活的事情不宜多谈，但可以对时下的人所共知的社会现象热点问题谈谈看法。如果对方对这一问题还不太清楚，你可以稍作介绍。例如，近期影响较大的社会新闻、电影、电视剧和报刊文章等，都可以作为谈话的题目和接近的媒介。

实在无话可说的时候，也可以从目光所及的景象中和身边存在的物品上寻找话题，引出兴趣。如对方在沉默中随手翻了一本书，你就可以有意地问：“这是本什么书？这么厚？看样子，你一定喜欢读书吧？现在，很多青年人都热衷于看电视、听音乐、跳舞、聚会闲谈等，这些都是有益的文化生活，但绝不能因此而忽视了读书……”这样，交谈就很容易进行下去，并且会引出一些很有意义的内容。从窗外的景象、天气的变化、房间的陈设、对方的服饰等这些眼前的景物上，也很容易找到可以交谈的话题。

※ 在听朋友说话时把握好插话的分寸

许多人过分相信自己的理解和判断能力，往往不等别人把话问完，就中途插嘴，因此常发生错误。这种急躁的态度，很容易造成损失，不只弄错了问话意图，中途打断对方，也有失礼貌。

当然，在别人说话时一言不发也不好。对方说到关键的时刻，说完后，你只看着对方，而不说话，对方会感到很尴尬，他会以为没有说清楚而继续说下去。

有些人在别人说话时，唯唯诺诺，仿佛都听进去了，等到别人说完，却又问道：“很抱歉，你刚才说些什么？”对他来说，也许只是一时心不在焉，听漏了重点，对说话的人却是一件很失礼的事。

倾听对方说话的神情也很重要。听别人说话时，眼睛却望着地下，或嘴巴微张，呆呆地听，甚至重复发问好几次，都会给人留下不好的印象。

人们常会轻率地问："刚才这个问题的意思，能解释一下吗？"或者不经大脑就说："我不太了解刚才这个问题的意思。"这些话都不算得体，你不妨这样表示："据我听到的，你的意思是否这样呢？"

即使你真的没听懂，或听漏了一两句，也千万别在对方说话途中突然提出问题；必须等到他把话说完，再提出："很抱歉！刚才中间有一两句你说的是……吗？"如果你是在对方谈话中间打断，问，"等等，你刚才这句话能不能再重复一遍？"这样，会使对方有一种受到命令或指示的感觉。

俗话说："听人讲话，务必有始有终。"但是能做到这一点的人却不多。有些人往往因为疑惑对方所讲的内容，便脱口而出："这话不太好吧！"或因不满意对方的意见而提出自己的见解，甚至当对方有些停顿时，抢着说："你要说的是不是这样？……"由于你的插话，很可能打断了他的思路，要讲些什么他反而忘了。

中间打断对方的话题是没有礼貌的行为，有时会产生不必要的误会，说不定对方会想："那么你来讲好了。"

一个成熟的人与人交谈，即使对方长篇大论地说个不休，也绝不会插嘴。因为他知道，打断他人的言谈，不仅是不礼貌的事，而且什么事情也不易谈成。

在宴会、生日舞会上，我们时常可以看到朋友正和另外一个不认识的人聊得起劲，此时，每个人都存有加入过去的想法。而实际上呢？你只不过是想听听他们到底在讲些什么罢了。

但是，一方面你们不知道他们的话题是什么，而且你突然地加入，可能会令他们觉得不自然，也许因此而话题接不下去，到后来场面气氛转为尴尬，而无法收拾。此时，大家一定会觉得你很没礼貌，也因为你这位不速之客，导致自己和朋友的耻笑。

如果碰到这种情况，你最好等他们说完再过去找你的朋友，即使真有事必须当面告诉他，给他一些小动作的暗示，他就会找机会和你讲。

有一点要注意，不要静悄悄地站在他们身旁，好像在偷听一样，尽可能找个适当机会，礼貌地说："对不起，我可以加入你们吗？"或者，大方地、客气地打招呼，叫你的朋友介绍一下，就能很自然打破这个情况。千万不要打断他们的话题，也不要制造尴尬的气氛。

※ 通过谈心进行有效的沟通

谈心与聊天不同，聊天的话题广泛，随聊随换，而谈心则是指对一定的心理、思想的分歧而进行的。卡耐基指出，要通过谈心进行有效的沟通，就必须要把握一定的原则。

1. 明确目的，有所准备

明确目的主要指谈心后要达到的结果。比如两个人之间有看法，互不服气，以至于影响到工作上的合作。谈心之前要明确，目的是让对方更多地了解自己，摒弃前嫌，携手共进。

有所准备是指在谈心前精心构设交谈用语、谈话内容及谈话进程，怎样开始，说些什么，何时结束，都进行充分准备，以免谈起来凌乱分散，甚至言不及意，影响表达效果。

有所准备还包括预设谈话中对可能出现的各种情况的处理方法。有了这些准备，谈心活动就不会演变成争吵或僵持，就能根据对方的反映调节交谈方式，确保交谈目的的实现。

2. 切入正题之前先进行铺垫

谈心开始时见面的话语是最难构设的。这时，可以让表情来代替，一个真诚自然的微笑，表明你与对方谈心的态度是诚实的。首先在情感上就给对方以很大影响，然后再来上一两句寒暄话，进一步表明你的友好态度和诚意。这样的"开场白"有利于气氛的缓和，有利于谈话的继续进行。

开场白过后，应很快地切入主题，譬如消除某个误会，说明某种情况等。因为这时双方的关系只是表面的礼节性的和缓，若过多地拉扯其他的内容会引起对方的反感，同时也会暴露你的弱点，直接切入正题，让双方就一个问题展开对话，进行沟通，尽快消除分歧，澄清误会，说明情况，以便达成共识。

3. 语言诚恳，感情真挚

谈心是要向交谈对象阐明自己的某种观点或见解，而不是加剧矛盾。因此要以诚恳之心来遣词造句，选用中性的，不带有强烈刺激性的词语，减少对方的反感和受刺激的心理效应，让这样的话语传达出你希望释解前嫌的诚意。

在整个谈心过程中，对个性极强、难以理喻的谈心对象，要把握其特点，除了使用能阐明观点的话语外，更要以情动人，多使用具有情感交流作用的词语来制造气氛，沟通心灵，理顺情绪。如有两位老先生，许多年前因工作造成分歧，相互不理睬。其中一位上门化解多次，但对方态度强硬，拒不接受。这次去了，说了这样的话："我今年60岁了，你比我大，该是62岁了吧？咱们都是过了大半辈子的人了，还有多少年好活呢？我真不希望咱们到另一个世界还是对头。"从人生无多这个老年人易动情的话入手，使对方产生情感共鸣，终于消除了隔阂。

4. 注意语气、声调和节奏

谈心时，如果语气、声调和节奏运用不当，也会影响到说话水平以及最终结果。

谈心时，语气要和缓、委婉，不能声色俱厉，咄咄逼人。和缓、委婉的语气能冲淡对方的敌对心理，能给对方一种信任感、诚实感，不至于造成双方心理上的压抑，不至于激化矛盾。语气往往体现在说话的表述方式上，追问、反问、否定往往使语气显得生硬、激烈，易引起对方反感；而回顾、商榷、引导、模糊等往往能制造平淡和谐的谈话气氛，有利于减轻压力，阐明事实、表明观点。

声调在谈心的效果上也有重要作用。当一个人心存怒气时，说话的声调无疑会上扬，形成一种尖刻的没有耐心的调子。这种调子有很强的传染性，会使对方马上也像受传染一样针锋相对，厉声对厉声，尖刻对尖刻，只会使事态扩大，矛盾加深。

语言的节奏有舒有急，有快有慢。使用快节奏讲话往往会使你显得心急，情绪不稳，易激动发火，这不利于交谈对方的思考和应对，显得没有诚意；节奏太迟太缓，显得缺乏生气，没有信心，影响谈话效果；节奏适度，方显自然、自信、有力，易于从心理上影响对方，产生良好的心理效应。

※ 将心比心、设身处地地去安慰别人

当朋友痛哭无语时，该如何按捺内心的不安与疑问，倾心聆听并安抚他的苦痛与焦虑？在这种时候，我们该“说什么”、“怎么说”？

对许多人而言，目击别人的伤痛与不安，是一件很痛苦的事，我们经常会想快速解决它、采取某些行动，或设法提供立即的解脱。

有些人则为了避免说错话，宁愿选择什么都不说，而错失表达关心的时机。当别人需要支持，或是自己需要求援时，却往往言不由衷，或不着边际。该如何开启“发自内心”的深层对话，而不是仅止于“绞尽脑汁”的表面对话？该如何整合身、心、灵，以自然之姿来做最有效的对谈？

卡耐基非常推崇心理学家南丝·格尔马丁，针对如何弥补人际沟通的鸿沟、适时适度表达关心，提供了“疗效对话”的10项原则。所谓“疗效对话”，是指将心比心、设身处地的对谈，让求援者获得适度疏解，进而自然地达到“治疗的效果”。这十大原则是：

1. 聆听

聆听不是保持沉默，而是仔细听听对方说了什么、没说什么，以及真正的含意。所谓的聆听，应该是用我们的眼、耳和心去听对方的声音，同时不急着立刻知道事情的前因后果。我们必须愿意把自己的“内在对话”暂抛一边。所谓的“内在对话”，是指聆听的同时，在脑海中不自觉进行的对话，包括动脑筋想着该说什么、如何响应对方的话，或盘算着接下来的话题。

2. 停顿

在对话之间，有时说，有时听；我们还必须提醒自己，放慢不自觉产生的机械式反应。例如，想快速解决对方的不安，便直接跳到采取行动的阶段——说些或做些我们认为对对方有益的事。如果没有停顿，我们可能会在刹那间，说出稍后会反悔的话。安慰的艺术，在于“在适当的时机，说适当的话”，以及“不在一时冲动下，

说出不该说的话”。

3. 当朋友不当英雄

帮助别人度过艰难岁月，不等同于将他们从痛苦的处境中“拯救”出来。我们应该认同他们的痛苦，让他们去感觉痛苦，并且不试着快速驱散痛苦。我们仅试着提供让他们越过“恐惧之河”的桥梁。当朋友、家人陷于情绪或身体的痛苦之中时，支持他们的最基本方法是：允许对方哭泣。哭泣是人体尝试将情绪毒素排出体外的一种方式，而掉泪则是疗伤的一种过程。所以，请别急着拿面巾纸给对方，只要让他知道你支持他的心意。

4. 给予安慰

给予安慰并不是告诉别人：“你应该觉得……”或是“你不应该觉得……”人们有权利保有其真正的感觉。安慰是指：不要对他们下判断，不要心想他们正在受苦、需要接受帮忙；安慰是指：给予他们空间去做自己、并认同自己的感觉。我们不需要透过“同意或反对”他们的选择或处理困境的方法，来表达关心。

5. 感同身受

当我们忙着试图帮助他人时，可能会忘记人们会察觉到我们内心的波动——没有说出来的想法和感觉。尽管人们无法确知我们的想法，但通常可以察觉到我们是否惊慌、对他们下判断，或是为他们感到难过。

面对面安慰别人，和我们内心真正的状态，有很大的关联。因为对他们的遭遇感同身受，我们不仅分担对方的痛苦，也需忍受自己内心的煎熬。不论面临的处境如何，善意的现身与安慰，即是给予对方的一件礼物。

6. 长期守候

改变会带来许多混乱，没有人可以迅速整顿那样的混乱。人们需要时间去调适、检讨、改变和询问“假如……会怎样？”的问题。在“疗效对话”中，我们学着接受以下事实：我们的家庭成员、同事或邻居，有时候仅需要我们当他们的“共鸣箱”，且能不厌其烦地供其反复使用。

7. 勇敢地挺身而出

不论身处任何状况，对自己不知该说什么而感到困窘，是无妨的；让我们想帮助的人知道我们的感觉，也是无妨的。甚至可以老实地说："我不知道你的感觉，也不知道自己该说什么，但是我真的很关心你。"即使自己对这样的表达觉得可笑，还是可以让对方知道，你不急着"现在"和他交谈。

除了言语的表达之外，"疗效对话"尚有许多不同的形式。你或许可以选择用书写的方式，来表达感觉和想法。

8. 提供实用资源

不需帮别人找到所有问题的答案，但可以尽力提供可用资源——别的朋友、专家、朋友的朋友，来帮忙他们找到答案。可以为对方打几通电话，牵线搭桥，联结人脉；也可以找相关的书籍给他们阅读；或是干脆提供一个躲避的空间，让他们得以平静地寻找自己的答案。

9. 设身处地、主动帮忙

当我们问："有没有我可以帮忙的地方？"有时候有答案，有时候他们也不知道需要什么样的帮忙。然而，人们有时会对自己真正的需要开不了口。设身处地去考虑人们可能需要的协助，是有效助人的第一步。

10. 尽量表现出对对方的关怀

即使我们遭遇过类似的经验，也无法百分之百了解别人的感受，但是我们可以尽量表现出对对方的关怀。

切记：需先耐心听完别人的故事，再考虑有没有必要分享自己的故事，而分享的结果是否对对方有益。

※ 学会恰到好处地表达感谢之情

在社会交往中，任何人都会遇到困难、麻烦和自己能力之外的事情，都需要得到别人的帮助。

得到帮忙和受人益处之后向对方表示感谢，既流露了自己接受对方给予努力帮助的不安，也是对别人给予帮助的一种心理安慰和补偿，更是对人际关系的深化发展。一声真诚的"谢谢"虽仅有两个字，却体现了人与人之间的融洽与默契，显示出长篇大论也无法替代的独特魅力。这个词不仅是礼貌用语，也是沟通人们心灵的桥梁，若运用恰当，其作用将不可估量。

但是，尽管只是一个简单的“谢谢”的表达，却有许多讲究。卡耐基指出，要正确、恰当地道出“谢谢”，必须把握以下几点。

1. 用含有一定歉意的语言

为别人帮忙、办事，多少总要耗费一些额外的精力，有时，还不得不辗转求人托情，欠下一笔“人情债”。因此在道谢时，一般要用含有歉意的语言来表示自己的不安之心，如“真对不起”“实在不好意思”“让您费心了”……

2. 感谢的话要首先说出来

当接受朋友恩惠或帮忙时，千万不要存有“感激之言留着以后再说”的心理，唯有懂得适时表达感谢之意的人，才能于所到之处皆受人喜爱，受人欢迎。

“你送我的那条领带，先是爱人看到，赞不绝口；到了办公室之后，连总经理都跑来看呢！”“真谢谢你送的礼物，既实用又美观。”“上次你帮我设计的封面广告，大受好评呢！还是你有办法。”无论是以口头还是书信的方式表示，或是接受礼物或受到恩惠时，立刻打电话致谢，其间流露的真切和热情都会令对方欣慰和喜悦。

3. 感谢时要考虑周全

道谢是为了表达感激之情，如果施惠者反而因此觉得窘迫，就违背了本意。因此，道谢要考虑时间、地点和对方的特点。比如，被谢者不希望局外人知道自己帮了你，你就应尊重对方的意愿。如果恰巧在大庭广众的场合遇见对方，就应含蓄致谢，或者小声耳语，或者借握手之机，用热情的力度加上含笑的眼神来表示，或者说有点小事想同他单独谈谈，借此离开人群，找个合适的地方再坦诚相谢。

4. 附赠一件礼物

有时，道谢者口头表示谢意的同时，往往还要附赠礼物。这时，你可以随口说一句：“一点小意思，不成敬意。”或者说：“随便买了点小东西，不知道您喜欢不喜欢。”许多人习惯在告辞时这么说，目的在于避免宣扬，也便于对方接受。这么做，可以避免物品冲淡了人情。否则，有意张扬，反复提及，就有将人与人之间的互相帮助降为金钱关系之嫌了。

5. 表示将在行动上回报对方的意思

对道谢者来说，有机会时，需要在行动上回报对方。因此有必要适当表露这种心愿。你可以说：“今后，能给我一个回报的机会吗？”“我很想投桃报李，需要时尽管说一声。”“希望在适当的时候我能为您出点力，也表示我一份小小的心意。”“不能赏个脸吗？让我为您做点什么，以免心中不安。”等等。

在日常交流中，想把话说好、说得出色，就必须要学会一些技巧。

为了与人愉快地进行信息交换和思想交流，要采取受人欢迎的说话态度，掌握巧妙引导话题的技巧。

善于倾听，向对方提出问题，尽量多让他告诉你几件事，也是好口才的表现。

在交流时，不能只是沿着自己的思路讲下去，还要设身处地地为对方想一想，看对方对什么话题感兴趣。

可以采用“疗效对话”，设身处地地去安慰别人；正确、恰当地说出“谢谢”也需要一定的技巧。

第三章　努力博得别人的好感，得体地去赞美

林肯说：“一滴甜蜜糖比一斤苦汁能拥获到更多的苍蝇。”几乎任何人都爱好虚荣。各人有各人优越的地方，至少也有他们自以为优越的地方。我们要赢得别人的好感，为彼此发展融洽的人际关系奠定良好的基础，就要学会得体地去赞美别人。

※　获得听话者的好感往往比让他了解内容更重要

任何高明的讲话都是这样，能坚持以理服人地说下去。人类有理性的一面，同时又持有非常不合理的一面。特别是我们的行动，具有理性的一面，同时受好恶感支配的成分是相当多的。因此，在说话时，要加以思考，掌握好自己的情绪，把握好分寸，这是说话成功的必由之路。

比如，“话已明白了，如果是那小子说的，就拒绝。”或者是“啊，好！如果是你说的，我就接受。”前者是对于说话的人没有好感，后者是对说话的人抱有好感而表现出来的。人类具有这样的特性：对于友好的人的话，洗耳恭听；对于讨厌的人的话，则锁闭心扉。因此，如果想要对方听你的话语时，必须想到：获得听方的好感是第一位的，让听方了解内容是第二位的。

在工作场所，报告、联络频繁不休，指示、传达、命令、劝导等驱动人的情况连续不断。因为工作岗位很忙，在说话时，没有加以理性的思考，无意中说走嘴等情况也时有发生。但是，弥补这些过失，疏通良好本意，却在于平素的人际关系。“那个人没有说到的事，可能因为忙而忘了，并非故意，所以是情有可原的呀！”这样一说，相互之间为着对方着想，就融洽了。如果平时人们对你有好感，有助于你的说话效果。因此，就必须考虑，情绪是首先要掌

握的。

这样说来，和颜悦色、公平待人、明朗的话语是打开对方心扉的根本。和颜悦色可以向对方表示“你可不能怀有敌意呀”的意思。一般脸上浮现笑容的人，我们往往怀有好感，不会怀有戒备心的。这样，双方沟通起来就容易多了。

对于言辞明朗的人，谁都会有好感。比起阴天下雨来，喜爱晴朗的天气，灿烂的阳光的人是很多很多的，这属于人类的本能所致吧！比如，虽然不懂音乐，但是一听到莫扎特的乐曲，那明快的旋律，无论对谁，都有一种吸引人的魅力。明快的笑脸和语调，就如同莫扎特的音乐那样，是向听者倾诉情怀，使其抱有好感的要素。

※　我们的言谈随时会被别人当成判断我们的根据

卡耐基讲过这样一个故事：

一位英国人，失业后没有钱，走在费城街道上找工作。他走进当地一位大商人保罗·吉彭斯的办公室时，要求与保罗·吉彭斯先生见面。保罗·吉彭斯先生以不信任的眼光看着这位陌生人。他的外表显然对他不利。他衣衫褴褛，衣袖底部已经磨光，全身上下显出寒酸样。

保罗·吉彭斯先生一半出于好奇，一半出于同情，答应接见他。一开始，保罗·吉彭斯先生只打算听对方说几秒钟，但这几秒钟却变成几分钟，几分钟又变成一个小时，而谈话依旧进行着。谈话结束之后，保罗·吉彭斯先生打电话给狄龙出版公司的费城经理罗兰·泰勒，而这位费城的大资本家则邀请这位陌生人共进午餐，并为他安排了一个很好的工作。

这个外表潦倒的男子，怎么能够在这么短的时间内影响了如此重要的两位人物的决定？其中的秘诀就是：他的口才很好，有很强的表达能力。

事实上，这位落魄的男子是牛津大学的毕业生，到美国来从事一项商业任务。不幸这项任务失败，使他被困在美国，有家归不得，他既没有钱，也没有朋友。但他的英语说得既地道，又流利，使得听他说话的人立刻忘掉了他那沾满泥巴的皮鞋、褴褛的外衣和他那满是胡须的脸孔。他的出色的语言表达立即成为他进入最高级商界的名片。

这名男子的故事多少有点不寻常，但它说明了一项广泛而基本的真理，那就是：我们的言谈随时会被别人当成判断我们的根据。我们的言语表达显示我们的修养程度，它能让听者知道我们究竟是何出身，它是教育与文化的象征。

卡耐基指出，一般来说，别人只根据 4 件事情来评估我们，并将我们分类：我们做什么，我们看起来什么样子，我们说些什么，我们怎么说。然而，有很多人糊里糊涂地度过一生，在离开学校后，不重视努力增加自己的词汇量和掌握各种字义。他们习惯于使用那些已在街头及办公室使用过度及意义虚幻的词句，谈话缺乏明确性及特点。难怪甚至有些大学毕业生也操着市井流氓的口头禅，经常有发音错误，或是弄错语法。如果连大学毕业生都犯这种错误，我们又怎能期望那些因经济能力不足而缩短受教育时间的人不这样呢？

有一次，一位陌生的英国游客和卡耐基聊天。英国游客先自我介绍一番，然后开始大谈他在罗马这个“永恒之城”的游历经验。他说了不到 3 分钟，错误词汇就接踵而来了。后来，卡耐基对别人说，那天早晨，当这位游客起身时，也许他特地擦亮了皮鞋，穿上一尘不染的漂亮衣服，企图维持自己的自尊，争取旁人对他的尊敬。但他却未能擦亮他的皮鞋，说出毫无瑕疵的句子。他在向某位女士搭讪时，如果未脱下帽子，他可能会感到很惭愧，但是，他却不会惭愧他用错了语法，冒犯了听他说话的人的耳朵。根据他所说的话，他等于站在那儿暴露自己，接受他人的判断及分类。他使用英语的可悲能力，等于不断地向这个世界宣示，他不是一个有文化修养的人。

因此，卡耐基强调，为了增强语言表达能力，一定要正确地使用语言。

※ 让别人得到作为正确一方的喜悦

人与人之间难免会存在分歧。卡耐基提醒我们，在生活中，我们所能问自己的最重要的问题之一就是："我是想要'正确'呢，还是想要快乐？"很多时候，这两者是相互排斥的！

成为正确者，为我们的观点辩护，这耗费了大量脑力，并常常使我们同我们生活中的人们疏远。想要成为正确的一方或希望证明别人是错的，这促使别人对我们设防，并施加压力，使我们一直处于防御状态。然而，我们许多人花费大量的时间和精力以证明（或指出）自己是对的，或者别人是错的。许多人有意识或无意识地认为，指出别人见解、言论和观点的错误是他们的职责，并且希望这样做，被纠正的人多少会感谢他，或至少学到些东西。

这是十分错误的！

想想看，你是否曾经被某人纠正，而你却对那个尽力显示自己正确的人说："谢谢你向我指明我错了而你是对的。现在我明白了。朋友，你真棒！"或者，当你纠正你认识的某人，或驳斥他们以使你自己"正确"时，他们曾感谢过你（或甚至同意你的话）吗？当然没有。事实是，我们所有的人都讨厌被纠正；我们都希望自己的观点被尊重并被他人所理解。被倾听和肯定是人类心灵的强大欲望之一，并且那些学会去倾听的人，备受别人的爱戴和尊敬，那些习惯于纠正别人的人，则常常被讨厌和回避。

当然，这并不是说想要正确总是不适当的——有时你真心诚意地想要或希望如此。也许有某些你不想让步的观点，比如当你听到一种种族歧视的言论，这时，讲出你的意见是很重要的。然而，一般生活中这种情况是比较少见的。

通过言语博得别人好感的一个很有效的策略，就是让别人得到作为正确一方的喜悦，给他们这一荣誉。当别人说"我真的觉得做……很重要"时，不要插进来说"不，做……更重要"，或其他的抢白形式，而是仅仅随他去并让他们的言论成立。你生活中的人们将会变得较少敌对并更加友爱。他们将会超乎你所能想象地欣赏你，甚至有时他们自己都不知道为什么。你将会发现，参与和目睹他人快乐的喜悦，这比自负的争斗更有价值得多。你不必牺牲你最深层的哲学真理或大部分信念，但是，从今以后，在大部分时间让别人去“正确”不失为一种明智之举！

可在现实生活中，经常会有些处世经验不足的年轻人会犯下“比别人正确”的错误。

卡耐基提到过这样一位年轻的纽约律师。他最近参加一个重要案子的辩论。这个案子牵涉到一大笔钱和一项重要的法律问题。在辩论中，一位最高法院的法官对年轻的律师说：“海事法追诉期限是6年，对吗？”

律师愣了一下，看看法官，然后率直地说：“不。庭长，海事法没有追诉期限。”

这位律师后来对别人说：“当时，法庭内立刻静默下来。似乎连气温也降到了冰点。虽然我是对的，他错了，我也如实地指了出来，但他却没有因此而高兴，反而脸色铁青，令人望而生畏。尽管法律站在我这边，但我却铸成了一个大错，居然当众指出一位声望卓著、学识丰富的人的错误。”

这位律师确实犯了一个“比别人正确的错误”。在指出别人错了的时候，为什么不能做得更高明一些呢？

罗宾森教授在《下决心的过程》一书中说过一段富有启示性的话：“人，有时会很自然地改变自己的想法，但是如果有人说他错了，他就会恼火，更加固执己见。人，有时也会毫无根据地形成自己的想法，但是如果有人不同意他的想法，那反而会使他全心全意地去维护自己的想法。不是那些想法本身多么珍贵，而是他的自尊心受到了威胁……”

卡耐基指出，永远不要说这样的话：“看着吧！你会知道谁是谁非的。”这等于说：“我会使你改变看法，我比你更聪明。”这实际上是一种挑战，在你还没有开始证明对方错误之前，他已经准备迎战了。为什么要给自己增加困难呢？

无论你采取什么方式指出别人的错误：一个蔑视的眼神，一种不满的腔调，一个不耐烦的手势，都有可能带来难堪的后果。你以为他会同意你所指出的吗？绝对不会！因为你否定了他的智慧和判断力，打击了他的荣耀和自尊心，同时还伤害了他的感情。他非但不会改变自己的看法，还要进行反击。所以，你必须讲求方式，尽量委婉，给别人留足面子。

法国哲学家罗西法古说：“如果你要得到仇人，就表现得比你的朋友优越吧；如果你要得到朋友，就要让你的朋友表现得比你优越。”

为什么这句话是事实？卡耐基解释说，因为当我们的朋友表现得比我们优越，他们就有了一种重要人物的感觉；但是当我们表现得比他还优越，他们就会产生一种自卑感，造成羡慕和嫉妒。

因此，我们对于自己的成就要轻描淡写。我们要谦虚，这样的话，永远会受到欢迎。

我们应该谦虚，因为你我都没什么了不起。我们都会去世，百年之后就被人忘得一干二净了。生命太短促了，不要在别人面前大谈我们的成就，使别人不耐烦，我们要鼓励他们谈谈他们自己才对。回想起来，你反正也没有什么好谈的。

※ 用巧妙的语言满足别人的心理需求

人们在交际中既有明显的个性心理，也有普遍的共性心理。如果能针对人们的共性心理切入交际活动，就可以获得满意的交际效果。卡耐基指出，为了满足对方的心理需求，赢得对方的好感，在日常的交往中，可参考如下建议。

1. 多加赞扬，满足人的称许心理。人们都有一种显示自我价值的需要。真诚的赞扬不仅能激发人们积极的心理情绪，使之得到心理上的满足，还能使被赞扬者产生一种交往的冲动。

2. 勤于求教，满足人的自炫心理。人们对于自己具备的技能都有一种引以为荣的心理，如果想同这些人结识相交，如果采取求教法是最有效的手段。

3. 表示欣赏，满足人的自信心理。一个人往往对自己所崇拜的对象或采取的做法坚信不疑，有时宁愿相信自己一向认定的事实，也不愿意接受来自他人的纠正。他所喜欢的东西如果能够得到你的欣赏，你便能得到他的认可。

4. 强调共性，满足人的共趣心理。生活中我们常常听到这样的话：谁与谁说不到一块去，一见面就顶牛；谁与谁很投缘，恨不得能穿一条裤子。说不到一块去，就是没有共同的兴趣和爱好；很投缘，就是情趣相投。人们一般都喜欢和那些与自己有“共同语言”的人交往，而情趣相左的人交往则往往不大容易成功。那么，如果你希望交际成功，就可以从寻找共同情趣切入。

5. 主动问候，满足人的尊敬心理。社会交往中，获得尊重既是一个人名誉地位的显示，也表明他的德操、品行、学识、才华得到了认可。无论是年长者还是年轻者，位尊者与位卑者，都期望别人尊重自己。因此，那些懂得尊重别人的人，人们对他产生好感就是情理之中的事了。而主动问候就是最便捷、最简单地表达自己的敬意的交际行为。从问候切入交际活动，十有八九会有一个圆满的结果。这是博得别人好感的基础。

※ 每个人都渴望得到别人的肯定和认可

有一天，卡耐基在公园里遇到一个男子，带着一只小猎犬和他5岁左右的小男孩，正在训练小猎犬衔起丢出去的棒子，再把棒子送回给主人。

问题是，这只小狗根本不知道要把衔起的棒子交还给主人，它只想和这个棒子玩。一旦它咬起这个棒子后，就绕着公园到处跑，或跑到小溪边踩出阵阵水花，在这个80英亩大的公园里充分享受玩耍的乐趣。这时候，这只小狗的主人气急败坏地跟在它的后面大喊大叫——这只是让这个小家伙跑得更快而已。这只小狗根本不知道自己正在受训练，还以为主人的追赶也是游戏的一部分呢！

终于，这只小狗跑回到主人的身边，它的主人拿起手上卷成一束的报纸，朝这只天真的小家伙头上重重一击，旁边的小男孩看到后，哇哇大哭起来。这个男子更生气了，他对小男孩说：“你要知道，我们是要给小狗一个教训。现在想想看，我们要教小狗什么？”

小男孩沉默了好一会儿，然后他说："我猜想我们要小狗知道，当它注意我们，终于按照你说的去做后，它就会得到一顿鞭打。"

那天，卡耐基对这个小男孩说的话思考了好一阵子。他试着想象如果他是那只小狗，当时脑中会闪过什么念头？它可能会搞不清楚，下次主人丢出棒子后，它应该怎么做，但最起码它知道绝对不要咬起棒子回到主人身边，想想看，他刚刚这样做的下场是什么？

卡耐基说："我不知道应该怎么训练猎犬，但我猜想应该可以采用奖赏制度来加强训练效果。大多数的生物都对奖励有好的反应。起码就我自己的看法，我相信小狗回到主人身边时，如果马上就得到奖励，下次这只小狗一定会更兴奋地跑回主人的身旁。奖励对我们每个人都非常重要。如果我们在与人相处的时候尽量赞美别人，一定能得到对方积极的回报。"

卡耐基指出，每个人都渴望得到别人和社会的肯定和认可，我们在付出了必要劳动和热情之后，都期待着别人的赞许。因此，把赞美——我们自己需要的东西，首先慷慨地奉献给别人，往往是送给别人最好的礼物和报酬，也很好地体现了我们的大方和成熟。

赞许别人的实质，是对别人的尊重和评价，也是搞好人际关系的一笔具有长远利益的投资。它表达的是我们的一片善心和好意，传递的是你的信任和情感，化解的是你有意无意间与人形成的隔阂和摩擦。对人表示赞许，你何乐而不为呢？

世界上的人大都爱听好话，没有人打心眼里喜欢别人来指责他。就是相濡以沫的朋友，你批评几句，对方往往脸上也有挂不住的时候。

美国哈佛大学的专家斯金诺，通过一项实验的研究结果表明，连动物的大脑，在收到鼓励的刺激后，大脑皮层的兴奋中心就开始起劲调动子系统，从而影响行为的改变。同样的道理，人作为万物的灵长，期望和享受欣赏，是人类最基本的需求之一。

心理学家吉斯菲尔指出："有不少人，他们喜欢听相反的话；更有许多的人，喜欢别人把他们当作有思想、有理智的思想家。有一回，我与一个人讨论一件颇有争议的社会问题，我对他说：'因为你是这样的冷静、敏锐，因此我想知道，我们究竟应该站在什么立场？’他听了我的话，立刻现出满面春风的样子，并详细对我说了他对此事的立场态度。原来此人是愿意人家看他是敏锐、冷静的。”

“几乎所有女人，都是很质朴的，但对仪容妖媚，她们是至深癖爱，孜孜以求的。这是她们最大的虚荣，并且常常希望别人赞美这一点。但是对那些有沉鱼落雁之容、闭月羞花之貌的倾国倾城的绝代佳人，那就要避免对她容貌的过分赞誉，因为她对于这一点已有绝对的自信。如果，你转而去称赞她的智慧、仁慈，如果她的智力恰巧不及他人，那么你的称赞，一定会令她芳心大悦，春风满面的。”

人不分男女，无论贵贱，都喜欢听合其心意的赞誉。同时，这种赞誉，能给他们加倍的能力、成就和自信的感觉。这的确是感化人的有效的方法。

要使颂扬能够奏效，只要我们心中掌握各人性情的不同之处，便能区别对待，有的放矢，从而达到目的，把事情办好。

一般常人身上，都有着难以察觉的闪光点，而这些正是个人价值的生动体现。而一个伟大的领导者，往往独具慧眼，大多是赞颂别人的专家。美国前总统罗斯福的才能，就表现在对正直人给予恰当的称赞上。

既然赞扬是人际交往的润滑剂，我们就要在和周围人相处的过程中，毫不吝啬地赞扬别人，使赞许动机获得广大而神奇的效用。

※　尽量赞美别人，让对方感到愉快

一家成功的保险公司经理在谈到成功的秘诀时说，很重要的一条是：“我们欣赏我们的代理人。”

人都有一种强烈的愿望——被人欣赏，欣赏就是发现价值或提高价值，我们每个人总是在寻找那些能发现和提高我们价值的人。

欣赏能给人以信心，能让对方充满自信地面对生活。爱情之所以能有如此巨大的魔力，就是因为两个人互相欣赏对方，欣赏对方的优点，甚至欣赏对方的缺点。在爱人眼里，对方是世界上最完美的。一个人被人认为是世界上最完美的，可以想象他是何等兴奋！

所以，心中有爱情的人，对待生活总是积极、乐观的，充满自信的。许多大企业家告诉我们，他们在提升一个人之前，喜欢了解有关这个人妻子的一些情况，他们感兴趣的当然不是她的长相、她的贤惠，而主要在于她是否对丈夫有一种信任感。如果一个妻子认可其丈夫并给他一种感觉：她和丈夫在一起是愉快的，那么，每当丈夫回家时，他就能在她的臂膀中得到一种自信和激励；第二天，他能充满自信地面对生活。

欣赏能使对方感到满足，使对方兴奋，而且会有一种做得更好，以讨对方欢心的心理。如果一个员工得到经理的欣赏，他肯定会尽力表现得更好；而如果是一个小孩，得到别人的欣赏，那他的表现会令人大吃一惊。有一个小孩总因喜欢在家具上刻画而遭惩罚，心理学家为他买来雕刻面具，并且教他如何使用，如何设计，还赞赏他："你雕刻的东西比我所认识的任何一个人雕得都好。"一天，小孩使任何一个人大吃一惊：没任何人要求他，他把自己房间打扫一新。当问他为什么时，他的回答是："我想你会喜欢的。"

当然，欣赏别人也得懂得一些技巧。具体该怎么去做呢？

1. 要尽量去欣赏别人一些他自己不被自信或不被众人所知的优点。如果一个国家级运动员和你第一次见面，你表示欣赏他的运动成绩，除了让他一笑以外，不会产生什么特别的感觉；而如果你表示欣赏他的风度和气质，他会非常高兴。

2. 欣赏别人不能无中生有。对方根本没有的优点甚至是缺点，而你还大加赞赏，他会怀疑你是否在讽刺他；要么会认为你这人是个善于说假话、奉承拍马的人。

3. 单独对待每个人总能让人有种被欣赏的感觉。当你到朋友家做客，朋友向你介绍了他的3个孩子后，你不是点头微笑，而是走过去同他们一一握手并问好，他们马上会对你产生好感。

※ 审时度势、恰当地赞美别人

赞美别人，仿佛用一支火把照亮别人的生活，也照亮自己的心田，有助于发扬被赞美者的美德和推动彼此友谊健康地发展，还可以消除人际间的隔阂和怨恨。赞美是一件好事，但绝不是一件易事。赞美别人时如不审时度势，不掌握一定的赞美技巧，即使你是真诚的，也会变好事为坏事。所以，开口前我们一定要掌握以下技巧。

1. 因人而异

人的素质有高低之分，年龄有长幼之别，因人而异、突出个性、有特点的赞美，比一般化的赞美能收到更好的效果。老年人总希望别人不忘记他“想当年”的业绩与雄风，同其交谈时，可多称赞他引为自豪的过去；对年轻人不妨语气稍为夸张地赞扬他的创造才能和开拓精神，并举出几点实例证明他的确能够前程似锦；对于经商的人，可称赞他头脑灵活，生财有道；对于有地位的干部，可称赞他为国为民，廉洁清正；对于知识分子，可称赞他知识渊博、宁静淡泊……当然，这一切要依据事实，切不可虚夸。

2. 情真意切

虽然人都喜欢听赞美的话，但并非任何赞美都能使对方高兴。能引起对方好感的只能是那些基于事实、发自内心的赞美。相反，你若无根无据、虚情假意地赞美别人，他不仅会感到莫名其妙，更会觉得你油嘴滑舌、诡诈虚伪。例如，当你见到一位其貌不扬的小姐，却偏要对她说：“你真是美极了。”对方立刻就会认定你所说的是虚伪之至的违心之言。但如果你着眼于她的服饰、谈吐、举止，发现她这些方面的出众之处并真诚地赞美，她一定会高兴地接受。真诚的赞美不但会使被赞美者产生心理上的愉悦，还可以使你经常发现别人的优点，从而使自己对人生持有乐观、欣赏的态度。

3. 翔实具体

在日常生活中，人们有非常显著成绩的时候并不多见。因此，交往中应从具体的事件入手，善于发现别人哪怕是最微小的长处，并不失时机地予以赞美。赞美用语愈翔实具体，说明你对对方愈了解，对他的长处和成绩愈看重。让对方感到你的真挚、亲切和可信，你们之间的人际距离就会越来越近。如果你只是含糊其辞地赞美对方，说一些“你工作得非常出色”或者“你是一位卓越的领导”之类空泛飘浮的话语，不能引起对方的猜度，甚至产生不必要的误解和信任危机。

4. 合乎时宜

赞美的效果在于相机行事、适可而止，真正做到“美酒饮到微醉后，好花看到半开时”。

当别人计划做一件有意义的事时，开头的赞扬能激励他下决心做出成绩，中间的赞扬有益于对方再接再厉，结尾的赞扬则可以肯定成绩，指出进一步的努力方向，从而达到“赞扬一个，激励一批”的效果。

5. 雪中送炭

俗话说：“患难见真情。”最需要赞美的不是那些早已功成名就的人，而是那些因被埋没而产生自卑感或身处逆境的人。他们平时很难听一声赞美的话语，一旦被人当众真诚地赞美，便有可能振作精神，大展宏图。因此，最有实效的赞美不是“锦上添花”，而是“雪中送炭”。

此外，赞美并不一定总用一些固定的词语，见人便说“好……”有时，投以赞许的目光、做一个夸奖的手势、送一个友好的微笑也能收到意想不到的效果。

当我们目睹一个经常赞扬子女的母亲是如何创造出一个圆满快乐的家庭、一个经常赞扬学生的老师是如何使一个班集体团结友爱天天向上、一个经常赞扬下属的领导者是如何把他的机构管理成和谐向上的集体时，我们也许就会由衷地接受和学会人际间充满真诚和善意的赞美。

※ 在生活中随时随地都可以赞美别人

卡耐基指出，人类本性最深的需要是渴望别人的欣赏，因此我们一定要多夸奖别人。即便是用最普通最平常的语言夸奖别人，对于你来说，是平常又平常的事，但对于别人来说，意义却非同凡响，它可以使别人愉悦，使别人振奋甚至可以因为这句话而改变自己的一生。卡耐基在这方面很有办法。

卡耐基时常强调：要真诚地赞美别人，永远使对方觉得自己重要！要知道，使自己变成重要人物，是每个人的欲望。

夸奖别人有两种方式，从小方面着手或从大方面着手。卡耐基对这两方面都很擅长。

在卡耐基教学课程中，有位来自匹兹堡的学生，他叫比西奇。比西奇在上课过程中似乎显得特别的笨，在每个方面都似乎差人一等。因此，他感到很沮丧。

他终于带着失望的心情来到卡耐基的办公室，对卡耐基说："卡耐基先生，我想退学。"

"为什么？"卡耐基奇怪地问。

"我……我感觉比别人笨多了，根本学不会你的教程。"

"我觉得不是这样的，比西奇！"卡耐基说，"在我的感觉中，这半个月来，你比以前明显进步多了，在我的心目中，你是个勤奋而又成功的学生。"

"真的是吗？"比西奇略带惊喜地问。

"真的是这样的！照着这样发展，到毕业时，你一定会取得优异成绩的。"卡耐基继续说，"在我小时候，人们都认为我是个笨孩子，那时的我是多么的忧郁！后来，我摆脱了忧郁，同时也摆脱了'笨'，你比我当年强多了。"

听了这番话后，比西奇内心深处升起了希望。他凭着自己的努力和卡耐基先生的激励，终于学完了全部教程，毕业时成绩虽不很优异，但也足以让人刮目相看了。

比西奇毕业后，回到家乡，开了一家小小的肉联厂。开厂之初，进展并不顺利，卡耐基继续写信鼓励和夸奖他："我觉得你办肉联厂的念头相当不错，这是个很有前途的机会，你一定会因自己的努力而获得巨大成功的。"

比西奇收到这些信后，非常感动，他同时也将这夸奖的艺术用于自己的雇员，没想到收效很大。在经济大萧条时代，整个美国都面临着挨饿的危机，人们四处求职谋生，争取仅有的面包和土豆。

比西奇开的肉联厂虽然也受到了经济危机的冲击，生意遭挫，但在那个年代里既能保持住肉联厂的生意，又可让雇员们拿到足够的工资，这不能不算是个奇迹。

比西奇后来回忆说，肉联厂之所以在经济萧条的时候存在，一是和自己及雇员兢兢业业的敬业精神有关，二是他运用了卡耐基的夸奖技巧，使自己和工人们连成一条心，厂子因而得以生存。

夸奖别人可以从一些小事进行，不一定给予壮志凌云般的鼓励，在小方面夸奖别人是一种重要的交际手段。可以从各方面进行，例如：参加一个朋友的宴会，你可以夸奖忙得不亦乐乎的主妇："你的菜炒得真好吃，你看，这么一大桌菜，几个人一下子便吃完了。"

那位主妇马上觉得自己的劳动成果有人欣赏和赞美，一天的疲劳立刻消失，同时下次宴请你时会表现得更加卖力。

如果你是老板，下属工作完成得很出色，你可不要吝啬溢美之词。一句肯定的话，会激发下属十倍的工作热情。当然，你可以这样说："你做得很好。""你真的令我印象深刻。""你是本公司的重要财富。"

如果你的下属连夜赶写一篇文章给你过目，如果写得很好，你不妨直接大胆地赞美："你的文章写得很棒！"

即使可能他的文章略为逊色，也不妨赞美他几句。这样会让他觉得你是一个能够信任他、重用他的好上司。

如果你接受了同事的帮助，或是被请了一顿饭，你可以这样说："你帮了我的大忙。""这是我这么长时间以来吃到过最好吃的饭。""这顿饭太棒了。"

夸奖别人最忌讳的是，用不很诚意的态度说出敷衍的话。例如，你看到你的女友今天穿了一件新衣服，你只说了句"你的衣服很好看"。那是完全不够的，你不妨加上："这衣服配你的肤色特别好看！""你买这种新衣服特别有眼光！"等随兴发挥的话，那一定会把你的女友逗得咯咯地笑，并且柔顺得像只小猫。

千万得记住：人是喜欢被人夸奖，被人欣赏和赞美的，当别人一夸到他比别人更强或某方面做得特别的好，那他一定会变得乐不可支的。

一天，卡耐基到纽约的一家邮局寄信，发现那位管挂号信的职员对自己的工作很不耐烦。于是他暗暗地对自己说："卡耐基，你要使这位仁兄高兴起来，要他马上喜欢你。”同时，他又提醒自己，要他马上喜欢我，必须说些关于他的好听的话。而他，有什么值得我欣赏的呢？非常幸运，卡耐基很快就找到了。

等到那位职员称卡耐基的信件时，卡耐基看着他，很诚恳地对他说：“你的头发太漂亮了。”

那位职员抬起头来，有点惊讶，脸上露出了无法掩饰的微笑。他谦虚地说：“哪里，不如从前了。”

卡耐基对他说：“这是真的，简直像是年轻人的头发一样！”

他高兴极了。于是，他们愉快地谈了起来。

当卡耐基离开时，那位职员对他说的最后一句话是：“许多人都问我究竟用了什么秘方，其实它是天生的。”

事后，卡耐基说：“我敢打赌，这位朋友当天走起路来一定是飘飘欲仙的。我敢打赌，晚上他一定会跟太太详细地叙说这件事，同时还会对着镜子仔细端详一番。”

卡耐基把这件事说给一位朋友听，朋友问他：“你为什么要这样做？你想从他那里得到什么呢？”

卡耐基回答道：“是的，我想要得到什么？什么也不要。如果我们只图从别人那里获得什么，那我们就无法给人一些真诚的赞美，那也就无法真诚地给别人一些快乐了。

“如果一定要说我想得到什么的话，告诉你，我想得到的只是一件无价的东西。这就是我为他做了一件事情，而他又无法回报我；过后很久，在我心中还会有一种满足的感觉。”

你不必等到当了驻法大使或××委员会主席，才应用这种赞赏别人的哲学。你每一天都可以把它派上用场，并获得应有的效果。

卡耐基说：“如何做？何时做？何处做？回答是：随时随地都可做。譬如，我在饭店点的是法式炸洋芋，可是，女侍者端来的却是洋芋泥，我就说：‘太麻烦您了，我比较喜欢法式炸洋芋。’她一定会这么回答：‘不，不麻烦。’而且会愉快地把我点的菜端来。因为我已经表现出了对她的尊敬和重视。”

※ 采用在批评中融入赞美的方法

赞美应该是一种语言习惯，一种涵养。即使是面对危机重重的局势，即使是面对生死攸关的较量，也不要忘记赞美，减弱批评。卡耐基认为，林肯在这方面的做法非常值得我们效法。

在 1926 年的一次公开拍卖会上，林肯写给将军胡克的一封信被拍卖出了 12000 美元的高价。

在林肯的一生中，他写过无数封信，但是，只有这一封信拍卖价最高。这封只需要花 5 分钟来写的信，为什么拍卖价格比林肯 50 年来的积蓄还多呢？是什么使得这样简单的一封信竟然价值万元呢？

这封信是林肯任职总统后，措辞最锐利、语气最不客气的一封信。这封严厉的信改变了一位固执的将领，从而改变了国家的命运。但就是在这封信中，林肯仍旧坚持运用了他与人交往的最有效的方法：在批评中添加赞美！

这封信是林肯在 1863 年 4 月 26 日，内战最黑暗的时候写的。当时已是内战的第 18 个月了，林肯手下的将领们因为联军屡遭惨败，普遍怀着一种失望沮丧的情绪。全国人心惶惶，数以千计的士兵临阵脱逃，甚至参议院里的共和党议员，也起了内讧叛乱。更严重的是，他们要强迫林肯离开白宫。林肯描述当时的情形时，曾这样说道：“我们现在已走到毁灭的边缘，我似乎感觉到上帝也在反对我们，我看不到一丝希望的曙光。”

内战没有进展已经让人们不满，而胡克将军的行为则让国内的形势雪上加霜。当时，胡克这位集国家、人民命运于一身的将军，在判断上犯了严重的错误。

一个人要在愤怒、悲伤的时候控制自己的情绪是很难的，尤其是面对复杂的局面、不好的走势。“在这种时候，谁还有心情来赞美别人？”或许大部分的人都会这么说。但是，林肯做到了，写下了这封信。

胡克将军：

我已任命你为波托麦克军队的司令官。当然，我这样做是有自己的理由的。可是我希望你也知道，有些事，我对你并不十分满意。

我相信你是一个睿智善战的军人，你的这一点一向使我感到欣慰。同时我也相信，你不至于把政治和你的职守掺混在一起，这方面我想你自己可以把握好。你对自己很有信心，这是一种有价值的、可贵的美德。

你很有野心，在某种范围内，野心确实是有益而无害的。可是在波恩雪特将军带领军队的时候，你放纵你的野心行事，阻挠他行军。这件事，是你对你的国家，你的人民，以及你的同僚所犯的一个极大的错误。

我曾听说，你说军队和政府需要一位独裁的领袖。你要记住，我给你军队的指挥权，并非是出于这个原因。同时，我也没有这些打算。

只有在战争中获得胜利的将领，才有当独裁者的资格。目前，我对你的期望，就是军事上的胜利。如果你捧给我胜利的果实，我就会冒着危险，授予你独裁权。

政府将会尽其所能协助你，就像协助其他将领一样。我深恐你思想中那种不信任他人的思想，会被你的下属和战士们所接受，而这种思想对你所造成的恶果将难以估计。因此，我愿意竭力帮助你，平息你这种危险的思想。你仔细想想，如果军队中有这种思想存在，哪怕是拿破仑再生，也不能妄想用这支军队去获得胜利。现在切莫轻率推进，也不要过于匆忙，需要小心谨慎，努力去争取我们的胜利。

林肯

面对困境，林肯没有在书信的开头劈头盖脸地训斥胡克。他落笔稳健，充分显示出了他那圆滑、娴熟的外交手腕。即使是批评的话语，林肯也将之转化得比较缓和，在信的开头，他用“有些事，我对你并不十分满意”这样的话，来指出了胡克将军的错误。

在信中，有很大一部分是对胡克将军的赞美和信任，“我相信你是一个睿智善战的军人”“你对自己很有信心，这是一种有价值的、可贵的美德”……这些赞美的话，直接表达了林肯对胡克将军的重视。即使在林肯面对内忧外患的时候，他没有忘记给他的手下以赞美，然后在赞美之后再指出胡克将军在思想和行动上的偏差。

林肯善于赞美的方式在这一封信中可见一斑。他运用在批评中融入赞美的方法，既表达了对胡克的信任和期待，又要求他不要独裁，不要轻率冒进，终于在关键时刻力挽狂澜，让胡克将军改变了一意孤行的行事方式。

任何人都有冲动和愤怒的时候，有的人在关键的时候气急败坏，不逊言辞脱口而出。真正的赞美意识应该根植于骨子里，表现在关口上。卡耐基指出，越是懂得运用赞美，越是有可能在关键时候转败为胜，扭转局势。

※ 用谦虚和赞美来化解别人的强烈不满

卡耐基在讲课中指出，睿智的德国布洛亲王，早在 1909 年，就深切地感觉到，要用谦虚和赞美来化解批评中的戾气。

德皇威廉二世在位时，目空一切，高傲自大。他建设陆、海军，欲与全世界为敌。不久，威廉二世说了一些令人难以置信的话，他的话震惊了整个欧洲，并在不久之后，影响到了全世界。最糟的是，威廉二世把这些可笑、自傲、荒谬的言论，在他做客英国时，当众发表出来，登在《每日电讯》上。

他到底说了些什么呢？他说他是唯一对英国感觉友善的德国人；他正在建造海军以对付日本的危害。德皇威廉二世还表示，只有他一个人的力量，才能使英国不致屈辱于法、俄两国的威胁之下。他又说，英国洛伯特爵士之所以能在南非战胜荷兰人，都是出自他的筹划。在这 100 年来的和平时期内，欧洲没有一位国王，能说出这样惊人的话来。

报纸一发表，欧洲各国立即哗然，骚动如同蜜蜂投入花丛般地涌了起来。英国政府表示对此事十分愤慨，而德国的那些政治家，则十分恐慌。事情越闹越大，以至于德皇也渐渐感到事态严重，开始紧张起来。他向布洛亲王暗示，要他代为受过。德皇要布洛亲王，宣称那一切都是他的责任，是他建议德皇说出那些不可信的话来的。

一场大祸不期而至。是按照德皇的暗示承受罪过呢？还是直接表达自己的拒绝呢？如果接受，他就会成为各国的公敌；如果拒绝，他又会得罪德皇。一个是国际压力，一个是直接上司，布洛亲王面临着两难选择。

刚开始的时候，布洛亲王还没有意识到要怎么处理这个难题，他直接说道："陛下，恐怕德国人或是英国人，都不相信我会建议陛下说那些话。"

布洛亲王说出这话后，立刻发觉自己犯了一个严重的错误。果然，德皇大怒，他咆哮道："你认为我是一头笨驴，连你都不至于犯的错误，而我却做了出来！"

布洛亲王知道自己不该直接触犯龙颜，而应该先用赞美化解批评的戾气。但是，现在话已经说出口，为时已晚了，他只能进一步去补救。

布洛亲王恭敬地说："陛下，我绝对不是那种意思，陛下在许多方面都远胜过我。这不只是表现在对海军的知识上，在自然科学方面也更突出地显出了这一点。每当陛下谈到风雨表、无线电报等科学知识时，我总替自己感到羞耻，感觉自己知道得太少了。

"我很惭愧，作为一名亲王，我却连自然科学都不懂，对于化学、物理更是一窍不通，连极普通的自然现象，我也不能解释。我唯一的长处就是对历史学科有些了解，同时也有一点政治上以及外交上的才能。"

果然，奇迹出现了。听完这些话，德皇脸上露出了笑容，因为布洛亲王称赞了他，抬高了他，同时贬低了自己。经布洛亲王的这番解释后，德皇宽恕了他，原谅了他。德皇热忱地说："我不是常跟你这样讲过，你和我因为能相辅相成而著名。我们需要赤诚的合作，而且我们也确实应该这样做。"

说罢，德皇走下来与布洛握手，整个下午，他都紧紧握着布洛的手，说："如果有人对我说布洛不好，我就用拳头打在他的鼻子上。”

布洛亲王及时救了自己！当他发现自己跟德皇说话的语气太直，用直接的批评引起了德皇的怒气的时候，及时地用谦虚和赞美挽回了局面。他用德皇在海军知识方面的博学来夸奖他，让他感到自己是很有能力的；德皇就放弃了追问他的罪责，而且还重视他，维护他了。如果在德皇大怒后，布洛亲王不会及时转弯，那么可能最先倒霉的就是他了。

布洛亲王用谦虚和称赞的话，把盛怒中傲慢的德皇变成了一个热诚的朋友。可见，谦逊和称赞能产生奇迹。如果我们能经常把谦虚和称赞合起来运用，那么就能避开人际交往的障碍，建立起坚固的交际圈。

※ 经常地发掘看似平淡无奇的小事来称赞别人

一个人的成功是你赞赏他的大好机会。你要花点儿时间静心想想，你可以称赞你的伙伴取得了哪些成绩。对人的赞赏要有的放矢。请明确告诉他，是他的哪些优点或成绩给你留下了深刻的印象，又是什么使他与众不同，卓尔不群。

实际上，许多可以赞赏他人的机会都被人们忽视了。因此，为了有效地获取灵感，你可以为你的每位重要的交往伙伴列一张值得你赞赏的成就清单。在合适的时候，就可以据此向他们表示祝贺。你还要定期对这张清单进行修改，增减内容。

下面的问题可以帮助你列出这张清单。

1. 在与你的合作过程中，对方取得了哪些值得称道的成果？

2. 他对你提起过的或其他人没能解决的问题中，有哪些是他力排困难而圆满解决的？

3. 他出过哪些好的点子和建议并付诸实施了？

4. 他是否对形势做过不同于业内专家的意见，但实践证明是准确可信的预测？

5. 你们之间的合作在哪些方面取得了特别突出的成绩，具体数据是多少？

……

你越是经常地对你的伙伴的成功进行思考，越经常为他们列出一张值得赞赏的成就清单，就会越容易地找到可适的称赞的机会。当然，你要注意赞赏也不可言过其实，更不必刻板地一天数次在固定的时间恭维你的伙伴。

千万不要为了称赞你的伙伴而等待百年难遇的大好机会，或惊天动地的宏图伟业，因为这种情况极为罕见。你应利用日常交往中出现的那些不可胜数的机会来称赞他人。绝不可因为事由太小不值一提，就犹豫着要不要给予他人衷心的赞美。在日常生活中，只言片语的称赞常与长篇大论的颂词一样具有重要的意义。你称赞对方才是真正关键性的举动，因为，人们向往的是被赞誉这一事实本身。

这里还有一个重要的诀窍：你可以称赞对方那些圆满完成了的“普通”任务或日常工作。人们通常只赞赏那些取得了突出成就的人，赞赏总是与出类拔萃或独一无二相联系。而普通任务的圆满完成常被视为理所应当，因而很少被人重视。

但每一位内行都知道，日复一日地出色完成看来简单的日常工作，也是件很不容易的事。他知道，为此需要付出何等的细心耐心、谨小慎微和全神贯注，而且，这些看似简单的工作最终成功与否，通常会受到无数因素的左右和影响。

一般地说，非凡的成绩可以通过一次“特别行动”获得，为了取得这一结果，需动用全部人力、物力资源来铺路。相反，圆满完成日常的普通工作，则需要人们兢兢业业、坚持不懈。还要提一下的是，日常工作常常是在条件不够完善的情况下完成的。也许一次非凡成绩的轰动效应就足以给他人留下良好印象，而普通工作的圆满完成虽默默无闻，却更讲究点滴的积累，于细微处见功夫。

所以，你要称赞他人在日常工作与合作中表现出来的优点。比如，你可以称赞他的诚实可靠、办事干练高效、乐于助人等优良品质。你可以告诉他，你欣赏他如约赴会的守时，或提供信息的准确性。

对他人而言，这种赞赏完全出乎他的意料。他会由此认识到你的细心和非比寻常的评价能力。他发现，你恰恰是看到了别人看不到的细节，发掘着他人的闪光点。比起偶尔被夸张地捧上天，经常为些小事而得到称赞更能让人感动。

所以，无论在事业上还是在生活中，你都要更经常地发掘看似平淡无奇的小事来称赞他人。这样的称赞更自然可信，能真正打动人。

在说话时，要加以思考，掌握好自己的情绪，把握好分寸，这样才能赢得别人的好感。

友善的言行、得体的举止、优雅的风度，这些都是走进他人心灵的通行证。

获得别人好感的既简单又重要的方法，就是牢记别人的姓名；尽量避免争论，拿自己开玩笑，则能使别人在获得优越感的同时对你产生好感。

得体的赞美，往往是送给别人的最好的礼物。

只要我们善于留心和发现，生活中到处都有值得赞美的事，随时都有值得赞美的人。

第四章　以别人最容易接受的方式去说服

事业的成功与否常常取决于一个人说服、告知和鼓动他人的能力。人们常说：“忠言逆耳。”生活中常见这样的情景，本来你是好意给对方提出忠告，对方却往往很不高兴。看来，仅有为别人着想的良好愿望还不行，说服和建议也需要技巧。卡耐基强调，为了有效地说服别人，首先要了解对方到底需要什么，然后“看鱼下饵”。

※　通过交流使你的想法变成别人的想法

交流是无法避免的。任何人都不能不就工作进行交流。交流可以有助于我们事业的成功，也可以起阻碍作用。

通过交流，你的想法可以变成别人的想法。交流不仅使员工与单位，股东与公司，买家与卖方连接在一起，它也使各级经理人员与他们的同级，下属和上司联系在一起。可以说，交流是社会变革的关键，也是个人发展的途径。

尽管交流是相互的，但是仍然有人认为，努力实现相互交流就像一场锻炼，用大喊大叫把话筒那头错误的一方的声音压下去。交流困难的一个常见原因，就是谈话者有时根本不知道如何赢得并保持对自己的想法的支持。常识告诉我们，成功常常取决于一个人说服、告知和鼓动他人的能力。

成功的交流意味着共享一种想法。但是意见相左远多于思想一致。问题是：为什么？是什么妨碍了人们——你的同级、上司、下属——正确评价你的看法和计划？而他们肯定能从这些看法和计划中受益最大。是什么使得理解的利刃被禁锢在冷漠之中呢？

交流是一种相互关系。只有当每一方满足另一方的需求时，交流才会起作用。所以，进行交流，就是要充分考虑你的想法、语言和表达风格，使之同时满足讲话人的意愿和听讲人的需要。

那么，你该如何实现成功的交流呢？从冷漠中拔出理解之刃的杠杆在何处呢？一言以蔽之，这个杠杆就是策略。

策略就是选择讲什么和怎样去讲的框架。其办法是既不脱离你的目的，又符合听者的需求。策略调控这种密切的配合，策略就像是训练有素的裁缝师，让你这里收紧一点，那里放开一点，始终让你的想法适合听者的思维方式。具体可参考如下建议。

1. 区分听讲对象

无论是顾客还是同事，接受方的每个人都希望你所要说的，与他们头脑中已知的事情有联系。了解他们已经知道些什么，当然是使交流成功的关键。

你不能迫使别人交流，但却可以造成一种讨论会的气氛，使他愿意分享你的思想、计划和主意。创造这样的气氛，就会在你最想接触的人们中有效地增加你的想法的吸引力，因为它使你不只是跟踪他们的思维方式，而且能准确预测他们的看法；不仅是介绍情况，而且是在他们易于接受的情境中，策略地提出想法，以取得成功。

推动人们进行交流的，是他们自身的需要和听讲者的需要。了解别人的感情要求和逻辑要求，亦即确定听讲者的特点，就是很快地摸清用什么方法和依据，能够满足听讲者的这些需要。真正弄明白你在跟谁说话，不仅使交流有望，而且使交流较有可能实现。

2. 明确目的掌握信息

策略性交流的目的有两个：求得了解和说服别人。向上司报告工作，是不是让他了解你的进展？和员工一起讨论工作绩效评估，是不是试图让他们相信你对他们的评价是公正的？如果不是想求得了解，那就一定是想用来说服别人。

虽然乍一看，在求得了解和说服别人之间选择交流目的似乎不那么至关重要。但不要有错误的理解。策略效果取决于目的和想要灌输想法之间的一致性。如果目的是求得了解，而你的信息则是有关说服别人的，那么实际上，你所能听到的，就会是一种令人厌烦的噪声。反过来，如果让主题与目的协调一致，那么你所表达的对听者来说就是悦耳的音乐。

许多自以为是的交流行家往往使自己陷入误区，他们把求得了解和说服别人看作是可以相互替代的成分。事实上，与目的不一致的信息是一种双重信号，不能产生明确而真诚的交流。就像所有的含糊其辞一样，它所造成的混乱经常超出它所促成的共识。

目的在于求得了解的信息内容或者是全新的，或者对身边的听讲者来说是新鲜的，因此听讲者可能不会有内在的反对心理或者固有的不信任感，并欲之争辩。目的在于说服别人的信息，则负有额外的任务。无疑，后一类信息必须鼓励响应者开始去做或考虑某件事。但与此同时，它们还必须鼓励响应者停止做某件事，而去想另一件事，也许这件事恰恰会使他们一上来就不同意你的意见。

有了识别两种策略目的（求得了解和说服别人）的能力，还不能保证你的信息一定起作用。但它确实保证使你有一个有利条件，或者说更多的通过努力奋斗可以获得成功的机会，去说服、告知和鼓动同事、下属和上司。

3. 调节交流基调

词语在上下文中所包含的意义超过词语本身。因此，在努力弄清听讲对象的特点并确定策略性交流目的及信息内容之后，下一个问题是我们如何才能确保选用的词语能按我们所指的含义被人理解。

语言对于交流思想来说并不是很准确的工具，所以，听众还依靠一些非言语的补充手段，如手势、时机选择、交谈地点，以及其他因素，从中寻找线索来理解你所说的内容。这一切构成了一种基调，一种氛围，它提醒听讲者以不限于字面的方式来理解你的信息。

改变基调实际上是你天天都在做的事，但却未必意识到这一点。例如，作为一名经理，你得经常向客户解释在开单据的做法上的小变动。如果突然写一封信告诉顾客这一消息，那么你就可能给这件事增加了紧迫感，所造成的气氛会招来许多询问，远远多于你能有的答复。你应该把这一消息放在下一次定期见面时一并据实解释。这种较低的基调，有助于使你的客户恰当地看待这项新的做法。

如果交流目的是求得了解，那么交流基调应力求建立一种合情合理，多少是务实的气氛。当你力图说服别人时，则要倒过来。

恰当的基调不会自动出现。你必须为此下功夫。最终是恰当的基调，决定了似乎是正确的言辞与听来感到真诚的交流之间的差别。调节谈话基调是策略中的一个部分，它使你能够做到所说的东西确实是你实践的东西。

※ 得体地消除被说服对象的抗拒心理

生活中，我们常会对一些问题产生不同的意见，当我们想发表异议时，怎样才能表现诚恳，又能使人高兴地接受你的意见呢？卡耐基指出，在你力图向别人推销你自己和你的主意的时候，一定要注意以下技巧。

1. 一定要强调利益

如果你想兜售你的主意，不要没有先陈述它的利益就提议行动起来。假设你这么和你的老板说：“我想要接手彼特的业务。”那是你想要兜售的主意，但是你还没有给老板看到这个主意好在哪儿。你补充道：“我能够充分利用我和彼特的良好关系，使得这项业务回到正轨上去。彼特先生会和我一起工作，去找到一项大家都能接受的解决方法。”在你尝试推销你的任何主意之前，考虑你能带到桌面上的全部利益，以你的主意的重要结果来向别人建议，这样往往能够增加成功的机会。

2. 探索分歧的原因

当你试图推销主意、点子之类的东西的时候，对方肯定会生出天生的抗拒力，你需要降低这种抗拒力。当他们提出异议的时候，你肯定会有所反应，但是只有在你理解了异议背后的原因之后，你才能做出反应。你应试图回答这样的问题：“他们提出异议背后的原因是什么？”当某些人不同意你的时候，异议的原因是他们的想法和你的想法可能对不上。在你找到解决方案以前，其实你已经达到了对这个问题的诊断了。最好的方法，就是你能揭开那些反对意见背后的原因，看看这些原因从何而来。

当人们不同意你的观点的时候，找一下他们表示异议的原因。我们有一个自然的倾向，就是在对话中为了尽量消除反对意见，会马上对它发表一个看法。问题是，反对者们在他们表述过反对以后，可能就不会继续聆听了，他们一直考虑的是，能再说一些什么，以坚定他们的异议。为了使他们能把他们的想法和你的想法挂起钩来，问他们一个关于异议的问题，也能使你确切地了解为什么他们表示反对。你不得不对他们的反对刨根问底。假设你正在向一些人推销一种新的节省时间的工作方法，他们却回答：“那样做太复杂了。”如果不知道他们说的“复杂”是什么意思，你如何反驳他们呢？刨根问底的另外一个益处，是你表现出对异议有很大的兴趣。

3. 先退让一步，再提出反对的意见

在表示不同意见时，应该先退让一步，表示自己在某些方面同意对方的意见，也很仔细地考虑过他的意见；然后再说明自己的建议，这样将使对方更容易接受你的观点。你不妨这样说：“我考虑过您的提议，这个建议很好，不过，有些问题可能还需要再商量。”或是:“我十分同意您的意见，只是我有一些建议，希望您能听听看。”

4. 请对方再斟酌考虑一下

在表示反对之前，你不妨以慎重的态度，请对方再斟酌考虑一下，让不愉快的情绪降到最低，然后再提出你的意见。你可以这样说:“您提的问题很重要，是否可以重新再仔细地讨论一下，您觉得如何？”

“您是否可以再想想，有没有更好的办法或建议，我的看法是这样应该也不错……”

这种态度不仅表明你愿意考虑接受对方的意见，而且表明你对他的意见很感兴趣，可使对方乐于跟你讨论，接受你的意见。

5. 在和谐的气氛中否定对方的意见

在提出反对意见前，你不妨告诉对方，有一些人也和他有同样的观点。把批评性的话先以表扬的形式讲出来，这样可以帮助你在和谐的气氛中否定对方的意见。你可以这样说：“您提的意见很好，不少人和您有同样的看法，不过……”或者说：“我明白您的假设很正确，在理论上是完全可行的，但是在实行方面……”

6. 重复对方的意见，以提醒对方再次考虑他的意见

在发表不同意见的过程中，许多人说话时往往粗心大意，所说的话可能不够完善，这时你不妨用询问的口气、适宜的语调重述对方的意见，表示希望得到再次的证实，使对方能重新思考，加以修正。比如，有一人在座谈会上批评学校管教学生不严时说："学校对于学生太过溺爱，使学生越来越放肆。学校应该要学生做他们并不喜欢的事，至于任何要求都可以。"另一个对此有异议的人便问："您认为学校如何对待学生最合适？要训练学生做其不喜欢的事就好了吗？"这番话立刻使先前提议的人又会再重新修正他有失偏颇的言辞。

7. 证明你的结论有理

当你做出一个结论的时候，要陈述为什么你认为这样的结论是正确的。如果你给出了结论的基础，将会大大地提高自己的可信度。你要认识到，如果有一些人不知道你是如何得出你的结论的，他们会变得非常多疑，最后甚至会认为你自己都不知道自己在说些什么。为了打消这种疑问，你可以说："根据我展示给各位的数字，我相信执行我的想法是非常合适的。你们怎么想呢？"通过加上"你们怎么想？"这样的问题，你给了别人一个机会，让他们选择同意还是反对你的结论。如果他们不同意，你最起码知道了他们是抱着异议的，这样就可以恰当地采取对策。

最好的策略就是使异议让步。一个有所松懈、让步的异议，常常是建立在不坚定的基础之上的，甚至就是建立在假象之上的，但你对此很难判断。假设那个和你谈话的人告诉你，他不喜欢你的主意，因为他认识的人告诉他你的主意不起任何效果。你不得不反问他："您认识的人尝试过执行我的主意吗？他们拥有什么和我的观点有关的专业知识？他们给过您为什么我的主意不起效果的具体说明吗？"一旦你发现异议之中的犹豫不决之处，就可以刨根问底地追究下去，直到说明为什么这个异议是不正确的。

8. 事先贮备可能遇到的问题

当你尝试着说服某些人接受你的观点时，你可能需要提供信息

来支持自己。这个可能是一个挑战，因为你不知道他们会问什么问题，而这些问题又需要什么样的数据支持。不幸的是，一旦你的回答在一个环节上出了问题，就会对所有其他的环节产生消极的影响。甚至如果你的生意上并没有出现麻烦，也会削弱你推销的点子的有效性。或许你需要回答的问题类型和需要的支持数据可以避开这个麻烦。你可以请那些平时要求很苛刻的朋友或同事来对你事先提问，这将会帮助你提高和完善你的陈述。有了这样的准备，就等于扫清了说服别人道路上的很多障碍。

※ 掌握说服他人的心理战术

在日常生活中，人们常常遇到这样一种情景：你在与别人争论某个问题，分明自己的观点是正确的，但就是不能说服对方，有时还会被对方“驳”得哑口无言。这是什么原因呢？

心理学家认为，要争取别人赞同自己的观点，光是观点正确还不够，还要掌握微妙的交往技术。心理学家经过研究，提出了许多增强说服力的方法，卡耐基归纳和总结了其中如下最基本的几种。

1. 利用“居家优势”

邻居家的一棵大树盘根错节，枝叶茂盛，遮住了你家后园菜地的阳光，你想与他商量一下这个问题，是应该到他家去呢，还是请他到你家来？

心理学家拉尔夫·泰勒等人曾经按支配能力（影响别人的能力），把一群大学生分成上、中、下三等，然后各取一等组成一个小组，让他们讨论大学10个预算削减计划中哪一个最好。一半的小组在支配能力高的学生寝室里，一半在支配能力低的学生寝室里。泰勒发现，讨论的结果总是按照寝室主人的意见行事，即使主人是低支配力的学生。

由此可见，一个人在自己或自己熟悉的环境中比在别人的环境中更有说服力。在日常生活中应充分利用居家优势，如果不能在自己家中或办公室里讨论事情，也应尽量争取在中性环境中进行，这样对方也没有居家优势。

2. 把仪表修饰得得体些

你想上级在申请书上签字，你是不顾麻烦，精心修饰一下仪表呢，还是相信别人会听其言而不观其貌？

我们通常认为，自己受到别人的言谈比受到别人的外表的影响要大得多，其实并不尽然。我们会不自觉地以衣冠取人。有人通过实验证明，穿着打扮不同的人，寻求路人的帮助，结果会大不相同：那些仪表堂堂、有吸引力的人，要比那些不修边幅的人有更多成功的可能。

3. 尽量拉近彼此的心理距离

你试图鼓动一伙青年去清扫某块地方，而他们却情愿到别的地方去，你怎样引起他们的兴趣呢？

许多研究者发现，如果你试图改变某人的个人爱好，你越是使自己等同于他，你就越具有说服力。例如，一个优秀的推销员总是使自己的声调、音量、节奏与顾客相称。甚至身体姿势、呼吸等也有意识地与顾客一致。这是因为人类具有相信“自己人”的倾向。正如心理学家哈斯所说的：“一个造酒厂的老板，可以告诉你为什么一种啤酒比另一种好；但你的朋友，不管是知识渊博的，还是学识疏浅的，却可能对你选择哪一种啤酒具有更大的影响。”

4. 不要只讲自己的观点

你准备拜访隔壁新搬来的一对夫妇，请他们为社区的某项工程募捐，用哪种方法最好呢？

平庸的劝说者，往往是开门见山提出要求，结果发生争执，陷入僵局；而优秀的劝说者，则首先建立信任和同情的气氛。如果主人为某事烦恼，你就说：“我理解您的心情，要是我，我也会这样。”这样就显示了对别人感情的尊重。以后谈话时，对方也会加以重视。

当然，优秀劝说者也不总是一帆风顺的。他也会遭到别人的反对。这时老练的劝说者往往会重新陈述对方的意见，承认它具有优点，然后才指出自己的意见更好、更全面。研究证明，在下结论前，呈示双方的观点，要比只讲自己的观点更有说服力。

5. 提出有力的证据

你准备参加某次决策会议，为一项不为大家重视的事业争取更大的一笔钱款，什么样的证据最有说服力呢？

如果向听众提供可靠的资料而不是个人的看法，你就会增加说服力。但要记住，听众受到证据的影响，也相同程度地受到证据来源的影响。在一项实验中，让两组被试者听到关于没有处方是否可以卖抗阻胺片的争论。然后告诉一组被试者，说可以卖的证据来自《新英格兰生理和医学月刊》（这是虚构的）；另一组则被告知，证据来自一家流行画报。结果发现，第一组比第二组有更多的人赞成：没有处方也可以卖抗阻胺片。

因此，引用权威的材料，更能消除听众的先入之见。

6. 运用具体情节和事例

你刊登广告，推销某种药品，是把药品的成分、功能、用法详细介绍一番好呢，还是介绍某个患者使用后如何迅速痊愈的事例好呢？

优秀的劝说者都清楚地知道这样一点：个别具体化的事例和经验，比概括的论证和一般原则更有说服力。因此，你要多卖掉药品，你就应酌情使用后面一种方法。在日常生活中，你要说服别人，你就应旁征博引，使用具体的例子，而不一味空洞说教。

※ 从对方的角度考虑问题更容易获得认同

卡耐基指出，试着去了解别人，从他的观点来看待事情就能创造生活奇迹，使你得到别人的认同，减少摩擦和困难。

他强调：记着，别人也许完全错误，但他并不认为如此。因此，不要责备他，只有傻子才会那么做。试着去了解他，只有聪明的人，才会这么做。

别人之所以那么想，一定存在着某种原因。查出那个隐藏的原因，你就等于拥有解答他的行为、也许是他的个性的钥匙。因此，一定要试着忠实地使自己置身于对方的处境。

如果你对自己说：“如果我处在他的情况下，我会有什么感觉，有什么反应？”那你就会节省不少时间及苦恼，因为“若对原因发生兴趣，我们就不太会对结果不喜欢”。而且，除此以外，你将可大大增加你在做人处世上的技巧。

“暂停1分钟，”肯尼斯·古地在他的著作《如何使人们变黄金》中说，“暂停1分钟，把你对自己的事情的深度兴趣，跟你对其他事情的漠不关心，互相作个比较，那么，你就会明白，其他人也正是抱着这种态度！于是，跟林肯及罗斯福等人一样，你已经掌握了从事任何工作的唯一坚固基础，除了看守监狱的工作之外；也就是说，与人相处能否成功，全看你能不能以同情的心理，接受别人的观点。”

卡耐基自己现身说法。多年来，卡耐基经常在他家附近的一处公园内散步和骑马，他跟古代高卢人的督伊德教徒一样，只崇拜一棵橡树，因此，当他看到那些嫩树和灌木，一季又一季地被一些不必要的大火烧毁时，觉得十分伤心。那些火灾并不是疏忽的吸烟者所引起的，它们几乎全是由那些到公园内去享受野外生活、在树下煮蛋或烤热狗的小孩们所引起的。有时候，火势太猛，必须出动消防队来扑灭。

在公园的一个角落里，立着一块告示牌说，任何人在公园内升火，必将受罚或被拘留。但那块牌子立在公园偏僻角落里，很少人能看到。有一个骑马的警察，他应该照顾公园才对，但他并未尽职，火灾在每一季节里仍然发生。

有一次，卡耐基慌慌张张地跑到一位警察面前，告诉他有一场火迅速在公园里蔓延，希望他赶快通知消防队。但他竟然漠不关心地回答，这不关他的事，因为这不是他的管区！

卡耐基很失望，所以后来他到公园里去骑马的时候，其行为就像一位自封的管理员，试图保护公家土地。刚开始的时候，他不会试着去了解孩子们的看法，一看到树下有火，心里就很不痛快，急于要做件好事，结果却做错了。他总是骑马来到那些小孩子面前，警告说，他们可能会因为在公园内升火，而被关进监牢去。并以权威的口气命令他们把火扑灭；如果他们拒绝，就威胁叫人把他们逮捕起来。卡耐基说，他自己只是尽情地发泄某种感觉，根本没有想到他们的看法。

结果呢？那些孩子服从了，心不甘情不愿而愤恨地服从。

等卡耐基骑马跑过山丘之后，他们很可能又把火点燃了，并且极想把整个公园烧光。

随着年岁的增长，卡耐基对做人处世有更深一层的认识，变得更为圆滑一点，更懂得从别人的观点来看事情。于是，他不再下命令，他骑马来到那堆火前面，说出了下面这段话：

“玩得痛快吗？孩子们，你们晚餐想煮些什么？……我小时候自己也很喜欢升火——现在还是很喜欢。但你们应该知道，在公园内升火是十分危险的。我知道你们这几位会很小心，但其他人可就不这么小心了。他们来了，看到你们升起了一堆火，因此，他们也生了火，而后来回家时却又不把火弄熄，结果火烧到枯叶，蔓延起来，把树木都烧死了。如果我们不多加小心，以后我们这儿连一棵树都没有了。你们升起这堆火，就会被关入监牢内。但我不想太啰唆，扫了你们的兴。我很高兴看到你们玩得十分痛快；但能不能请你们现在立刻把火堆旁边的枯叶子全部拨开；而在你们离开之前，用泥土，很多的泥土，把火堆掩盖起来。你们愿不愿意呢？下一次，如果你们还想玩火，能不能麻烦你们改到山丘的那一头，就在沙坑里升火？在那升火，就不会造成任何损害……真谢谢你们，孩子们，祝你们玩得痛快！”

这种说法有了很不同的效果！使得那些孩子们愿意合作，不勉强，不憎恨。他们并没有被强迫接受命令，使他们保住了面子。他们会觉得舒服一点，我们也会觉得舒服一点，因为我们先考虑到他们的看法，再来处理事情。

卡耐基发现，在个人问题变得极为严重的时候，从别人的观点来看事情，也可以减缓紧张。

澳洲南威尔斯的伊丽莎白·诺瓦克，过了 6 个星期还没有付出买汽车的分期付款。“在一个星期五，”她向朋友这样介绍说，“负责我买车子分期付款账户的一名男子打电话来，不客气地告诉我说，如果在星期一早晨我还没有缴出 122 美元的话，他们公司会采取进一步行动。周末我没有办法筹到钱，因此在星期一一大早接到他的电话时，我听到的就没有什么好话了。但是，我并没有发脾气，我以他的观点来看这件事情。我真诚地抱歉给他带来了很多的麻烦，而且由于这并不是我第一次过期未付款，我说我一定是令他最头痛的顾客。但他举出好几个例子，说明好些顾客有时候极为不讲理，有的时候满口谎言，更常有的是躲避他，根本不跟他见面。我一句话不说，让他吐出心里的不快。然后根本不需要我请求，他说就算我不能立刻付出所欠的款额，也没有关系。他说，如果我在月底先付给他 20 美元，然后在我方便的时候，再把剩下的欠款付给他，一切就没有问题。”

卡耐基强调，如果你想改变人们的看法，而不伤害感情或引起憎恨，请遵循这样规则：“试着诚实地从他人的观点来看事情。”这样，说服别人才能减少阻力，容易引起对方的积极响应。

※ 先强调双方所同意的事情比讨论异见更明智

卡耐基指出，跟别人交谈的时候，不要以讨论异见作为开始；要以强调而且不断强调双方所同意的事情作为开始。不断强调你们都是为相同的目标而努力，唯一的差异只在于方法而非目的。

要尽可能使对方在开始的时候说“是的，是的”，尽可能不使他说“不”。

奥佛斯屈特教授在他的《影响人类的行为》一书中说：“一个‘否定’的反应，是最不容易突破的障碍。当一个人说‘不’时，他所有的人格尊严，都要求他坚持到底。也许事后他觉得自己的‘不’说错了；然而，他必须考虑到宝贵的自尊！既然说出了口，他就得坚持下去。因此，一开始就使对方采取肯定的态度，是最为重要的。

“懂得说话的人都在一开始就得到一些‘是的’反应，接着就把听众心理导入肯定方向。就好像打撞球的运动，从一个方向打击，它就偏向一方；要使它能够反弹回来的话，必须花更大的力量。

“这种心理模式很明显。当一个人说‘不’时，而本意也确实否定的话，他所表现的绝不是简单的一个字。他身体的整个组织——

内分泌、神经、肌肉——全部凝聚成一种抗拒的状态，通常可以看出身体产生一种收缩或准备收缩的状态。总之，整个神经和肌肉系统形成了一种抗拒接受的状态。反过来说，当一个人说‘是’时，就没有这种收缩现象产生，身体组织就呈前进、接受和开放的态度。因此，开始时我们愈能造成‘是，是’的情况，就愈容易使对方注意到我们的终极目标。

“这种‘是的’反应是一种非常简单的技巧，但是被多少人忽略了！一般看来，人们若一开始采取反对的态度，似乎就能得到他们的自重感。激烈派的人跟保守派的人在一起时，必然马上使对方愤怒起来。而事实上，这又有什么好处呢？他如果只是希望得到一种快感，也许还可以原谅。但是假如他要实现什么的话，他在心理方面就太愚笨了。

“一个学生，或顾客，或丈夫，或太太，在一开始就说‘不’的话，你需要天使的智慧和耐心，才能使这一种否定的态度转变为肯定的态度。”

这种使用“是，是”的方法，使得纽约市格林威治储蓄银行的职员詹姆斯·艾伯森挽回了一个顾客，否则就失去了一个客户。

“那个人进来要开一个户头”，艾伯森先生说，“我就给他一些平常表格让他填。有些问题他心甘情愿地回答了；但有些他则根本拒绝回答。

“在我研究做人处世技巧之前，我一定会对那个人说，如果他拒绝对银行透露那些资料的话，我们就不让他开户头。我对我过去曾采取的那种方式感到羞耻。当然，像那种断然的方法，会使我觉得痛快。因为我表现出了谁是老板，也表现出了银行的规矩不容破坏。但那种态度，当然不能让一个进来开户头的人有一种受欢迎和受重视的感觉。

“那天早上，我决定采取一点实用的普通常识。我决定不谈论银行所要的，而谈论对方所要的。最重要的，我决意在一开始就使他说‘是，是’，因此我不反对他，我对他说，他拒绝透露的那些资料，并不是绝对必要的。

“‘是的，当然。’他回答。

“我继续说：‘您难道不认为，把您最亲近的亲属名字告诉我们，是一种很好的方法吗？——万一您去世了，我们就能正确并不耽搁地实现您的愿望。’

“他又说：‘是的。’

“那位年轻人的态度软化下来，当他发现我们需要那些资料不是为了我们，而是为了他的时候，改变了态度。在离开银行之前，那位年轻人不只告诉我所有关于他自己的资料，而且还在我的建议下，开了一个信托户头，指定他母亲为受益人，而且很乐意地回答所有关于他母亲的资料。

“我发现若一开始就让他说‘是，是’，他就会忘掉我们所争执的事情，而乐意去做我所建议的事。”

西屋公司的推销员约瑟夫·亚力森说：“在我的区域内有一个人，我们公司极想卖东西给他。我的前任找他接洽 10 年了，一点结果也没有。当我接收这个区域时，我也连续找了他 3 年，都拿不到订单。最后，在无数次的拜访和谈话之后，我们卖了几部发动机给他。如果这些发动机不出毛病的话，我深信他会开下一张几百部发动机的订单。这是我的期望。

“我知道这些发动机不会有毛病的。因此，当我 3 个星期之后又去见他的时候，我兴致很高。

“但是我的兴致并没有维持很久，因为那位总工程师以这段惊人的话来招呼我：‘亚力森，我不能再买你们的发动机了。’

“‘为什么？’我惊讶地问。

“‘因您你的发动机太热了，我的手不能放上去。’

“我知道跟他争辩不会有什么好处，我已经那样做太久了。因此，我想起获得‘是，是’的反应。

“‘听我说，史密斯先生，’我说，‘我百分之百同意您。如果那些发动机太热，您就不应该再买。您的发动机热度不应该超过全国电器制造公会所立下的标准，不是吗？’

“他同意：‘是的。’我已经得到我的第一个‘是’。

“‘电器制造公会的规则是，设计适当的发动机可以比室内温度高出华氏 72 度。对不对呢？’

“‘是的，’他同意，‘的确是的，但您的发动机热多了。’

“我没有跟他争辩。我只是问：‘厂房有多热呢？’

“他说：‘大约华氏 75 度。’

“‘那么，’我回答，‘如果厂房是 75 度，加上 72 度，总共就等于华氏 147 度，如果您把手放在华氏 147 度的热水塞门下面，是不是很烫手呢？’

“他又说：‘是的。’

“‘那么，’我提议，‘不要把手放在发动机上面，不是一个好办法吗？’

“‘我想您说得不错，’他承认说。我们继续聊了一会儿，接着他叫秘书过来，为下个月开了一张价值 3 万 5 千美元的订单。

“我花了好多钱，失去了好多生意，才终于学到：跟人家争辩是划不来的，也学到从别人的观点来看事情，使他说‘是的，是的’才更有收获和更有意思。”

在加州奥克兰市主持卡耐基课程的艾迪·史诺，叙述他之所以成为一家商店的好顾客，只是因为那家商店老板婉转的话，使他说了“不错”这句话的关系。艾迪喜欢用弓箭打猎，并且在买弓、箭以及装备方面花了不少钱。当他弟弟来看他的时候，他想向常光顾的那家店租一张弓带他弟弟去打猎。但是店员说他们不出租弓，因此艾迪就打电话给另一家商店。艾迪描述了以后发生的事。

“一个声音听起来非常令人愉快的男士接听了电话，他对我租弓问题的答复和原来那一家商店完全不同。他说很抱歉他们不再租弓了，因为他们负担不起。然后他问我，以前是不是租过弓，我回答说：‘不错，几年以前。’他又提醒我，当时可能要付 25 ～ 30 美元的租金，我又说了‘不错’。然后，他又问我是不是一个希望省些钱的人，当然我又回答‘不错’。他说他们正在拍卖一些附有一切装备的弓，只要 34.95 美元一套，我只要付出比租金多几美元，就可以买下一整套。他解释说，这就是他们为什么停止出租弓的原因；他问我，这样做是不是很划得来。我的‘不错’的答复引导我去买一套弓；而当我去拿弓的时候，我又在他的店里买了一些其他的东西。并且从那以后，我便成为他们的固定顾客。”

卡耐基提醒我们，如果你要使别人同意你，请记住下列规则：“使对方立即就说‘是的，是的’。”

※ 采用讲故事的迂回方式去说服

直来直去地说服别人，有时会遇到障碍，在这种情况下，不妨采用一些迂回的方式，比如，先讲故事就是卡耐基比较推崇的一种说服策略。

第二次世界大战期间，美国的一批科学家要试制原子弹，他们把这项工程定名为“曼哈顿工程”。核物理学家西拉德草拟了一封信，由爱因斯坦签署后，交给美国经济学家、罗斯福总统的私人顾问亚历山大·萨克斯面呈总统罗斯福，信的内容是，敦促美国政府要抢在（希特勒）德国前面研制原子弹。

1939 年 10 月 11 日，萨克斯同罗斯福进行了一次具有历史意义的交谈。

萨克斯先向罗斯福面呈了爱因斯坦的长信，继而又朗读了科学家们关于核裂变发现的备忘录。可是，罗斯福听不懂那些深奥的科学论述，因而反应十分冷淡。

罗斯福对萨克斯说：“这些都很有趣，不过政府若在现阶段干预此事，看来还为时过早。”萨克斯讲得口干舌燥也无济于事，只好向总统告辞。罗斯福为表示歉意，邀请萨克斯第二天共进早餐。

鉴于事态和责任的重大，未能说服罗斯福总统的萨克斯整夜在公园里踯躅，苦苦思索着说服总统的良策。

第二天早晨，萨克斯与罗斯福共进早餐。萨克斯尚未开口，罗斯福就先发制人地说：“今天不许谈爱因斯坦的信，一句也不许谈，明白吗？”

“我想谈一点历史。”萨克斯望着总统含笑的面容，非常平静地说，“英法战争期间，在欧洲陆地上不可一世的拿破仑，在海上却屡战屡败。这时，一位年轻的美国发明家罗伯特·富尔顿来到这位法国皇帝面前，建议把法国战舰上的桅杆砍掉，撤去风帆，装上蒸汽机，把木板换成钢板。但是拿破仑却认为，船若没有风帆就不能航行，木板换成钢板船就会沉没。他嘲笑富尔顿：‘军舰不用帆？靠你发明的蒸汽机？哈哈，这简直是想入非非，不可思议！’结果，富尔顿被轰了出去。历史学家们在评论这段历史时认为：如果当初拿破仑采纳了富尔顿的建议，19 世纪的历史就得重写。”萨克斯讲完后，目光深沉地注视着罗斯福总统。

罗斯福沉思了几分钟，然后取出一瓶拿破仑时代的法国白兰地，斟满了酒，他把酒递给了萨克斯，说道：“你胜利了！”萨克斯顿时热泪盈眶，他为自己说服了总统而激动，更为总统的这句话揭开了美国制造原子弹历史的第一页而高兴。

卡耐基指出，为了成功地说服别人，多动些脑筋，通过讲故事等手段，迂回曲折地达到自己的目的，是一种比较高明的策略。

※ 有效说服别人的技巧和步骤

有一次，戴尔·卡耐基突然同时接到两家研习机构的演讲邀请函，一时之间，他无法决定接受哪家邀请。但在分别和两位负责人洽谈过后，他选择了后者。

在电话中，第一家机构的邀请者是这样说的：“请先生不吝赐教，为本公司传授说话的技巧给中小企业管理者。由于我不太清楚您所讲演的内容为何，就请您自行斟酌吧。人数大概不超过 100 人……万事拜托了！”

卡耐基认为，这位邀请者说话时平淡无力，缺乏热忱。给人的感觉，便是一副为工作而工作的态度，让人感受不到丝毫的热情，也让他留下相当不好的印象。

此外，对方既没明确地提示卡耐基应该做什么、要做到什么程度，也没有清楚交代听讲人数，叫他如何决定演讲内容呢？对此，卡耐基自然没有什么好感。

而另一家机构的邀请者则是这样说的：

“恳请先生不吝赐教，传授一些增强中小管理者说话技巧的诀窍。与会的对象都是拥有 50 名左右员工的企业管理者，预定听讲人数为 70 人。因为深深体悟到心意相通的时代离我们越来越遥远，部属看上司脸色办事的传统陋习早已行不通。因此，此次恳请先生莅临演讲的主要目的，是希望让所有与会研习者明白，不用语言清楚地表达出自己想法的人，是无法成为优秀的管理人才。希望演说时间能控制在两个钟头左右，内容锁定在：一、学习说话技巧的必要性；二、掌握说话技巧的好处；三、说话技巧的学习方法这三方面，希望您能带给大家一次别开生面的演讲。万事拜托了！”

卡耐基可以感觉到这家机构的邀请者明快干练、信心十足，完全将他的热情毫无保留地传达给了自己。更重要的是，对方在他还没有提出问题的情况下，就解答了所有的疑问。因此，在卡耐基的脑海里立刻浮现出自己置身讲台的情景，并且很快就能够想象出参加者的表情，以及自己该讲述的内容等。显然，这种邀请方式很能带给受邀者好感。

在工作中，为了说服别人，是需要一定技巧的。其中最重要的是依循一定的步骤。那么，说服他人，应按照什么样的程序来进行呢？卡耐基总结了以下 4 个步骤。

(1) 吸引对方的注意和兴趣

为了让对方同意自己的观点，首先应吸引劝说对象将注意力集中到自己设定的话题上。利用“这样的事，您觉得怎样？这对您来说，是绝对有用的……”之类的话转移他的注意力，让他愿意并且有兴趣往下听。

为了不至于在开始时便出师不利，以下几个要点请你务必好好掌握。

①留下良好的第一印象。也就是穿着得体、以礼待人，脸上保持诚恳的微笑。

②平时多留意自己的言谈举止，绝对要言行一致。

③主动与周围的人接触，建立良好的人际关系。

④再小的承诺也要履行，记住要言出必行。

⑤不撒谎，除了善意的谎言。

⑥提高与大众沟通的能力。

(2) 采用一些更具有说服力的技巧

在说服别人的时候，卡耐基指出，如果能够采用以下口才技巧，将会取得更好的效果。

①要以权威的腔调讲话。为了达到这个目的，你必须熟悉你讲话的内容，你对你的目的了解得越多越深刻，你讲得就会越生动越透彻。

②使用具体和专门的词汇和词语。绝对掌握了这种艺术的人是耶稣，他说话使用的词汇和发布命令所使用的词语都是简单、简洁、一语中的并且容易理解的。例如，他说的“跟我来”不会有人不明白。

③使用简单的词汇和简短的句子。最简洁的文章总是最好的文章，其原因就是它最容易理解，在说服别人的时候，也是同样的道理。

④避免使用不必要的词汇和说一些没有用的事。集中一点，不分散火力，才能取得良好的说服效果。

⑤不要夸口。不但永远不要夸口或者言过其实，而且在陈述你的情况时，还要动脑筋为自己留有余地，这样你就不必担心会遇到什么责难。

⑥不可盛气凌人。即使你理由充分，别人持有你认为显然错误的意见，你也没有任何理由采取盛气凌人的态度；否则，只能激起别人的逆反心理。

⑦要采取一些外交手腕及策略。圆滑老练是指在适当的时间和地点去说适当的事情，但又不得罪任何人的一种能力。尤其是当你对付固执的人或者棘手的问题时，你更需要圆滑老练，甚至使用外交手腕。要说做起来也很容易，就像你对待每一个女人都像对待一位夫人一样，对待每一个男人都像对待一位绅士一样。

(3) 明确表达自己的思想

具体说明你所想要表达的话题。比如“如此一来不是就大有改善了吗？”之类的话，更进一步深入话题，好让对方能够充分理解。

明白、清楚的表达能力是成功说服中不可缺少的要素。对方能否轻轻松松倾听你的想法与计划，取决于你如何巧妙运用你的语言技巧。

为了让你的描述更加生动，少不了要引用一些比喻、举例来加深听者的印象。适切地引用比喻和实例能使人产生具体的印象；能让抽象晦涩的道理变得简单易懂；甚至使你的主题变成更明确或为人熟知的事物。如此一来，就能够顺利地让对方在脑海里产生鲜明的印象。

说话速度的快慢、声音的大小、语调的高低、停顿的长短、口齿的清晰度等，都不能忽视。除了语言之外，你同时也必须以适当的表情、肢体语言来辅助。

(4) 动之以情

透过你说服对方的内容，了解对方对此话题究竟是否喜好、是否满足，再顺势动之以情，或诱之以利，告诉他："倘若遵照我说的去做，绝对省时省钱，美观大方，又有销路……"不断刺激他的欲望，直到他跃跃欲试为止。

说服前必须能够准确地揣摩出对方的心理，才能够打动人心。比如，他在想什么？他惯用的行为模式为何？现在他想要做什么等。一般而言，人的思维行动都是由意识控制的，即使他人和外界如何地建议或强迫，也不见得能使其改变。

想要以口才服人的你，必须意识到说服的主角不是你而是对方。也就是说，说服的目的，是借对方之力为己服务，而非压倒对方。因此，一定要从感情深处征服对方。

(5) 提示具体做法

在前面的准备工作做好之后，你就可以告诉对方该如何付诸行动了。你必须让对方明白，他应该做什么、做到何种程度最好等内容。到了这一步，对方往往就会很痛快地按照你的指示去做。

※ 以缓和的手段和坚定的目标去说服

在说服别人的时候，不能咄咄逼人、急于求成，而是应该讲求策略，尽量以缓和的手段和执着的精神去努力。在这方面，卡耐基非常赞赏马克的做法。

11 月某个星期六的夜里，马克和他的太太抵达了沙葛立柏开始度假。那地方在前南斯拉夫。他们住在洲际旅馆，旅馆里供应的观光手册推荐邻近的普力蒂梵斯湖说："这个区域里有 16 个小湖，由瀑布串联起来，湖光山色相映成趣，是来到此地绝对不能错过的奇景。"

读了这段介绍，许多游客自然会产生利用星期天的上午到这地方一游的想法。根据侍者的说法，普力蒂梵斯湖的观光巴士在非观光季节的时候是不开的；但是，绕着湖对开的普通公车，每个整点都有一班。两个半小时的旅程，只要 20 元，便宜极了。马克夫妇有点担心天气。但是，侍者却说，只要 45 分钟，环湖电车就可以绕湖一圈。来到他们那里，却不到湖边看一看，"那你们算是白来了"。

马克夫妇是在下午 1 点钟的时候抵达湖边的，但是他们却发现，湖边的餐馆和店面，在非观光季节根本是不开的。要想有东西吃、有东西买，至少要等到明年夏天。更惨的是，他们发现环湖电车每 3 个小时一班，下一班要在两个小时之后才会开。这还没什么，突然之间，雨也下了起来。不是毛毛雨，而是倾盆大雨。他们连个躲的地方都没有，只得冲到公路上，想赶下午 2 点的公车回旅馆。不料，2 点钟根本就没有公车，3 点和 4 点的公车上挤满了要回沙葛立柏工作的乡下人。到了 4 点半，他们又紧张、又焦急，还又饿又冷。

终于有一辆计程车停在他们这两个湿淋淋的人前面，司机答应载他们回旅馆，代价是 700 元。他们又湿又冷，根本就没有想到要杀价，高高兴兴地就坐了上去。

他们在进房间之前，还特别去找经理助理。马克想，他湿淋淋地站在经理助理的面前，一定有很强的戏剧效果，他当然会同情他们这两个在他面前瑟瑟发抖的客人。

然而马克错了。经理助理不但不想付打车的 700 元，而且连一碗热汤都不想免费供应，只同意明天早上经理巴雷塔斯来上班之后，把这个情况反映给他知道。

马克决定依靠自己良好的口才维护自己的权益。以下就是第二天马克同经理对话的内容。

经理：我们的经理助理留了一张纸条，告诉我昨天发生的事情。我们很抱歉造成您的不便。但是，旅馆方面却不能负什么责任。

马克：巴雷塔斯先生，您说的话可能没错。

马克刻意强调经理的话没错，希望能解除他的敌意，调整出冷静的气氛，让大家不要坚守立场，心平气和地对话。这句话也间接点出马克的开放胸怀。他知道，毫不节制地批评或是大吼大叫，只会让经理的戒心更重，口气更硬。

马克特别提到了巴雷塔斯的名字，以便在对话中能够多一点人情味；同时，提醒巴雷塔斯先生，他在问题解决的过程中，扮演很重要的角色。他不想在那儿喋喋不休地诉说他的悲剧，让经理在一边冷眼旁观，论断是非。

马克：我知道要求洲际旅馆赔偿我的损失，没有什么道理。可是，饭店提供的观光手册，鼓励我们到普力蒂梵斯湖走一走；侍者说，利用星期天的时间，好好地欣赏一下湖光山色，会让我们永难忘怀。我是不是根本不该相信贵旅馆的建议呢？

因为马克想要得到巴雷塔斯的回答，所以在结论中，他特别给经理留下了评论的空间，让他判断他的话有没有道理、公不公平。

马克：我很感激您的同人花了那么多的时间，跟我解释怎么搭公车，怎么游湖，怎么回来。我绝对不怀疑他们帮忙的诚意。

马克刻意把工作人员和这件事情分开，强调他们很帮忙、很热心。他希望用这种方法让经理了解，他不是在质疑旅馆的办事模式和服务态度。如果把旅馆工作人员扯进来，最后倒霉的会是那个侍者。

马克：我希望洲际旅馆和您能够很公平地看待我这件事情。我不想让你们觉得我很贪婪；但是，我也相信你们想用合理、公平的态度，解决这个问题。

马克一直强调，他在乎的是公不公平，而不是区区的700元。巴雷塔斯先生绝对没有理由批评他的立场。

马克：也许我应该把我的感受跟我国的旅行社说一下。您建议我写信给谁呢？如果我的旅行社也帮忙写一封的话，您觉得会有用吗？

这其实是隐藏性的最后通牒，马克想提醒巴雷塔斯先生，他不是在跟他开玩笑，他很在意这个情况，问题也不会在他们讨论之后结束。马克不是说他要向旅行社申请这件事情，他只是要向有关部门反映他的感觉而已，而且要让巴雷塔斯先生知道，如果这事没有解决，他的麻烦才刚刚开始。

马克：巴雷塔斯先生，我知道您的立场，您没有义务赔偿我这700元。

到了这个地步，最好用“您”或是“您的”之类的用语，不要说“旅馆方面”。就算是“人”的因素被排除在外，坦白说，这还是一个人跟人之间的难题。

马克：我很好奇，您到底是为了什么不肯赔偿我呢？

马克说这话的意思，是想弄清楚巴雷塔斯先生是不是有一套理论在支撑他的说辞。也许巴雷塔斯真有一番大道理，也许他只是嘴硬而已。但是马克的话既然已经这么说了，巴雷塔斯也只好摊开他的底牌，想办法解释一下他心里在想什么。

马克：我现在想问几个问题，确定一下我已经掌握事实了。

是不是每个房间里都有一本小册子，鼓励大家到普力蒂梵斯湖去游览呢？

旅馆的侍者是不是有义务协助旅客，安排当地的旅游活动呢？

旅馆里的侍者到底是应该鼓励旅客去游湖呢？还是建议他们不要去呢？

你们一直建议我们要到湖边走走，而旅馆的侍者更是极力推荐。他们应该也知道现在不是观光季节，要到明年夏天，观光巴士才会正常发车吧？

难道巴雷塔斯不知道，现在的普力蒂梵斯湖其实很荒凉吗？马克完全听他的意见有错吗？巴雷塔斯也知道，旅馆的侍者有责任协助旅客安排当地的旅游活动。巴雷塔斯或许不知道星期天的回程公车上，会有一大堆工人，在湖边的那一站根本不会停。但是，侍者有什么理由不知道旅馆极力推荐的风景点，究竟是个怎么样的情形？

马克：我觉得一个合理的解决方法是：旅馆赔偿我们700元，这总比两个人的回程公车票，再加上从公车车站坐计程车回到旅馆的价格要便宜一点。您觉得我的提议有道理吗？

如果我们都同意这个办法，麻烦您改一下我的账单好了。如果今天没能找到大家都满意的解决方法，那么，我只好回国后，再去找适当的人来进一步讨论了。

马克再次强调了一件事：即便是巴当面拒绝了他，这事还是没完没了。不过，马克却不想让巴雷塔斯觉得马克在威胁他，马克只想让巴雷塔斯先生知道，他其实是跟马克站在同一条战线上。难听的威胁和清楚的警告，只会毁掉马克苦心经营的客观气氛。

为了让巴雷塔斯先生能够比较容易地点头，马克还很体贴地请巴雷塔斯在他的账单上扣掉这笔钱就好了，不一定要开一张支票，把钱退给我。想要公平，想要讲理，“调整”恐怕是不能避免的事情。

巴雷塔斯先生终于同意在账单上扣掉这笔钱。

马克靠自己良好的口才，以缓和的手段、坚定的目标，影响和控制最后的结果，达到了说服对方的目的。

※ 先解决令对方感到不安或忧虑的一些问题

在说服别人的时候，如果对方有顾虑，就会产生一定的抵触情绪。只有先努力消除那些令对方感到不安或忧虑的问题，才能取得良好的说服效果。

夏倍上校是拿破仑时代一位赫赫有名的军官，他在埃洛战役中重伤昏迷，被人草草掩埋。当他最终死里逃生、回到巴黎时，妻子已带着他的全部遗产改嫁了。

夏倍上校多次写信求见妻子，未被理睬。由于伤病与穷困潦倒，他改变了形貌，到处被人当疯子对待。最后，他终于求见了正直的诉讼代理人但尔维，向他诉说了一切。

但尔维决心替夏倍上校打官司，为此，他需要先战胜夏倍上校的原来的妻子——现在的法洛伯爵夫人——一个阴险恶毒的女人。

下面是双方唇枪舌剑的辩论场面。

“但尔维先生，您好！”伯爵夫人说着，继续拿咖啡喂她的猴子。

但尔维听她招呼的口气那么轻浮，觉得很刺耳，便直截了当地对她说：“太太，我是来跟您谈一件相当重要的事的。”

“啊，遗憾得很，伯爵不在家呢……”

“我觉得很幸运，太太。他要是参加我们的谈话，那才是遗憾呢！并且我从台倍克那儿知道，您一向喜欢自己的事自己解决，不愿打搅伯爵。”

“那么，我叫人把台倍克找来吧。”

“他虽能干，但这一回也帮不了您的忙。太太，你只要听我一句话，就不会嘻嘻哈哈了。夏倍伯爵的确没有死。”

“难道这种荒唐的话就能使我不再嘻嘻哈哈了吗？”她说着，大声地笑了。

但尔维目不转睛地瞪着她，明亮的眼睛仿佛看透了她的心事。

“太太，”他冷冷地用又尖锐又严肃的口气说，“您还不知道您冒的危险有多大呢。不消说，全部文书都是真实的，确定夏倍上校没有死的证件都是可靠的。您应该知道，我不是接受无根无据案子的人。我们撤销死亡登记的时候，倘若您出来反对，这第一场官司您就非输不可；而我们赢了第一场，以后的几审也就赢定了。”

“那么，您还预备跟我谈什么呢？”

“既不谈上校，也不谈您。有些风雅的律师，拿这件案子里奇奇怪怪的事实，加上您以前收到的前夫的几封信，很可能做成一些有趣的节目，可是我也不预备和您谈这种问题了。”

“这简直是无耻！”她装腔作势，尽量拿出恶狠狠的神气，“我从来没有收到夏倍上校的信，并且谁要自称为上校，他准是骗子，苦役监里放出来的囚犯，像高阿涅之类。单是想到这种事就叫人恶心。先生，您认为上校会复活吗？他阵亡以后，波拿巴正式派副官来慰问我，国王批准3000法郎抚恤金，我至今还在支领。自称夏倍上校的人，不管过去有多少，将来还有多少，我都有一千个一万个理由不理睬他们。”

“太太，幸亏今天只有咱们两人，您尽可以自由扯谎。”但尔维冷冷地说着，有心刺激伯爵夫人，以为她一怒之下可能露出些破绽来，这是诉讼代理人的惯技，敌人或当事人尽管发脾气，他们总是声色不动。他临时又想出一个圈套，叫她明白自己弱点很多，不堪一击。便思忖着：“好，咱们来见个高低吧。”接着，他高声说，“太太，第一封信的证据，是其中还附有证券……”

“噢！证券吗？信里可没有什么证券。”

但尔维微微一笑：“原来这第一封信您是收到的。您瞧，一个诉讼代理人随便唬您一下，您就中了计，还自以为能跟司法当局斗吗……”

伯爵夫人的脸一会儿红一会儿白，便用手遮住了。然后她把羞愧的情绪压下去，恢复了像她那等女人天生的镇静。

“既然您做了夏倍的代理人，那么，请您……”

“太太，”但尔维打断了她的话，“我现在除了当上校的代理人之外，同时仍旧是您的代理人。像您这样的大主顾，我肯放弃吗？可是您不愿意听我的话呀……”

“那么，先生，您说吧。”她态度忽然变得很殷勤了。

“您得了夏倍上校的财产，却对他不理不睬；您有了亿万家私，却让他在外面要饭。太太，亲情本身既然这样动人，律师的话自然动人了，这件案子里头，有些情节可能引起社会的愤怒。”

伯爵夫人被但尔维放在火上一再烧烤，不由得心烦意乱。她说：“可是先生，即使夏倍真的没死，法院为了我的孩子，也会维持我跟法洛伯爵的婚姻。我只要还夏倍22万5千法郎就完了。”

“太太，关于感情的问题，我们不知道法院将来怎么看。一方面，固然有与孩子的问题；另一方面，一个受尽苦难，被您一再拒绝而折磨得衰老的男人，同样成为问题。叫他到哪儿再去找个妻子呢？那些法官能作出违法的判决吗？您和上校的婚姻使他对您有优先权。不但如此，一旦人家用丑恶的面貌来形容您的时候，您还会碰到一个意想不到的敌人。太太，这就是我想替您防止的危险。”

“一个意想不到的敌人！谁？”

“这就是法洛伯爵，太太。”

“法洛伯爵太爱我了，对他儿子的母亲太敬重了……”

但尔维打断了她的话：“诉讼代理人是把人家的心看得雪亮的，您这些废话甭提了。此刻法洛先生绝没意思跟您离婚，我也相信他非常爱您；但要是有人跟他说，他的婚姻可能宣告无效，他的太太要在公众眼里成为罪大恶极的女人……”

“那他会保护我的。”

“不会的，太太。”

“请问他有什么理由把我放弃呢，先生？”

“因为他可以娶一个贵族院议员的独生女，那时只要国王一道诏出，就能把贵族院的职位移转给他……”

伯爵夫人听着脸色变了。

但尔维心想：“行啦，被我抓住了，可怜的上校，你官司赢定了。”然后，他高声说道：“并且，法洛伯爵那么做，心里也没有什么过不去。因为一个光荣的男人，又是一个将军，又是伯爵，又是荣誉团勋勋位，绝非等闲之辈。倘使这个人向他要回太太的话……”

“得了，得了，先生！”她说，“您永远是我的代理人，请您告诉我应当怎样办吧！”

阴险而狡猾的伯爵夫人终于俯首称臣。

想要让对方同意你的意见，第一步就是要设法先了解对方的想法与凭据来源。

善于观察与利用对方微妙心理，是帮助自己提出意见并说服别人的要素。

一般来说，被说服者之所以感到忧虑，主要是怕“同意”之后，会不会发生意想不到的后果；如果你能洞悉他们的心理症结，并加以防备，他们还有不答应的理由吗？

至于令对方感到不安或忧虑的一些问题，要事先想好解决之道，以及说明的方法，一旦对方提出问题时，可以马上说明。如果你的准备不够充分，讲话模棱两可，反而会令人感到不安。所以，你应事先预想一个引起对方可能考虑的问题，以此激励、刺激人们的理性、心理，以便获得说服的效果。这需要我们开动脑筋，善于寻找那些确能使人关心或忧虑的事情。但尔维说服对方的成功之处就在于此。

第五章　学会使用委婉得体的批评方法

在日常生活或工作中，针对别人的一些不恰当的言行，不可避免地要产生一些批评意见。但是，如何开展批评，却大有文章可做。即使别人真的犯下了“不可饶恕”的错误，在批评对方的时候也一定要讲求适当的方式。只有能够很恰当地把握批评的方法尺度，才能使批评达到春风化雨、“甜口良药也治病”的效果。

※　尽量不要为任何事情而轻易去批评别人

1865 年 4 月 15 日，一个星期六的早晨，林肯躺在一座简陋公寓的卧室中。这间公寓就在他被袭击的福特戏院对面。林肯那瘦长的身体，平躺在一张短而凹陷的床上，床边的墙上，挂着一幅《马群展览会》的复制画，一盏煤气灯散发出幽暗、淡淡的光亮。

林肯临终前，陆军部长斯坦顿说：“躺在那里的，是世界上最完美的元首。”林肯待人成功的秘诀是什么？卡耐基曾用了 10 年左右的时间，研究林肯的一生，并又花了 3 年时间，写成了一本有关他的书，书名叫做《林肯不被人了解的一面》。

卡耐基相信自己已经相当深入地了解了林肯的生活、研究了他的性格，以及他处理事务时的做法。同时，卡耐基还仔细研究了他待人接物的方法。那么，林肯是否也对他人提出过批评呢？答案是肯定的。青年林肯曾在印第安纳州的鸽溪谷定居，那时的他不但常当面指责他人，甚至还写信作诗去嘲讽。他常把自己写好的东西，扔在他人必经的路上，这种对他人的伤害，往往使人终生难忘。

当他搬到伊利诺伊州的春田镇，挂牌做了律师后，他还在报纸上发表他的文稿，公开攻击一个自大好斗的名叫西尔茨的爱尔兰政客。

那是在 1842 年的秋季，当时林肯在春田的报上，刊登出一封匿名信讽刺西尔茨，全镇的人都把这件事当做笑料，作为谈资。西尔茨平时就敏感而自负，这件事当然激起了他的心头怒火。当他查出是谁写这封信时，跳上马，立即去找林肯，要和他决斗。林肯平时不愿意打架，更反对决斗，可是为了自己的面子终于还是答应了下来。他的对手西尔茨让他自己选用武器，林肯两条手臂特别长，而且曾同一位西点军官学校的毕业生学习过刀战，于是便选用了马队用的大刀。到了指定的日期，他和西尔茨在密西西比河的河滩上，准备拼死决斗，就在最后一分钟，两人的朋友匆忙赶到，总算阻止了这场决斗。

这件事对林肯来说，是个终身的教训。他不再写那些凌辱人的信，不再讥笑他人，从那时开始他几乎再不为任何事去批评别人。

美国内战的时候，林肯屡次委派新将领，统率“波托麦克军”，可是他们却一个个地遭到了惨败。当全国半数以上的人都在指责这些失职的将领时，林肯却仍旧保持着平和的态度。他最喜欢的一句格言是：“不要评议他人，免得为他人所评议。”

当林肯的妻子和其他人一样，刻薄地嘲笑南方人时，林肯总是这样对她说：“不要批评他们，在同样的情况下，我们也会像他们那样做。”林肯的这种宽容的胸襟体现在各种事情上，卡耐基还讲过下面这个例子。

一天晚上，南方将领李将军开始向南边撤退。当时全国雨水泛滥成灾，李将军带领着败军到达波托麦克时，却看到前面河水暴涨，他们无法过去；而同时，胜利的联军就在后面一步步逼近。李将军和他的军队，进退维谷，被围困了起来。

林肯知道这正是个极好的机会，如果能把李将军的军队俘虏了，立即可以结束这场战争。于是他满怀着希望，命令弥特，不必召开军事会议，立即袭击“李军”。林肯先用电报发出命令，然后派出特使要弥特立即采取行动。

可是这位弥特将军，又是如何处理的呢？弥特所采取的行动，却跟林肯的命令相反。他违反了林肯的命令，他召开了一个军事会议，并将会议拖延下去。在这期间，弥特用了各种借口来搪塞，实际上他是拒绝进袭“李军”。最后河水退降，李将军和他的军队就这样逃离了波托麦克。

弥特这样做是何等用意？当林肯知道这件事后，他震怒至极。忍不住向他儿子劳白脱大声叫道：“老天爷，这是什么意思……李军已在我们掌握中了，只要一伸手，他就是我们的了……在那种情形下，任何将领都能带兵把李将军打败。如果我自己去，现在已经把他捉住了。”在无尽的失望之中，林肯写了封信给弥特。实际上，从林肯的一生来看，他一直是个谨小慎微的人，所以这封信的措辞，大概是成了总统后的他，所发出的最严厉的指责了。林肯那封信的内容是这样写的：

亲爱的弥特将军：

我相信您也注意到了，由于“李”逃脱，所引起了一系列的不幸事件，这件事对美国有重大的影响。如果能将他捕获，再加之我们在其他战场获得的胜利，立即可以结束这场战争。

可是照现在的情形来推断，战事将会无限期地延长下去。上星期一您不能顺利地袭击“李军”，您又怎么再进攻呢……我对您不再抱有期望，因为您已让金子般的良机错过了，这使我无限悲痛。

林肯

据你的猜想，当弥特看到这封信后，他将会如何呢？是的，你猜错了。弥特从没有看到过这封信，因为林肯没有把信寄出去。这信是在林肯去世以后，从他的文件中发现的。

原来，林肯写了这封信后，望着窗外喃喃自语：“冷静点，或许我不该这么匆忙。我坐在这安静的白宫里，只是对弥特下命令，命令别人是一件轻而易举的事。如果我到了那里，看到满地的鲜血，听到死伤者的呼叫、呻吟，也许我也不会急着向李军进攻……如果我像他一样有所顾虑，或许我会同他一样，选择延迟开战。现在木已成舟，无法挽回了。如果我发出这封信，固然解除了我心里的不快，可是弥特必然也会替自己辩护。这样一来，我将无法对他保持好感，甚至可能会撤销他司令官的头衔。”

林肯正是因为考虑到这些，才没有把信发出，而是锁到了他的抽屉里。因为他从过去的经验中得到了教训，尖锐的批评、斥责永远不会起到正面的效果。

罗斯福总统曾经这样说过，当他担任总统，遇到难以解决的问题时，他会靠在坐椅上，仰起头，望向墙壁上那幅林肯画像。然后这样问自己："如果林肯处在我这种情况下，他将会怎么做？他会如何解决这个问题？"

卡耐基提醒我们：今后，当我们想要责备别人的时候，让我们从口袋里拿出一张 5 美元的钞票来，看看钞票上的林肯像，这样问自己："如果林肯遇到这类事情，他将会如何去处置呢？"

卡耐基说：你愿意自己认识的人，改变自己、调整情绪或是进步吗？如果答案是肯定的，那么，为什么不先从自己开始呢？从个人立场来看，先从自己做起，更能让你获益。

著名的学者鲍宁曾这样说："当你与他人争论，且争论的起因在你自己时，你已经陷入一种异常的情绪里了。"

卡耐基年轻的时候，希望别人能给自己肯定。于是，他写信给美国文坛上一位极负盛名的作家——泰维斯，并告诉他说："我准备给一家杂志写一些关于文坛作家的成名故事，希望您能给我一些建议，并教给我些写作的方法。"

数星期后，卡耐基接到了回信，信上附注着这样一句话："信是口述的，没有来得及重读润色。"这两句话引起了卡耐基的注意，他知道这位作家不会很轻闲的，他一定事务繁忙。可是，由于想引起他的注意，所以卡耐基在写了一封简短的回信后，后面也加上这样几句："信是口述的，没有来得及重读润色。"

泰维斯不屑再给卡耐基回信，只是把他那封信退了回来，可是下面潦草地写着几个字："你的态度不恭敬得到了无以复加的地步了。"

事后卡耐基想："是的，我做错了，我应该得到这样的斥责。"可是，人性使然，在接到退信的相当一段时间内，卡耐基都对泰维斯怀有深深的痛恨之情。甚至 10 年后，当卡耐基得知他去世的消息时，仍不能释怀。卡耐基认识到自己的错误，却羞于承认，一味认为是别人带给了自己伤痕。

那么，你也希望这样吗？放任自己对别人作出刺激性的批评，激起他的仇恨，让人整整恨上10年，一直持续到生命的结束。

当我们要应付一个人的时候，应该记住，我们不是在应付理论的动物，而是在应付感情的动物。批评是一种危险的导火线——一种能使自尊火药库爆炸的导火线。这种爆炸，有时会置人于死地。胡特将军就曾因为人们的批评，并被撤销了带兵赴法国的权力，这对他的自尊是重重的一击，以至于几乎缩短了他的寿命。

任何一个愚蠢的人，都惯于批评、责备和抱怨，殊不知这是最笨的处事方法。但若要学会宽恕、了解，那就需要完善你的人格，克制自己。尽量不为任何事情去批评和责备别人，才是聪明的做法。

※ 尽量使对方心服口服地接受批评

掌握批评的技巧相当重要，“笑里藏刀”的批评法不失为一种好的批评法，这样能够使对方在心情舒坦中改正自己的错误，而且批评也会收到良好的教育效果。

卡耐基对其学生及其属下批评有一种绝妙的技巧，使对方心服口服地接受了批评，同时在以后也很少再犯此类错误。

由于事业的发展，卡耐基开办了人事发展班。这个班的重心是沟通人际关系和发展良好的人际关系。招收的学员来自各种机构。包括政府单位、汽车经销公司、工厂和银行。

有一天，来自加利福尼亚州旧金山市的一位保险商向卡耐基发火道：“我接受了您的课程后，发觉自己的推销才能的确有进步，但为什么还是不能把我的业务搞上去呢？”

卡耐基此刻露出了微笑，他告诉这位经销商：“有一棵苹果树，它接受了阳光、雨露、养料，春天开花，夏天结果，秋天成熟，成熟的时候，并非所有的苹果都会一块儿成熟。有些苹果早已红透了，而有的依旧青青待熟，并非它不会成熟，而是时间还没有到而已。”

这名推销商此时平静下来，他明白自己太急功近利了，在愉快中接受了批评，离开了纽约。

一年后，卡耐基收到加州这名商人的一封信，信中有一张感谢信，意外的是，还有一张他的业务单，居然是当时加州最大的一张保险单。并且，他在信中雄心勃勃地说，他要将保险事业推销到全国。

卡耐基在教授课程中，经常把这个例子讲述给他的学员听，让他们吸取经验。

作为卡耐基的秘书，莫莉，一位漂亮而又娴静的姑娘，她认为卡耐基可能是世界上最好的上司，永远也听不到他用尖锐刻薄的语言来批评下属。

一天，莫莉匆匆整理卡耐基明天要讲演的稿件，离下班只有一刻钟，可她想急着回家，将稿件整理好，放在桌子上，便离开了。

第二天下午，她坐在办公室里正看着《纽约时报》，这时卡耐基演讲回来，笑吟吟地看着她。

莫莉便问："卡耐基先生，演讲成功吗？"

"非常成功，掌声四起。"

"那祝贺您了！"莫莉由衷地笑着说。

看着这个纯洁的姑娘，卡耐基继续笑着说："莫莉，你知道吗？我今天去给人家演讲如何摆脱忧郁，创造和谐的主题，我一打开演讲稿，读了下去，下面便哄堂大笑。"

"那一定是您演讲太精彩了！"

"的确很精彩，我读的是一段关于如何让奶牛多产奶的一条新闻。"说完，他笑吟吟地拿出了这张报纸，递给莫莉。

莫莉的脸一下子红了，她喃喃地说："昨天我太粗心了，卡耐基先生，这不会令您丢脸吧！"

"当然没有，你这样做使我自由发挥得更好，还得感谢你呢！"

从此以后，莫莉再也没有因为要急着回家或干其他什么事而做错过什么。因为她觉得卡耐基是个风趣而又仁慈的上司。

卡耐基认为，能够避免批评他人便尽量避免；不得不批评的时候，可以采取"笑里藏刀"的方式。

首先，要做到先说笑话让对方融入自己的氛围中来，然后提出批评，使他（她）在甜蜜中接受批评，事情就解决了。

当然，这批评不能太重，否则会引起逆反心理，使对方产生错误的理解，反而容易把事弄糟。

※ 利用逆反心理批评别人

不论何人，一旦受到正面批评，就会产生一种别扭心理。手段高明的人善于利用这种心理倾向，轻易操纵顽固的反对者。

美国著名心理学家詹姆斯·鲁宾孙说："人们在没有感受到太多的压力之下，往往都不会改变自己的想法，但是当被人误解时，就会生气，甚至怀恨在心。事实上，每一个人心里都隐藏着一些动机，而这些动机都含有强烈的信念，如果有人要来改变自己的信念，那他就会在不知不觉中对此人产生反感。"

像鲁宾孙所说的，当别人告诉你"不准看"时，你就偏偏要看，这就是一种"逆反心理"，当这种欲望被禁止的程度愈强烈时，所产生的抗拒心理也就愈大，所以如果能善加利用这种心理倾向，就可以将顽固的反对者软化，使其固执的态度做一百八十度的大转变。例如，当你面对一个想死的人，告诉他说："那就快点去死吧！"如此一来，他可能就打消了去死的念头。

如果在批评对方的时候，劈头就说："你这样做不对。"对方一定会反感地说："不，我绝对没有错。"但是，如果采取让步的姿态说："也许我真的也有错"时，对方的"逆反心理"也许就会产生作用，他会说："不，没那回事，其实我也有错。"如果你说："你确实是不对的。"这样的话，通常会使对方产生一种潜在的反感心理，而当对方有了这种心理时，就只好放弃说服他的念头了。

富兰克林做雷的实验时，曾在自己的自传中提到有关利用"逆反心理"的论述，也就是"在批评别人时，首先必须非常稳重地叙述自己的意见，然后附带地说：'这只是我的观念，也许是有错的。'这样一来，对方就会视你所提出的意见，如自己的意见一般；甚至当你表现出犹豫不决时，他还会反过来说服你"。

※ 要尽量帮助被批评者消除恐惧感

卡耐基指出，没有人喜欢被批评，但大多数人能接受建设性的批评；可有些人对任何批评都耿耿于怀，不论在什么时候，即使你对他们的工作给予最轻微的批评，他们都会面露不悦之色，采取自卫的态度。

对这样的人要亲切和善，要有策略。首先，表扬他们工作中做得好的那部分，然后，建议他们把你不满意的那部分做得更好些。

凯希对批评十分恐惧，这使她在工作中非常小心。为了避免工作中出现哪怕是最轻微的错误，她都会检查，再检查，并且不厌其烦地复查她所做过的每一件事。这么做可能会大大减少她受批评的机会，但是很浪费时间，以至于整个部门的工作进度都因此受到影响。更糟的是，无论做什么事，她总是迟迟不能作出决定，并一再强调她需要了解更多的信息，甚至当她获得了她所要的信息后，还是会推诿。

如果在你的周围有像凯希这样的人，你可以按照卡耐基总结的以下方法，来帮助他们克服对批评的恐惧感。

(1) 先进行充分的鼓励

要使他们相信，以他们出色的专业知识，他们通常可以一次就把工作做好，并不需要反复检查。

(2) 淡化错误的性质

指出偶尔出现错误是在所难免的，一旦这些错误被及时发现并予以纠正，是不会影响犯错人的能力的。

(3) 尽量采用婉转的方式

在批评别人的时候，千万不要直率地说“你错了”，或者“你这样太不应该了”之类的话，而要“反话曲说”。具体有以下 3 种方式。

①改否定成为疑问式。“你这样做是不对的”，这是批评者常用的句式。“你这样做对吗？”这是经过改动的疑问句式。很显然，否定句式消极作用大，而疑问句则容易促使对方自我反省。

②把批评者由第一人称改为第三人称。“我认为你不对”，这

是第一人称；“大家都认为你不对”，这是第三人称。这一改动，缓和了批评者和对方的直接冲突，但被批评者的压力反而增大了，他不能不考虑“大家”的看法。

③改批评为自我批评。以同样的错误进行自我批评等于是现身说法。讲的虽然是一样的事，一样的道理，言语即使激烈一些，但换一种方式对方听起来不会感到刺耳。

另外，进行劝说性批评时，还要注意宁肯就事论事，也不要攻击对方的人格。

※ 要尽量把批评处理得巧妙而和善

有一次，卡耐基请一位室内设计师为他家布置一些窗帘。当账单送来时，他大吃一惊。

过了几天，一位朋友来看他，看到了那些窗帘，并问起价钱，而后面有难色地说：“太过分了。我看他占了你的便宜。”

朋友说的是实话，可是没有人肯听别人羞辱自己判断力的实话。因此，身为一个凡人，卡耐基开始为自己辩护。他说：贵的东西终究有贵的价值，你不可能以便宜的价钱买到高品质又有艺术品味的东西……

第二天，另一位朋友也来拜访，开始赞扬那些窗帘，表现得很热心，说她希望家里也能买得起那些精美的窗帘。

这时，卡耐基的反应完全不一样了。“说句老实话，”他说，“我自己也负担不起。我付的价钱太高了，我后悔买了它们。”

当我们错的时候，也许会对自己承认。而如果对方处理得很巧妙而且和善可亲，我们也会对别人承认，甚至以自己的坦白率直而自豪；但如果有人想把难以下咽的事实硬塞进我们的食道，其结果是可想而知的。

如果想让对方接受你的观点或想法，则必须先让对方能够静心倾听你的想法。如果对方连听都没有听进去，又何谈接受不接受呢？而要对方倾听，则不可使对方产生反感。

谈话时采取先扬后抑的办法，往往会收到理想的效果。说话时要注意真诚地赞美对方的优点长处，使对方心情愉悦，拉近双方的距离，消除隔阂；然后再一步步地将自己的想法和盘托出，这样，就会用话语巧妙地引领对方一层层地听清你要说的话，而不至于没听几句便火冒三丈，不欢而散。

※ 间接地提醒他人注意他自己的错误

卡耐基说："当面指责别人，只会造成对方顽强的反抗；而巧妙地暗示对方注意自己的错误，则会受到爱戴。"

查乐斯·史考伯有一次经过他的一家钢铁厂，当时是中午。他看到几个工人正在抽烟，而在他们头顶上正好有一个大招牌，上面写着"禁止吸烟"。史考伯没有指着那块牌子责问，"你们不识字吗？"他的做法是，他朝那些人走过去，递给每人一根雪茄，说："诸位，如果你们能到外面去抽这些雪茄，那我真是感激不尽。"工人们立刻知道自己违犯了一项规则，因为他对这件事不说一句话，反而给他们每人一件小礼物，并使他们自觉很重要。

约翰·华纳梅克也使用了同一技巧。华纳梅克每天都到他在费城的大商店巡视一遍。有一次，他看见一名顾客站在柜台前等待，没有一人对她稍加注意。那些售货员呢？他们在柜台远处的另一头挤成一堆，彼此又说又笑。华纳梅克不说一句话，他默默钻到柜台后面，亲自招呼那位女顾客，然后把货品交给售货员包装，接着他就走开了。

对那些对直接的批评会非常愤怒的人，间接地让他们去面对自己的错误，会有非常神奇的效果。罗得岛温沙克的玛姬·杰格在卡耐基课程中提到，她使一群懒惰的建筑工人，在帮她加盖房子之后把周围清理得非常干净。

最初几天，杰格太太下班回家之后，发现满院子都是锯木屑子。她没有去跟工人们抗议，因为他们工程做得很好。所以等工人走了之后，她与孩子们把这些碎木块捡起来，并整整齐齐地堆放在屋角。次日早晨，她把领班叫到旁边说："我很高兴昨天晚上草地上这么干净，又没有冒犯到邻居。"从那天起，工人每天都把木屑捡起来推好在一边，领班也每天都来，看看草地的状况。

在后备军人和正规军训练人员之间，最大的不同就是理发，后备军人认为他们是老百姓，因此非常痛恨把他们的头发剪短。

美国陆军第 542 分校的士官长哈雷·凯塞，当他带了一群后备军官时，他要求自己解决这个问题。跟以前正规军的士官长一样，他可向他的部队吼几声或威胁他们，但他不想直接说他要说的话。

他是这样讲的："各位先生们，你们都是领导者，你必须为追随你的人做榜样。你们应该了解军队对理发的规定，我今天也要去理发，而我的头发比你们某些人的头发要短得多了。你们可以对着镜子看看，你们要做个榜样的话，是不是需要理发了，我们会帮你们安排时间到营区理发部理发。"

结果是可以预料的。有几个人自愿到镜子前看了看，然后下午就开始按规定理发。次晨，凯塞士官长讲评时说，他已经可以看到，在队伍中有些人已具备了领导者的气质。

1887 年 3 月 8 日，美国最伟大动人的牧师及演说家亨利·华德·毕奇尔逝世，他的伟大如同日本人所说的，他改变了整个世界。就在那个星期天，莱曼·阿伯特应邀向那些因毕奇尔的去世而哀伤不语的牧师们演说。他急于作最佳表现，因此把他的讲道词写了又改，改了又写，并像大作家福楼拜那样谨慎地加以润饰，然后他读给他妻子听。实际上，他写得很不好，就像大部分写好的演说一样。如果他的妻子判断力不够，她也许就会说："莱曼，写得真是糟糕。你会使所有听众都睡着的。念起来就像一部百科全书似的。你已经传道这么多年了，应该有更好的认识才是，看在老天爷的分上，你为什么不像普通人那般说话？你为什么不表现得自然一点？如果你念出这样的一篇东西，只会自取其辱。"

她"也许"会这么说，而且如果她真的那么说了，其后果是可想而知的。所以，她只是说，这篇讲稿若登在《北美评论》杂志上，将是一篇极佳的文章。换句话说，她称赞了这篇讲稿，但同时很巧妙地暗示，如果用这篇讲稿来演说，将不会有好效果。莱曼·阿伯特知道她的意思，于是把他细心准备的原稿撕碎，后来讲道时甚至不用笔记。

卡耐基告诉我们，要改变一个人而不伤感情，不引起憎恨，请按照下列准则去做："间接地提醒他人注意他自己的错误。"

※ 批评别人时不要冒犯一定的禁忌

有的人口齿伶俐，在交际场上口若悬河、滔滔不绝，这固然是不少人所向往的。但是，假若口无遮拦，说错了话，说滑了嘴，也是很难补救的，故说话应讲究"忌口"。否则，若因言行不慎而让别人下不了台，或把事情弄糟，是不礼貌的，也是不明智的。在批评别人时，必须注意以下几个问题。

(1) 不要当众揭对方的隐私和错处

有人喜欢当众谈及对方隐私、错处，这样做是非常错误的。心理学研究表明：谁都不愿把自己的错处或隐私在公众面前"曝光"，一旦被人曝光，就会感到难堪而恼怒。因此，在交往中，如果不是为了某种特殊需要，一般应尽量避免接触这些敏感区，以免使对方当众出丑。必要时可采用委婉的话，暗示你已知道他的错处或隐私，让他感到有压力而不得不改。知趣的、会权衡的人只需"点到即止"，一般是会顾全自己的脸面而悄悄收场的。当面揭短，让对方出了丑，说不定会恼羞成怒，或者干脆耍赖，出现很难堪的局面。至于一些纯属隐私、非原则性的错处，最好的办法是装聋作哑，千万别去追究。

(2) 不要故意渲染和张扬对方的失误

在交际场上，人们常会碰到这类情况，讲了一句外行话，念错了一个字，搞错了一个人的名字，被人抢白了两句等。这种情况，对方本已十分尴尬，生怕更多的人知道。你如果作为知情者，一般说来，只要这种失误无关大局，就不必大加张扬，故意搞得人人皆知，更不要抱着幸灾乐祸的态度，以为"这下可抓住你的笑柄啦"，来个小题大做，拿人家的失误来做取笑的笑料。因为这样做不仅对事情的成功无益，而且由于伤害了对方的自尊心，你将结下怨敌。同时，这也有损于你自己的社交形象，人们会认为你是个刻薄饶舌的人，会对你反感、有戒心。因而敬而远之，所以渲染他人的失误，实在是一件损人而又不利己的事。

(3) 说话要看好时机

有的人说话时旁若无人、滔滔不绝，不看别人脸色，不看时机场合，只管满足自己的表现欲，这是修养差的表现。说话时应注意对方的反应，不断调整自己的情绪和讲话内容，使谈话更有意思，更为融洽。

(4) 点到为止，不能啰唆

话讲得啰唆就让人厌烦，听不进去。在批评别人的时候，尤其注意不能啰唆。有些人生怕人家听不懂，翻来覆去地讲一个道理，结果适得其反。正确的方法是，应该视情况因人出发，针对实际把握要讲的内容，该讲的一定要“点到”，同时又要注意留下充分思考的时间，让对方去领悟、消化。

（1）任何一个愚蠢的人，都惯于批评、责备和抱怨，殊不知这是最笨的处事方法。但若要学会宽恕、了解，那就需要完善你的人格，克制自己。

（2）批评的目的意在打动对方，使得对方能认识到自己的错误，回到正确的轨道上，而不是贬低对方；即使你的动机是好的，是真心诚意的，也要注意方式和场合等问题。

（3）嘀咕埋怨，喋喋不休，斥责怒骂，以及吹毛求疵，这并不能改变什么，反而会让人的逆反心理加剧。

（4）能够避免批评他人便尽量避免；不得不批评的时候，可以采取“笑里藏刀”的方式。

（5）当面指责别人，只会造成对方顽强的反抗；而巧妙地暗示对方注意自己的错误，则会受到爱戴。

第六章　掌握减少冲突化解矛盾的口才技巧

只要人们之间发生交往，就会或多或少产生矛盾，这是由人的天性所决定的。一个人想要成就一番事业，享受幸福的人生，就必须依靠得体的语言，想方设法避免不必要的冲突，千方百计地消除各种矛盾，使自己有一个宽松和谐的工作和生活环境。

※　灵活的头脑和善辩的口才有助于摆脱危机

为了说明良好口才的神奇功能，卡耐基经常讲述下面这个故事。

1671 年 5 月，伦敦发生了一起迄今为止英国历史上最大、最著名的刑事犯罪。一个以布勒特为首的 5 人犯罪团伙，蒙骗了伦敦塔副总监，混入了马丁塔里，偷走了英国的“镇国神器”——英国国王的皇冠。

他们被捕后，在被审问时，布勒特充分发挥了他的辩才，同国王进行了英国历史上一次最有趣的刑事审讯对话，下面是其中最精彩的片断。

查理二世问：“你在克伦威尔手下诱杀了艾默恩，换来了上校和男爵的头衔？”

布勒特答：“陛下容禀，我不是长子，所以没有继承权，除了本人的性命以外别无所有，我得把我的命卖给出价最高的人。”

沉默了片刻，布勒特又说，“陛下，我是想看看他是否符合您赐给他的那个高位。要是他轻而易举地被我打发掉，陛下就能挑选一个更合适的人来接替他。”

查理二世沉吟一会儿，仔细打量着这个囚徒，觉得他不仅胆子大，而且伶牙俐齿。于是，他又问道：“你越干胆子越大，这回竟然偷起国王的皇冠来了！”

布勒特说：“我知道这个举动太狂妄了。可是我只能以此来提醒陛下，关心一个生活无着落的老兵。”

查理二世问：“你不是我的部下，要我关心什么？”

布勒特答道：“陛下，我从来不曾对抗过您。英国人互相之间兵戎相见已经很不幸了。现在天下太平，所有人都是您的臣民，我当然是您的部下。”

查理二世尽管觉得他是个十足的无赖，但还是继续问道：“你自己说吧，该怎么处置你？”

布勒特答道：“从法律角度来看，我们应当被处死。但是，我们 5 个人每个人至少有两个亲属会为此落泪。从陛下您的立场看，多 10 个人赞美您，总比多 10 个人落泪好得多。”

查理二世绝没有想到他如此回答，他不由自主地点点头，又问：“你觉得自己是个勇士还是懦夫？”

布勒特说：“陛下，自从您的通缉令下达以后，我没有一个地方可以安身。所以，去年我在家乡搞了一次假出殡，希望警方相信我已死亡而不再追捕，这不是一个勇士的行为。因此，尽管我在别人面前是勇士，但是在您——陛下的权威下只是一个懦夫。”

查理二世对这番话非常满意，不但免除了布勒特的死刑，还赏给他一笔不小的黄金。

卡耐基指出，不论是谁，生活中都难免会遇到这样或那样的危机。在很多时候，摆脱困境，除了需要过人的勇气和力量，更需要善辩的口才，灵活的头脑。关键的时候，良好的口才能够保护你免遭伤害，让危机变转机，甚至使劣势转优势。

※ 说话时要巧妙消除别人的抗拒和敌对心理

你常和与你意见相反的人谈话吗？你在家中，或是办公室，或是市场上，总在设法使人赞同你的意见吗？

如果是这样的话，就应该考虑你的方法是否需要改善改善。一个辩论家，如果和听众争辩起来，不仅不会改变听众的心情，反而会使他们更加倔强起来，这是显而易见的事！无论双方的意见发生怎样严重的冲突，说话的人多少都可以找出一些相同点来互相讨论。林肯说过：“不论人们如何仇视我，只要他们肯给我一个略说几句的机会，我就可以把他说服！”

任何人都喜欢坚持相信自己已经相信的事物，而不希望别人来加以反对。凡是有人对我们表示反对的时候，我们一定要找寻许多方法和理由来辩证保护。所以，你在说话的时候，如果一开始就说“我要证明这个”“我要证明那个”，绝非是聪明的办法。因为你的听众，一定将因此认为你好像在对他们作近于挑战的训话了。他们也许会自信地说：“我们瞧你的！”这显然就和你站在敌对的立场了！假使你一开始就着重讲些和你的听众意见相同的事情，然后再提出听众所乐于解答的问题，那就便利多了。你可以做得好像在和听众共同探讨问题的答案，然后再把你观察得十分透彻的事实提出来，使听众在不知不觉中接受你的结论，并对你有了十分的信任。

林肯对伊里诺州群众的演说，值得我们加以欣赏。开头几句是这样的：

“南伊里诺州的同乡们，肯塔基州的同乡们，密罗里的同乡们：听说在场的人群中，有些人要和我为难，我实在不明白为什么要这样做；因为我也是一个和你们一样爽直的平民，那为什么我不能和你们一样有着发表意见的权利呢？好朋友，我并不是来干涉你们的人，我也是你们中间的一人，我生于肯塔基州，长于伊里诺州，和你们一样是从艰苦的环境中挣扎出来的。我认识南伊里诺州和肯塔基州的人，我也认识密罗里的人；因为我是他们中的一个；而他们也应该认识我比较清楚一些。他们如果真的认识了我，他们就会知道我，知道我并不想做一些对他们不利的事情；同时，他们也决不再想对我做不利的事情了。同乡们，请不要做这样愚蠢的事，让我们大家以朋友的态度来交往；我立志做一个世界上最谦和的人，决不会去损害任何人，也绝不会干涉任何人。我现在对你们诚恳请求的，只是请你们允许我说几句话，并请你们静心听着！你们是勇敢而豪爽的，这一点要求，我想一定不致遭到拒绝。现在让我们诚恳讨论这个严重的问题吧……”

这一篇成功的演说，不但消除了人们的仇恨，后来林肯政治上的成功，得力于这些仇者的拥护。

美国的铁路专家曹顿到英国去做大东铁路的总理，在到任的时候，人家对于他的敌意，有如春季的寒霜。原来，铁路局里的职员有一个传统思想：没有一个美国人有担任总理职务的资格——曹顿是美国人，竟担任了总理，便激起了公愤。但是曹顿并不着急，而是成功地就任了数千万人的领袖。他运用了一些策略，就平复了那些群众的敌意。动用什么策略来消释那些铁路职员传统思想下所产生的敌意呢？便是根据他们产生敌意的经验，来迎合他们的意志。

他是这样进行公开演说的："我到英国来担任这个职务，并不是为了什么荣誉，也没有什么希望，所需要者，只是想有一个户外竞技罢了……"

一场演说之下，竟说服千万铁路里的职员。

电话机的发明家贝尔，有一次出门去筹款，他到一个大资本家许拜特先生的家里，希望他能够对于他正在进行的新发明事业投资一点。但他知道，许拜特是一个古怪脾气的人，向来对于电器事业是不感兴趣的，他开头时并不对他说明预算能获得多少利益，也不对他解释科学理论。据《贝尔传记》上的记载："他弹着钢琴，忽然地停止了，向许拜特说：'您可知道，如果我把这脚板踏下去，向这钢琴唱一个声音，这钢琴便也会复唱出这声音来。比如我唱一声，这钢琴也会应一声！这事您看有趣吗？'许拜特当然不懂是什么事情，他于是静悄悄地放下他手中的书本，好奇地望着贝尔。于是，贝尔详详细细地对他解释了和音或复音电信机的原理。这场谈话的结果，许拜特很情愿负担一部分贝尔的实验经费。"

贝尔的方法，其实是非常简单的，在讲他那件事之前，他先设法引起对方的好奇心。牵引了许拜特对于他及他的理想的注意，这是一种很有力量的策略。然而，我们大概都常常看见有许多奇妙的技艺终归于失败，其所得者不过是看客们耸一耸肩膀或扬一扬眉毛而已吗？这是没有能够真正运用这个秘诀的缘故，而贝尔却能以新颖混合于熟习之中，很自然地运用了这个策略，许拜特的钢琴，就是帮助他完成妙计的唯一功臣；消除了他们不同的意见，使他们密切合作起来。

※ 通过请求别人给你帮忙来消除隔阂

卡耐基指出："请求对方帮一个忙，不但能使对方觉得自己重要，而且也能使你赢得友谊与合作。"

大科学家富兰克林，在参加本雪尔文尼亚的议会选举时，遇到了极大的困难。原来有一个新的议员，对他发表了一篇很长的反对演说，那演说词竟把富兰克林批评得一文不值，遇到了这样一位出乎意料的对手，是多么棘手的事呀！那该怎样办才好呢？

富兰克林告诉我们说："我对于这位新议员的反对，当然不高兴，可是，他是一位幸运而有学问的绅士，他的声誉和才能，在议院里很有地位；然而，我绝不对他表示卑陋的阿谀，用以取得他同情与好感。我只在隔日之后，运用了其他适当的方法。我听得有人讲起，他藏书室里有几部很名贵、很珍罕的书。我就写了一封简短的信给他，说明我想看看这些书，希望他慨然答应，借我数天。他立刻就把书送了来。

"大约过了一个星期，我就将那些书送去还他。另外附了一封信，很热烈地表示了我的谢意。他以前从不和我谈话的，可是，当我们下一次在议院里遇见的时候，他居然跑上前来，和我握手谈话了，而且非常客气；并对我说，在一切事情上都要帮我忙。于是，我们逐渐成为知己，有了美好的友谊。"

平常，我们也可以像富兰克林那样子，采用类似的策略，去对付那些出乎意料的人。

当我们想起自己曾经给予别人小小的恩惠，而被人家很感激地接受了的时候，我们岂不是感觉到很愉快吗？反过来说，我们不是常常看见，有些受别人恩惠太多的人，有时候不是反而想避而不见吗？这就是因为我们自己帮助别人的时候，我们的自尊心发扬起来了；而在我们受别人帮助的时候，我们反而感觉到，不安了。许多领袖人物，都会看到这一点，在帮助别人的时候，应当以不求报答来安慰别人，这样才可以安慰那人的自尊心；同时，却正是怕那人以一种强烈的刺激，希望自己也能帮你的忙。

你应该知道，有才干的人，他们常故意让别人给他们种种信任，以此解决许多困难的问题！卡耐基举过这样的例子：

美国有一个著名的广告家斯但顿，忽然觉得一位老朋友渐渐地和他冷淡起来，快要和他断绝关系了。因为这位朋友是工程师，于是，斯但顿就去请教他审查一幅新建水管装置的计划图，并且希望他指教一些意见，那位工程师接受了水管装置计划图，出乎斯但顿意料之外的是他勤奋工作着，并且立刻提出了许多切实的意见，把那些图样送还给斯但顿。于是，他们两人的老交情，从这天起恢复了。

美洲太平洋铁路建筑师史密斯少年的时候，也有过类似的逸事。当初他的职业是贩卖皮货，不得不和一个与他有仇的猎户做朋友。于是他利用了一个机会，去向那猎户借宿一夜。不料一夜住过，两人仇恨完全消释了，反而变成了知己。

人的个性，固然各个不同，然而这种策略，是人类的一种普遍需要，无论是对上级或是下属，对不认识的人或是亲戚朋友，对满意我们的人或是不满意我们的人，我们应当留心那些人的性质，唯一的不同点在哪里？他们各人所特有的嗜好和习惯是什么？但不论他们的性情怎样，嗜好与习惯怎样，可以这样说，他们最高兴给我们的，就是我们个人特殊兴趣之下产生情感的小惠。所以，当我们请求别人给我们一些他所高兴给予的小惠时，我们就得到了他的好处，使他很愉快地对我们有所注意了。

※　采用巧妙的语言去纠正老板的错

在职场，我们的意见并不总是和上司一致，尤其是当上司似乎明显存在错误的时候，就可能会引发争论，甚至是争吵。

与老板争论的目的，是要表现自己的正确，而有人把善于在老板面前表现同“出风头”联系在一起，这显然是不对的。主动进取，在老板面前充分显示才能，这绝不是出风头那么肤浅。

倘若不幸和老板发生了争吵，你必须记住，切忌不能说“你如何如何”之类的话，更不要说老板意见的不是，比如，千万不可说：“你的那个意见，纯属无稽之谈，亏你想得出来！”这样的话会严重伤及老板自尊心，也是一种极不礼貌的行为。

如果采用下面的方法去纠正老板的错，效果可能会好很多。

(1) 暗示法

接到不恰当的指令时，你觉得不能执行或无法执行，可先给老板以某种暗示，让其悟到自己的指令不甚恰当。有些指令不恰当，不是因为上司素质差、水平低，而是没考虑周全，或是只看到了事物的表象，没看到事物的本质。你稍加暗示，他可能就会马上意识到问题。

(2) 提醒法

有些不恰当的指令，可能是老板不熟悉、不了解某一方面的情况，有的可能是老板一时遗忘了。你明确地提醒他，他认识到了，一般都会收回或修正指令。当然，提醒不是埋怨，也不是直通通、硬邦邦的批评。提醒要讲究策略，语气上尽可能委婉些。

(3) 推辞法

对老板不恰当的指令，有的可以考虑推辞。推辞要有理由，有的可从职责范围提出，比如说：“总觉得这件事不是我的职责，要不，同事关系就不大好处理了。”有的可从个人的特殊情况提出。但不管从哪一方面，理由一定要真实和充分。你推辞了，有的上司还可能会这样问：“那你觉得这件事应该由谁来做？”你不能随便点名，也不要随口说“除了我，其他谁都可以”之类的话，比较巧妙的回答是：“这事谁来做，我了解得不全面，还是您来定夺好。”推辞不是耍滑头，而是委婉地拒绝。

(4) 拖延法

有些不恰当的指令，是老板心血来潮时突然想出来的，并要你去执行。倘若你唯命是从，马上付诸行动，那就铸成了事实上的过错。对这种老板心血来潮而向你发出的指令，如果你暗示或提醒都不能点醒他，推辞也没多少理由时，那么，最好的对策就是拖延。虽然默认或口头上答应，实际上却迟迟不动。若闲着不动，老板会产生疑心的。因此，你必须忙别的事，作为拖延的理由，应付老板的追问。

拖延法是消极的，但对有些非原则性问题的不恰当指令，只能如此。你拖延了一段时间后，老板的头脑冷静了，或许就有了新的认识，就可能收回指令，或让其不了了之。

有些下属，明明知道老板的指令是不正确的，是有原则性错误的，但认为：反正是老板要我做的，天塌下来由老板顶着，就不假思索地去执行了。这是头脑简单的表现。殊不知，一旦追究起来，具体执行者也有不可推卸的责任，甚至要追究直接责任。因而，这就要求你要保持清醒的头脑，要有自己的主见，不能盲从。

拒绝老板的指令需要勇气，甚至要承受一定压力，但涉及原则问题，只能拒绝、别无他法。通过上面的方法，你一定能够更好地为老板服务，从容应对他的错误。

※ 巧用口才，远离职场麻烦

人与人之间，语言交流是少不了的，特别是在职场交谈中，谈话技巧尤为重要。可是，有些谈客却令人厌烦，想躲避又躲避不了，不躲避又如同坐在针毡之上。如果处在此情此景之中，你该怎么办呢？针对不同的“麻烦”，卡耐基有针对性地为我们提供了下面一些建议。

(1) 应对“探人隐私”者，不妨答非所问

任何人都有隐私。在每个人的内心深处，都有着一块不希望被人侵犯的领地。可是有些人出于无知，或者出于猎奇，或者出于其他目的，每次和你见面，都要问你“年龄几何？”“收入多少？”“夫妻感情如何？”等让人厌恶回答的话题。这种人虽然伶牙俐齿，巧舌如簧，但却不知谈话的要领忌讳。一般来说，一个尊重他人的人，如果知道什么事情是他人隐私，便不会去问；反过来说，知道是他人隐私，偏偏去询问者，便是不懂得尊重他人的人。他们可能会传播是非，可能会飞短流长。

遇到探人隐私者，不能有一说一，有二说二。对待探人隐私者，最好的方法是答非所问。如果他问你：“谁是你晋级的后台？”你

就说："全托大家的福。"如果他问你："奖金多少？"你就说："应该和别人一样多。"如果他问你："如何追求女友的？"你就说："如果你感兴趣，待我以后详细告诉你。"总之，对于对方的提问，不是不答，但答非所问。这样的话，既不会得罪对方，又不会让对方得逞。

(2) 对于"唉声叹气"者要给予鼓励

人处世上，不如意事十之八九。有些对前途悲观的人、谈话以我为主的人，往往将他们的不幸、苦恼和忧虑当做谈话的主题。他们不断地大诉苦水，接连地唉声叹气，使交谈的人听也不是，不听也不是。如果仔细分析一下唉声叹气者所说的不如意之事，就会知道，这些事其实非常普通，并不那么凄惨；但唉声叹气者却将自己的境遇说得非常的严重。

与这种人进行交流，要多进行鼓励，给其注入活力。在唉声叹气者的心里，他们并不认为自己的能力差、抱负小；相反，他们强烈地希望他人肯定其有着了不起的天赋、有着不寻常的水平。与他们进行交流，应该恰当地肯定他的特长，赞扬他的功绩，给其注入蓬勃发展的活力。这样的话，他们会对你非常亲近，并且对你感激不尽的。

(3) 对于"说人是非"者要冷淡敷衍

俗话说："来说是非者，便是是非人。"不要以为把他人是非告诉你的人便是你的朋友。道人是非者，既然在你面前说他人的坏处，自然也会在他人面前说你的坏处。他们乐于道人是非，是妒心过盛的原因，他们心里往往巴不得他人越来越倒霉，越来越困窘。聪明人与这类人交谈，是不会推心置腹的。

远离这种人的办法，是对他说的任何是非话题都作出冷淡的反应，从而让他知"错"而退。对这种人，不要得罪。对他说的他人是非，又不能赞同。与其言语交流，哼哼哈哈，不失为一种好办法。因为"哼""哈"是一种模糊语言，既会让道人是非者感受到你的成熟，又让他觉得这项话题无法再交流下去，从而中止谈话，或者使谈话朝着健康的方向发展。某些情况下，可以说，"哼哈"的冷淡敷衍是一种非常有效的处世学问。

(4) 遭遇“喋喋不休”者可巧妙提问

人与人交谈，人们往往讨厌那种长篇大论跟你说个没完没了的人。有些人说得多，但却说不好。他们会一口气谈论整整一个上午，他们会在一个上午谈遍大千世界。他们不但天文地理能谈，男女情事也能谈。他们眉飞色舞，表情丰富。他们滔滔不绝，从不觉累。

遇到喋喋不休者，既不伤及对方感情，又让对方少说的方法是巧妙提问。一是根据他说的话题提问一些难题，比如，“导弹的燃料分子式是什么？”“你觉得巴黎有多少人喜欢弹钢琴？”等，让他不知怎么回答。这样一来，他就可以少说几句，你也可以多说几句了。二是提问一些与当前话题无关的问题，比如，“打扰一下，现在几点了？”“你的眼镜真好看，请问你戴得舒服吗？”等，这样一来，对方会感到有点惊愕，从而停顿下来，使你腾出时间来干一些有益的事。

(5) 面对“喜欢说教”者，要重于聆听

有些人喜欢对他人“谆谆教诲”。他说的十句话中，你可以找出“你应该”“你必须”“你不能”之类的词语七八处。这种人往往自以为是，居高临下，唯我独尊，盛气凌人。在他的眼里，众人都是无知的幼儿，唯他是博学的教授。让人感到其迂腐，认为其卖弄。喜欢长篇说教者虽然令人生厌，但对你没有坏处，而且有益。一是你可以吸取其中有益的说教；二是认认真真地倾听，会使他觉得异常高兴，这对增进情谊有好处。

因此，和他们交流，要重于聆听。只要你没有急需办的事项，不妨静下心来，听一听，记一记。适时地重复一两句他说的话语，或者就某个问题询问一两句。相信这种做法，定会使你受到极大的益处。

(6) 遇到“自我炫耀”者可采取幽默风趣的态度

有些人见到他人，一张嘴便是“我人缘好”，一出口便是“我能耐大”。明明自己是“1”，偏偏说成是“2”。听者为此觉得脸红，他却不知羞。自我炫耀者既是个自卑者，又是个自负者。这种人常常外强中干，其“吹牛”的目的只不过是为了引起大家对他的关注，以满足自己的虚荣心。这种胡乱吹嘘，给人一种巧言令色、华而不实之感。和他们进行交流，正确的方法是用幽默风趣的话语作答。他嘴上说成“2”，内心还是以为是“1”的，对他说的大话，你不能加以肯定，肯定了他会以为你是个不可信之人；对他说的大话，你又不能加以驳斥，驳斥了他会以为你是个不可亲之人。

正确的做法是幽默作答，似是而非，模模糊糊，嬉嬉笑笑，哈哈而过。

(7) 遭遇“灭人志气”者可针锋相对

有些人，话语尖锐辛辣。从他嘴里说出的话，好像一盆盆的冷水，不顾你是否接受，硬朝你头上泼去。那个干劲，非要把你心头的自信火种浇灭不可。这种人往往是个频频失败、万念俱灭者，又是个把你瞧得一无是处、绝不如他者，还是个认定自己做不到，他人也做不到的自负者，往往也是个能言善辩却很孤独的人，周围的人往往敬而远之者。与他交谈，一味顺承，会使他变本加厉。

一个合适的方法，是要抓住机会，针锋相对，攻其痛处——他的历史上的愚蠢、无能、可笑之处，或者他当前说的话语漏洞、用词不当、逻辑错误，使他心中产生不快，从而使他推己及人，体会出他当前的错误举动，管住他的嘴。

(8) 征服“蛮横好斗”者要无懈可击

谈得兴高采烈时，可能会进来一位杠子头或者别有用心者，对你横挑鼻子竖挑眼，立刻使好好的交谈气氛充满火药味。这种人多认为自己高人一等，长你一筹，无所不通，无事不能，他自己以真理的化身自居，无论问题是西瓜之大，还是芝麻之小，他都会以誓死捍卫真理的气概与你针锋相对，气势咄咄逼人。这种人一旦对你怀有成见，就会处处跟你唱对台戏。遇到这种情况，很容易使你陷入顶撞式的辩论旋涡。

要想冲出旋涡，就必须使出强劲。这个强劲就是要做到使自己的每一句话都成为颠扑不破的真理，并且还是简单的真理，这样对方就无法攻击你了。用不了多长时间，“憋得难受”的对方就会主动“告退”。

(9) 面对“满口假话”者要巧妙纠正

社会上，有些人说起谎来好像一名出色的演员在舞台上演戏那样轻松自然，丝毫不会感到内疚。他们撒谎，大多没有很大、很明确的目的。满口假话者之所以满口假话，可能是为了掩饰自己、标榜自己、美化自己，可能是觉得你的辨别能力很差，从而摇唇鼓舌，胡说乱扯。与这类人交流，对你是有害的。假话说出十遍，可能会使你觉得真的有那么一回事。

与他们交流，应该懂得“攻其一点，崩溃全线”的战略战术，抓住假话中的其中一项，蛮有把握地提出反对意见。这样一来，他就会觉得羞愧，那种神采飞扬的气焰立刻就落下去。这种攻其一点的做法比较巧妙，既不会伤及其自尊心，又会让其对自己的撒谎毛病有所改正。

(10) 遭遇“俗不可耐”者可适当指教

有些人为了给他人一个好的印象，便让自己的话语里堆满华丽辞藻，乱用一些专业术语，显得矫揉造作，华而不实；有些人日常说话粗鲁不雅，废话连连，里唆，一味单调，某句话可以重复十遍，某件事可以问九次；有些人说话无波澜，无起伏，没有摇曳多姿的神态，没有引人入胜的话题，令你厌倦，这些都是俗不可耐的表现。他们多是知识面窄、社交力差者，他们在自己人生经历中，往往因此经常受到他人的讥笑，心中有了一种自卑感。他们热切地希望提高自己的知识水平、社交能力。

和俗不可耐者交流，可对其进行适当指教。说出一两句正确的做法、注意的事项，满足他们的需求，但又不能过多指教，免得伤了他们的自尊心，触及他们的自卑痛处。

卡耐基指出，令人生厌的谈客当然不止以上几种，上述交流方法也不能单纯照搬。但有一项可以肯定，就是一个人的言谈再令你反感，你也应该努力保持自己的良好交际形象。要记住，如果你能容纳每一个人，你便是个超人。

※ 在保持双方尊严的前提下消除隔阂

在职场中，如何沟通才能既保持双方的尊严，又消除彼此之间的隔阂呢？虽说永远没有完美的技巧，但有些技巧却是可以经常奏效的。有下面这些建议可供你参考。

(1) 沟通不是一厢情愿的事情

沟通是有目标的，你可以使自己的愿望处于优势，并且尽可能达到对自己有利的结果。但这多少有些一厢情愿，因为沟通是彼此的事，别人也会运用技巧，彼此力量的消长有一个合适的交点，那是双方都可以接受的结果。沟通能达到这个目的，双方都应该满意，虽然这个结果跟你渴望的结果有些差别，但也应该坦然接受。

(2) 多采用含蓄的暗示法

暗示是为了保全他人的自尊而采取的一种比较含蓄的指责、指使他人的方法，也就是间接地让人做你希望他做的事。暗示可以成为他人行动的动力。他们在接受暗示时，已经感到了受尊重的意味，就会主动帮你达到你渴望的结果。暗示可以让人心甘情愿地和你沟通。

(3) 运用漂亮的语法

运用漂亮的语法很容易实现有效沟通。漂亮语法绝不仅仅指多用形容词那么肤浅，它能调动各种词语，并将其巧妙地运用起来。

“然后……”“这时……”等语法可以给人流畅感，他人就容易顺应你的思路，起承转合之间，沟通已经趋向圆融。使用“因为……”“所以……”等语法，则给人很讲逻辑，很讲道理的感觉，他人就会心服。

语法是有玄机的，成功地运用玄机的语法可以看做是漂亮的语法。在运用漂亮语法时，应先尊重对方的态度，然后说出自己的要求。只要语法得当，就算前后有些矛盾，对方也不会觉得受到伤害，反而可以接受你的观点和建议，并愿意合作。

(4) 逐步削弱对方的观点

在意见出现分歧时，先接纳对方的观点，然后再逐步削弱这种观点，这是一个尊重他人的好办法。在办公室中，纷繁复杂的观点围绕在你周围，这些观点有容易理解的，也有摸不着头脑令人难以把握的。观点是容易冲突的，人都不愿放弃自己的观点，所以，沟通时不要破坏对方的观点，只能悄无声息地移动他人的观点，让它靠拢自己的观点。记住，移动，不是改变。

(5) 乔装弱者

世上总有很多人喜欢表现自己的力量和能耐，在他们眼中，他人总不如自己。这种人很可能令你讨厌，但你可以利用他们，他们喜欢表现就给他们表现的机会。

最简单的办法就是，在他们面前故意表现得笨手笨脚，他们会哼着鼻子走过来说："真是差劲，让我来！"于是，他们就会自己动手做起来。

最聪明的办法是询问，表现出很虚心的样子去求教，他人怎么会不理睬，说不定一边做一边教你怎样做呢！

※ 善于检讨自己，决不正面反对别人的意见

卡耐基认为，不论你用什么方式指责别人，如用一个眼神，一种说话的声调，一个手势等，或者你告诉他错了，你认为他会同意你吗？绝不会！因为你直接打击了他的智慧、判断力、荣耀和自尊心，这反而会使他想着反击你，决不会使他改变主意。即使你搬出所有柏拉图或康德的逻辑，也改变不了他的己见，因为你伤了他的感情。

因此，永远不要这样开场："好，我证明给你看。"这句话大错特错，这等于是说："我比你更聪明。我要告诉你一些事，使你改变看法。"那是一种挑战。那样会掀起战端，在你尚未开始之前，对方已经准备迎战了。

即使在最温和的情况下，要改变别人的主意都不容易。为什么要采取更激烈的方式使他更不容易呢？

为什么要使你自己的困难增多呢？如果你要证明什么，不要让任何人看出来。这就需要运用技巧，使对方察觉不出来。

"必须用若无实有的方式教导别人，提醒他不知道的事情好像

是他忘记的。”300多年前意大利天文学家伽利略说，“你不可能教会一个人任何事情，你只能帮助他自己学会这件事情。”

正如英国19世纪政治家查士德·裴尔爵士对他的儿子所说的：“如果可能的话，要比别人聪明，却不要告诉人家你比他聪明。”

苏格拉底在雅典一再地告诫门徒：“我只知道一件事，就是我一无所知。”

我们不能奢望比苏格拉底更高明，因此我们不能告诉别人他们错了。应该慎重地看待别人的错误，这么做会大有收获。

如果有人说了一句你认为错误的话，你如果这么说不是更好吗：“是这样的！我倒另有一种想法，但也许不对。我常常会弄错，如果我弄错了，我很愿意被纠正过来。我们来看看问题的所在吧。”

用这种句子“我也许不对。我常常会弄错，我们来看看问题的所在。”确实会得到神奇的效果。无论什么场合，没有人会反对你说：“我也许不对。我们来看看问题的所在。”哈尔德·伦克是道奇汽车在蒙大拿州比林斯的代理商，他就运用了这个办法。

销售汽车这个行业压力很大。因此，哈尔德在处理顾客的抱怨时，常常冷酷无情，于是造成了冲突，使生意减少，还产生了种种不愉快。

当了解这种情形并没有好处后，他就尝试另一种方法。他会这样说：“我们确实犯了不少错误，真是不好意思。关于您的车子，我们可能也有错，请您告诉我。”这个办法很能够使顾客解除武装，而等到他气消了之后，他通常就会更讲道理，事情就容易解决了。很多顾客还因为哈尔德这种谅解的态度而向他致谢，其中两位还介绍他们的朋友来买新车子。在这种竞争激烈的商场上，你承认自己也许会弄错，就绝不会惹上麻烦。这样做，不但会避免所有的争执，而且可以使对方跟你一样的宽宏大度，承认他也可能弄错。

如果你想知道一些有关做人处世、控制自己、增进品格的理想建议，不妨看看《本杰明·富兰克林自传》。在这本自传中，富兰克林叙述他如何克服好辩的坏习惯，使他成为美国历史上最能干、最和善、最圆滑的外交家。

有一天，当富兰克林还是个毛躁的年轻人时，一位教友会的老朋友把他叫到一旁，尖刻地训斥了他一顿：“你真是无可救药。你已经打击了每一位和你意见不同的人。你的意见变得太珍贵了，使得没有人承受得起。你的朋友发觉，如果你不在场，他们会自在得多。你知道得太多了，没有人能再教你什么；没有人打算告诉你些什么，因为那样会吃力不讨好，又弄得不愉快。因此，你不可能再吸收新知识了，但你的旧知识又很有限。”

富兰克林接受了那次惨痛的教训。当时，他已经够成熟、够明智，以至能领悟也能发觉他正面临社交失败的命运，他立即改掉傲慢、粗野的习性。

“我立下了一条规矩，”富兰克林说，“决不正面反对别人的意见，也不准自己太武断。我甚至不准许自己在文字或语言上措辞太肯定。我不说‘当然’‘无疑’等，而改用‘我想’‘我假设’或‘我想象’一件事该这样或那样；或者‘目前在我看来是如此’。当别人陈述一件我不以为然的事时，我决不立刻驳斥他，或立即指出他的错误。我会在回答的时候，表示在某些条件和情况下，他的意见没有错，但在目前这件事上，看来好像稍有不同等。我很快就领会到改变态度的收获，凡是我参与的谈话，气氛都融洽得多了。我以谦虚的态度来表达自己的意见，不但容易被接受，更减少一些冲突；我发现自己有错时，也没有什么难堪的场面，而我碰巧是对的时候，更能使对方不固执己见而赞同我。

“我一开始采用这套方法时，确实觉得和我的本性相冲突，但久而久之就愈变愈容易，成为我的习惯了。也许50年以来，没有人听我讲过些什么太武断的话。我在正直品性支持下的这个习惯，是我在提出新法案或修改旧条文时，能得到同胞重视，并且在成为民众协会的一员后，能具有相当影响力的重要原因。因为我并不善于辞令，更谈不上雄辩，遣词用字也很迟疑，还会说错话；但一般说来，我的意见还是得到了广泛的支持。”

卡耐基认为，富兰克林的话对我们每个人都是很有启示作用的。

※ 诚恳地认错，得体地道歉

每个人都难免做错事情。重要的是如何把检讨的心意向对方表白，以示自己认错的诚恳。如果不对自己的过错表示道歉，反而会惹出更多的麻烦。

知错道歉，知错必改，表明一个人明理是非，心胸明朗，对人负责，对己负责。也只有这样，才显出生存的意义：那就是真诚做人，心胸明朗。

你是否发现道歉很难？鼓足勇气道歉之后，双方的关系却并不一定能马上改善。怎样才能避免出现这种情况呢？卡耐基指出，那就是改善道歉的技巧。

(1) 诚恳认错，言辞谦恭

首先认错要发自内心的真诚。光是嘴巴认错，而态度却草率轻浮，这会引起对方的反感。因为，对方往往最在意的是道歉的态度。

其次，言辞要谦恭。道歉，一定要在言辞上表现诚恳，如果口出狂言，只会激起对方更加强烈的反感。

(2) 先认错，再解释

很多人一做错事，便应付地搬出很多理由试图开脱自己，也有人碍于面子而不肯认错。殊不知，这样做反而会收到相反的效果。做错了事，最重要的是应“自己先认错”。只有自己勇于认错，才能希望对方以宽大的气度来原谅自己。

如果没道歉，也不认错，却极力地为自己辩解，反容易招致对方不谅解。正确的办法是：在道过歉以后，再简明扼要地说明事情经过和失败原因。这样，对方明了事情的真相后，也就不会再怪罪你。

(3) 背后过错也要主动承认

有些过错并没有直接触犯某人，但肯定会有影响，比如说，不小心泄露了朋友的隐秘之事，他也可能不知道，但出于朋友之谊，也要主动道歉，以免造成不必要的误会。因此，要拿出勇气来主动认错。

(4) 不要重复犯错

因为自己的过失，而坦率地向对方道歉，得到谅解后，便能了却一桩心事。但并不是万事大吉了。因为仅仅道歉，还不能解决问题。重要的是看今后的行动，今后的行动才是检验道歉是否有诚意的尺子，要努力做到不犯同样的错误，并采取有诚意的态度。如果总犯同样的错误，下一次的道歉就让人觉得毫无意义。

(5) 学一些道歉的方法

为了取得良好的效果，道歉的方法和方式可以是灵活多样的。

①小礼物方式。与朋友争吵后，可以以邀请朋友看电影、看球赛的方式间接表明歉意，修补关系。

②以赞扬的方式。在适当场合称赞对方，实际上是表明你对对方的歉意。比如，英国首相丘吉尔起初对美国总统的印象很坏，后来他告诉杜鲁门说："以前我低估了你。"这就是以赞誉对方的方式表示对以前不恭之处的道歉。

③书面形式。写封信，送个贺卡之类，用书面语言表示道歉，或许要比当面道歉来得轻松些。

※ 一定要避免没有结果也毫无意义的争论

卡耐基一项主张要"避免争论"。避免争论可以节省你的大量时间与精神，使你投入到完善你的观点和实践你的观点的工作中去。完全没有必要浪费太多的精神去干那种没有结果也毫无意义的事情上去。少了面红耳赤的争论，只会使双方尊重对方，从而增进友谊，有利于思想交流，意见的转换。

卡耐基指出，避免争论，大致可以从以下几方面做起。

(1) 对不同的意见进行选择

当你与别人的意见始终不能统一的时候，这时就要求舍弃其中之一。人的脑力是有限的，有些方面不可能完全想到，因而别人的意见是从另外一个人的角度提出的，总有些可取之处；或者比自己的更好。这时你就应该冷静地思考，或两者互补，或择其善者而之。如果采取别人的意见，就应该衷心感谢对方，因为有可能此意见使你避开了一个重大的错误，甚至奠定了你一生成功的基础。

(2) 要认识到直觉是不可靠的

每个人都不愿意听到与自己不同的声音。每当别人提出与你不同的意见，你的第一个反应是要自卫，为自己的意见进行辩护并去竭力地找根据。这完全没有必要。这时你要平心静气地，公平、谨慎地对待两种观点（包括你自己的），并时刻提防你的直觉（自卫意识）对你作出正确抉择的影响。值得一提的是，有的人脾气不大好，听不得反对意见，一听见就会暴躁起来。这时就应控制你的脾气，让别人陈述自己的观点。不然，就未免气量太窄了。

(3) 倾听为上策

每次对方提出一个不同的观点，不能只听一点就开始发作了。要让别人有说话的机会，一是尊重对方，二是让自己更多地了解对方的观点，好判断此观点是否可取，努力建立了解的桥梁，使双方都完全知道对方的意思，不要弄巧成拙，否则的话，只会增加彼此沟通的障碍和困难，加深双方的误解。

(4) 审慎地对待别人的意见

在听完对方的话后，首先想的就是去找你同意的意见，看是否有相同之处。如果对方提出的观点是正确的，应放弃自己的观点，而考虑采取他的意见。一味地坚持己见，只会使自己处于尴尬境地。因为照此下去，你只会做错。而到那时，给你提意见的人会对你说："早已给你说了，还那么固执，知道谁是对的了吧！"这时，自己怎么下台？所以，为避免出现这种情况，最好是给对方一点时间，把问题考虑清楚，而不要诉诸争论。建议当天的晚些时候或第二天再交换意见。这使双方都有时间，把所有事实都考虑进去，才可能找出最好的方案。这时，就应进行一下反思：别人的意见，可不可能是对的？还是部分是对的？他们的立场或理由有没有道理？自己的反应到底在减轻问题，或只不过是在减轻挫折感而已？自己的反应会使对方远离我，还是亲近我？自己的观点会不会提高别人对我的评价？如果我不提出意见，别人的意见是否会对我不利？如果我撤回意见，是不是会令整个计划失败？多问一下自己，也许会找到解决的办法。

(5) 真诚地对待对方

如果对方的观点是正确的，就应该积极地采纳，并主动指出自己观点的不足和错误的地方。这样做，有助于解除反对者的武装，减少他们的防卫，同时也缓和了气氛。同时要明白，对方既然表达了不同的意见，表明他对这件事情与你一样的关心。因而，不要把他们当做防卫的对象，不能因为提出了不同的意见就把他们当做“敌人”；反而应该感谢他们的关心和帮助，这样，本来是反对你的人也许会变成你的朋友。

一位先生与他的太太生活了 50 年之久而没有任何争吵。他说：“我太太和我订了一个协议——当一个人大吼的时候，另一个人就静听。”

这就是因为他们彻底掌握了卡耐基主张的交际战术：永远避免争吵。

(6) 选择“仁厚”而非“正确”

在生活中，你有很多机会去“纠正”某人，既可在人前，也可以在私下。所有这些都会成为使别人感到不舒服，并且在此过程中使你自己也不舒服的机会。

无须进行过多的精神分析便知道，我们试图压倒别人，纠正他们，或向他们显示我们是多么正确、而他们是错误的原因是，我们的“自我”错误地认为，如果指出别人是多么不正确，那我们就一定是对的，并且因此我们会感觉好些。

而实际上，如果你留意一下你压倒别人后的感觉，你将会注意到，你比压服别人之前感觉还糟。你的心灵知道，以牺牲别人为代价是不可能感觉良好的。

幸亏其相反的一面才是事实——当你的目标是去确立人们的名誉，使他们感觉更好，去分享他们的喜悦时，你也会获得他们情感的回报。下次有机会去纠正某人，即使他们的行为有点离谱，你也要抵制住这一诱惑。相反的，问你自己：“我到底想从这种交流中获得些什么呢？”很有可能，你想要的不过是使双方都感觉良好的、平和的交流，每次你抗拒住“要做正确的一方”，而去选择仁厚，你将会留意到其中的平静祥和之感。

不要将这一策略同成为一个软弱无能的人或不捍卫自己信仰的人相混淆。我们不是说你正确是不对的，只是说如果你坚持自己是正确的，那常常要付出代价——你自己内心的平静。要想成为一个充满平静祥和之感的人，你必须在大部分时间里选择仁厚而不是正确。最好的起点便是你下次同别人的谈话。

(7) 该保持沉默的时候就不说话

卡耐基说："尽管大多数人直言不讳的时候太少而不是太多，但有时候，还是不说为妙。"

有些问题根本就不值得提出来，你也不希望大动干戈地把小分歧变成大冲突。花费时间和精力纠缠于非常小的分歧是不明智的，特别是那些不大可能会影响人们工作质量，或者那些你很可能在一周或一月后就忘记的分歧。如果冲突只涉及不重要的关系，或者不会持续很久，那就不一定非讲出来不可。尽管你可能错过因为表示不同意见而带来的创造力和学习的机会，但你不必担心制造出悬而未决的分歧把关系破坏掉，从而造成额外的损失。

即使分歧非提出来解决不可，也有个时机问题。例如，如果你在面临迫在眉睫的问题时向你的老板提出新的棘手的问题，可能就会徒劳无益；除非提出来的问题对手头的工作非常重要，并且确实有足够的时间来解决这个问题。因此，等到过了这段紧张时间，人们能集中精力研究你必须说出来的问题时再提出问题，也许是最佳的选择方案。

此外，当你自己或他人的情绪正在火头上的时候，最好对分歧闭口不谈，从长远来说这是有益的。如果你跟同事刚发生争吵，你们两个人的情绪都很激动，那就等以后你们都冷静下来、能够心平气和地讨论问题的时候，再安排时间交谈。只有在那个时候，你们才能进行有实质意义的讨论，而不是相互指责。但是，如果你推迟难度很大的交谈，一定不要无限期地推迟。否则，那些没有解决的分歧一定会重新找到你头上。

什么问题必须讨论，或者最好在什么时候讨论，并没有一成不变的规则，而是必须依靠自己的判断。重要的是，你的心态应当转变，从问“现在是不是难得的、应当实话实说的时候”，转变为问“现在是不是难得的、应当保持沉默的时候”。

※ 学会得体地对待不讲理的人

不讲理的人——说话做事伤害别人的人，无处不在。如不讲理的老板、同事、售货员、邻居甚至家庭成员。“他们总是想给别人带来痛苦。”心理学家盖利夫如是说。

假如一个不讲理的人对你有这种倾向，你必须采取行动。“被动挨打，只能使不讲理的人气焰更嚣张。”商务顾问克斯切德说，“不讲理的人总是寻找软弱可欺的受气包。态度果断严肃，会让他的行为立刻刹车。”

卡耐基推荐的对待不讲理的人的以下几种方法或许对你有帮助。

(1) 迎头面对不讲理的人

零点公司是一家生产电子冷冻设备的公司。公司的高得·波特先生就曾遇到这样一个人，这个人是零点公司一个重要的客户。他总是纠缠公司的员工给他更优惠的价格，要么坚持让零点公司先把生产计划丢在一边，先满足他的订单要求。遇到一丁点儿的不一致的看法，他就对员工大肆滥骂，还威胁炒他们鱿鱼。

波特不愿失去这个客户，试图挽救局面。他派一个副总经理作为这个客户的单独联系人。他给这个副总下了严格的指示：“坐下来和他进行心对心的交流。告诉他，我们很珍惜和他的业务合作关系，但是我们不能忍受他无端的大发雷霆，我们愿意提供最优惠的价格和服务，尽我们最大能力。如果这还不令他满意的话，那他只有另选高门了。”这个方法很奏效。波特通过对他抬举（指定一个副总负责他的业务）和明朗、果断、坚决的态度，让这个客户知道了他对零点公司的重要性，又让他清楚地知道了公司所能忍受的限度。

(2) 采取外交手段

直接面对是很有力的方法，但是还有一些更巧妙的办法。成功外交手段的核心是给对方一个体面的台阶去下。“例如，我在超市出口排队等结账，”马丁说，“这时一个顾客插在我前面。我可以忽略他，可这太窝火；我可以尖叫，但对方也可能对我尖叫；第三种——更好的方法——是说：‘对不起，排队从后面开始。’”

这种礼貌地表示责备不满的方法，既显示了你的不快，又给对方一个方便的出口。

(3) 善用幽默

如果用得很合适的话，幽默甚至可以使最不讲理的人从其恶毒的行迹上出轨。

“有一次，我和一个男人因停车发生争执。这个男人马上对我污言秽语。”通信专家卡尔说，“我打断这个脏话连篇的人，问：‘你的妈妈知道你这样和人说话吗？’这个看样子已60多岁的男人住口了，他甚至还勉强笑了一下。”卡尔最终还是得到了这个停车场地。

讽刺永远不会奏效（不讲理的人会把它看成激烈战斗的邀请语），但是，对眼前情况的轻松点评，有时倒可以化解一下火药味。

心理学专家布莱姆有一个朋友擅长用幽默处理这类事情。她的工作是填写不同部门经理的供应需求，她自然成了他们奚落的靶子。“她碰巧特别矮小，”布莱姆说，“当他们口无遮拦时，她总是跳到一个椅子上，说：‘好了，至少现在我们可以眼对眼了！’这个办法在平息经理怒火上从未失效过。”

“幽默，”布莱姆解释道，“显示你没有因为这些不讲理的人而手足无措。”

(4) 退出

凡路丝在一家公司找到了一份市场营销的工作。慢慢地，她注意到在每次会议上总裁总会找一个人开刀。“你是个大蠢猪！”他大吼大叫，“这不是我叫你这样做的！难道你笨得连我的话都记不住吗？”目标换来换去，但总有人会成为他的攻击靶子。

终于轮到凡路丝了。在发传真时，凡路丝出现了一点点失误。总裁发现了，马上暴跳如雷，破口大骂。他刚骂出几个字，凡路丝转身就走回自己的办公室，深呼吸了一下，她知道了下一步必须怎样做。她又重新回到总裁那儿，理直气壮地对总裁说：“我不喜欢您以那种方式和我说话。”总裁打断她的话，不耐烦地说：“你不喜欢，请走路！”她立刻答道：“好的，再见！”

“当任何办法都行不通时，只有退出。”布莱姆说，“这是最后一招，但是也是你应该常记心中的。”

卡耐基指出，有了以上几种策略，你就能战胜不讲理的人，无论何时何地遇到他们。

※ 学会正面迎击那些不怀好意的人

在生活中，我们对难免要面对别人的批评，这些批评有善意的，也有恶意的。尤其是面对藐视我们的恶意批评的时候，我们该如何得体应对呢？在这方面，卡耐基非常欣赏康能和林肯的口才。

康能第一次在美国众议院演讲的时候，被言辞犀利的新泽西州的代表菲尔普斯中途这样讥讽了一句：“这位从伊利诺州来的先生，恐怕口袋里装的是燕麦吧？”

全院的人听了便哄堂大笑，假如被讥讽的是一个脸皮薄的人，恐怕就会不知所措了；但是康能却不然，他外表虽然粗蛮，但内心却明白这句话是事实。

“我不仅口袋里有燕麦，而且头发里藏着种子。我们西部人大都是这样乡土味儿，不过我们的种子是好的，能够长出好苗来。”

康能因这次的反驳，以至全国闻名，而大众都称他为“伊利诺州的种子议员”。他能够使别人的讥讽变为称赞和同情，因为他谙熟一种自贬的方法，这种方法我们人人都可以很容易学得的。

他知道，从批评声浪中逃走是不好的。批评就好像一只狗一样，狗看见你怕它，便愈加追赶你，恐吓你。如果某种批评把你吓住了，你便日夜都痛苦不安。但是，如果你回转头来对着狗，狗便不再吠叫了，反而摇着尾巴，让你来抚摸。只要你正面迎击对你的批评，到头来，它反而会为你所融化、克服。

在这方面，林肯也有一段脍炙人口的故事。

林肯在当选美国总统那一刻，整个参议院的议员，那些出身望族、自认为是挤进了上流社会的人，未曾料到要面对的总统是一个卑微的鞋匠的儿子。于是，当林肯首次在参议院演讲的时候，一位态度傲慢的参议员站起来说："林肯先生，在您开始演讲之前，我希望您记住，您是一个鞋匠的儿子。"所有的参议员都大笑起来，为自己虽不能打败林肯却能羞辱他而开怀不已。林肯等笑声停下来后，坦然地说："我非常感激您使我想起我的父亲，他已经去世了。我一定会永远记住您的忠告，我永远是鞋匠的儿子，我知道，我做总统永远无法像我父亲做鞋匠做得那么好。"

参议院一片静默。林肯又转身对那个傲慢的参议员说："就我所知，我父亲以前也为您的家人做过鞋子。如果您的鞋子不合脚，我可以帮您修正——虽然我不是伟大的鞋匠，但是我从小就随父亲学到了做鞋子的艺术。"

然后，他对所有的参议员说："对参议院里的任何人都一样，如果你们穿的那双鞋是我父亲做的，而它们需要修理，我一定尽可能帮忙，但是有一件事是可以确定的，我无法像他那么伟大，他的手艺是无人能比的。"说到这里，林肯流下了眼泪，所有的嘲笑声全部化成赞叹的掌声。

卡耐基指出，练就良好的口才，学会正面迎击那些不怀好意的人对你藐视的批评，对于维护个人的尊严是非常有用的。

※ 沉着机智地战胜冷言冷语

在生活中处处都存在着冷言冷语，每个人都难免偶尔遭受冷语的攻击。冷言冷语多得难以分门别类，但有一点是可以肯定的，这些话都会使你心烦意乱，情绪暗淡，本能地进行反击，其后果往往是讽刺挖苦、侮辱打击的恶性循环。正确的办法是沉着机智，提高自尊。如果你下次遇到冷言冷语，不妨照下面说的做法去试试。

(1) 正视挑衅者

顶住侮辱并非易事。办法之一是针锋相对，用严肃的对答来对付消极的评价，如你可以说："您有什么理由来伤害我的感情"，或"要知道您的话也许会对别人有用。"

作为一种选择，你可以要求挑衅者澄清他的原意："您这话是什么意思”或“我希望能弄清您的意图”，一旦挑衅者意识到你识破他的意图时，他们就会停止挑战。没有比行动被识破更丢脸的了。

(2) 运用幽默

有人曾对玛丽说：“一条新裙子？这布料更像是做包椅子用的。”

玛丽回答说：“那好，坐到我膝盖上来。”

路茜的母亲苛刻得简直像有洁癖。

一天，母亲发现女儿厨房里有蜘蛛网。“那是什么？”她故作吃惊地问。

“一项科学工程。”路茜幽默地回答说。

让生活闪光是对付攻击的最佳武器，急中生智几乎可以击败一切对手。

(3) 顺水推舟

接住话头是个好主意。例如，如果你妻子说：“你重了20磅了，亲爱的。”你就回答说：“准确地说是重了近25磅。”语言之所以有力，是因为你承认了它的力量。当你顺水推舟时，你就能使它失去活力。

(4) 不屑一顾

他人的评论并不“属于”你，因此你完全可以不理睬它。原谅是我们能够培养的最重要的生存技巧。

如果你还没有完全准备好，那就让说话人知道你听见他的话了，但不想作反应。下一次他再伤害你，你就佯装揩去裙子上的污点。当他问你在干什么时，你就说：“噢，我以为什么东西在咬我，我肯定搞错了。”一旦他知道你明白其意时，他就会变得谨慎又谨慎。

你也可以装作没兴趣。眨眨眼睛、打个呵欠，环顾左右，这皆在告诉他们：怎么这样讨人厌？任何人都不愿自己遭人厌的。

(5) 拒绝接受

一个男人在出语伤害了一位睿智的牧师后，牧师说：“孩子，如果有人拒绝接受一份礼物，那这份礼物会属于谁呢？”那人回答说：“当然是属于送礼物的人。”

“那就好了，”牧师说，“我拒绝接受你的指责。”

世界上有许多人喜欢通过贬低别人来建立自己的价值，他们口袋里装满轻蔑，他们随时都可能取出来交给别人。拒绝接受他们的侮辱伤害，巧妙地还给他们，这样你就会减少紧张，增加快乐的。

（1）摆脱困境，除了需要过人的勇气和力量，更需要善辩的口才，灵活的头脑。

（2）请求对方帮一个忙，不但能使对方觉得自己重要，而且也能使你赢得友谊与合作。

（3）在与不同的人交往时，善于忍耐、善于自责、善于检讨、善于道歉的人，往往能够消除很多矛盾，避免很多麻烦。

（4）避免争论可以节省你的大量时间与精神，使你投入到完善你的观点和实践你的观点的工作中去。

（5）面对不讲理的人，被动挨打，只能使对方气焰更嚣张；必须采取得体的方式予以反击。

第七章　培养有效的演说和演讲口才

虽然“公开演说”只是人际沟通的一小部分，但是，提高演讲的能力，确实可以增长你的自信、热情以及和别人沟通的能力。当众演讲并不是一门封闭的艺术，它也不像许多教科书中所说的那样，必须经过多年的美声以及十分艰苦的修辞训练之后才能取得成功。卡耐基告诉我们：潇洒自如地当众演讲其实并不困难，只要你能遵循一些简单却又十分重要的规则，就可以做到这一点。

※　要积极努力培养自己超群的谈吐本领

卡耐基非常重视口才，他指出，若想练就超群的口才，成为能言善道的人，没有捷径可走，你应该把成为能言善道者这件事当做自己的目标，把此目标放在心中，而且为了实现这个目标，还应把全部精神集中于读书、练习写作上。

首先，你不妨这么告诉自己：我想成为在社会上占有一席之地的人，因此，我必须有好口才。为此，你就必须要借日常会话来训练口才，并用心学习正确且有风度、毫不做作的说话方式。此外，多读一些雄辩家所写的书，不论是古典或现代的，并且告诉自己：我就是为了训练口才才读这些书的。

怎样才能练就超群的谈吐本领呢？卡耐基为我们提出了如下建议。

(1) 从书中获取值得借鉴的知识

为了这种目的而读书时，最好多注意文体及文字的使用方法。同时边看边想，琢磨该怎么做才会表现得更好，如果自己也写同样的题材，有什么地方会不如它？

即使写的是同样的事情，由于作者不同，其表现方式将有多少的差异。或者，由于表现方式不同，即使是同一件事，所给予读者的印象又将有多少差异，诸如此类的问题，最好在阅读时就注意到。无论多么精彩的内容，要是言辞的使用方法很奇怪，或文章本身缺乏风格，抑或文体和主题并不相称，将使读者觉得扫兴，希望你能仔细观察。

(2) 培养自己独特的风格

无论多么轻松的对话，或写给多么亲密的人的信，都应该拥有自己的风格，这点很重要。

尽管说话前的准备工作十分重要，但是，如果在无法预作准备的情况下，至少应在说完话之后，再想想看是否有更好的表达方式。做到这一点，也能使你的口才有所进步！

(3) 正确地使用语言，清晰地发音

你应该注意过深深吸引我们的演员，他们是怎么样说话的吧？只要仔细观察便不难发现，所谓的好演员，都很重视清晰的发音与正确的措辞。语言的目的，在于传达概念。尽管如此，采用无法传达概念的说法，引不起别人兴趣的说话方式，是最愚蠢不过的事。

你可以请朋友或同学帮忙。每天大声地朗诵书本，并请他注意听。只要换气的方式、强调的方法、朗读速度等一有不适当之处，就请别人叫停，并且为你改正。朗诵时嘴巴要张大，一个字一个字清楚地发音。要是速度太快，或有不认识的字，就马上停止。即使单独练习时，也要用自己的耳朵仔细听，刚开始时要慢慢地念，用心地把你那说话速度太快的坏习惯改过来。因为，你的发音听起来好像喉咙被卡住，说得太快时，别人很难听懂。要是遇到较难发音的音时——对你而言，应该是“V”吧——就算练习一百遍，也要念到能够发出完美的发音为止。

(4) 坚持把每天的想法整理成文章

选几个社会性的问题，在脑中想好关于这些问题可能出现的赞成意见与反对意见，并假设争论的情况，然后尽量把它写成流利的英语，这也是很好的提升自己语言表达水平的方法。例如，你不妨考虑一下有关设置常备军的问题。反对意见之一，必然是以为强大的军备力量，将使周围的国家产生遭受威胁的恐惧吧！至于赞成意见之一，则是武力必须以武力来对抗。像这种赞成、反对两种论调，应该在能想象得到的范围内，尽量去想。比方说，在本质上来说，拥有常备军并非好事，但是根据情况的不同，常备军可能成为防止他国之恶的必要武力等，这是要深切地考虑的事。这样一来，才能整理出自己的思绪，再试着把它写成优雅的文章。这不但可作为辩论的练习，而且和养成经常出口成章的习惯亦有关联。

(5) 想想听众究竟想要什么

卡耐基指出："若想控制别人，最重要的是不要高估对方，而利用演说来取悦听众时，也不可对听众评价过高。我刚担任上议院议员时，一直觉得议会里尽是值得尊敬的人，从而有种压迫感。然而，那种感觉，在我了解议会的实情后，就马上消失了。

"我知道，在500位议员之中，具有判断力的，最多只有30人，其他的几乎都和普通人没什么两样。因此，真心想听字字有力、内容丰富演说的议员，只有那30位而已，其他的议员们，根本不问内容，只要听到顺耳的演说，就满足了。自从了解到这点以后，演说时的紧张感就逐渐消失了，最后，我已经能够完全无视于听众的存在，只把注意力集中于说话的内容与技巧上了。这并非是我在自夸，我开始发现自己具备了话锋可随着内容而改变的能力。"

说起来，雄辩家不就像称职的擦鞋匠一样吗？无论何者，只要掌握住如何取悦对方——听众、顾客的诀窍，剩下的就只是一些机械性的工作了。假如你想满足听众，就必须利用能取悦他们的方法，使他们感到满意。演说者无法改变观众的样子，他只是接受他们本来的样子而已。

※ 多读书是成功地进行演讲的秘诀

卡耐基说："在演讲方面，读书是成功的秘诀。"想要增加及扩大文字储存量的人，必须经常让自己的头脑受文学的洗礼。约翰·布莱特说："我到图书馆时，只会感到一阵悲哀：生命太短暂了，我根本不可能充分享受呈现在我面前的丰盛美餐。"布莱特15

岁时离开学校，到一家棉花工厂工作，从此再也没有机会上学。然而，他却成为他那个时代最为卓越的一名演说家，以善于运用英语文字而享有盛名。他阅读、研究、做笔记及背下各位著名诗人的诗篇，如拜伦、弥尔顿、华兹华斯、莎士比亚、雪莱等。他每隔一段时间都要把《失乐园》从头到尾看一遍，以增加他的词汇量及文学资料。

英国演说家福克斯经常高声朗读莎士比亚的作品，以改进他的风格。格雷史东把自己的书房称为“和平庙堂”，里面有15000册藏书。他自己承认，他因为阅读奥古斯丁、巴特勒主教、但丁、亚里士多德和荷马等人的作品而获益匪浅，荷马的希腊史诗《伊利亚特》和《奥德赛》使他大为着迷，他写了6本书评论荷马的史诗和他的时代背景。

英国政治家及演说家庇特年轻的时候，经常阅读一页或二页的希腊或拉丁文作品，然后把看过的段落翻译成英文。他每天这样做，持续10年之久，结果，他获得了一项无人能比的能力：在不需要作思考的情况下，就能把他的思想表达成最精简最佳的话语。

古希腊演说家及政治家狄摩西尼斯亲自抄写了历史学家修昔底德的历史著作达8次之多，希望能因此学会这位历史学家那种华丽高贵而又感人的措辞。结果呢？2000年以后，威尔逊总统为了改良自己的演说风格，特别去研究狄摩西尼斯的作品。英国演说家阿斯奎斯发现，阅读大哲学家伯克莱主教的著作，是对他自己最好的训练。

英国桂冠诗人但尼生每天研究《圣经》；大文豪托尔斯泰把《新约·福音》读了又读，最后可将长篇背诵下来；罗斯金的母亲每天逼他背诵《圣经》的章节，又规定每年要把整本《圣经》大声朗读一遍，一点也不能遗漏。罗斯金把他自己的文学成就归功于这些严格的训练与研究。

苏格兰的史蒂文森是作家中的佼佼者，他是如何发展出使他得以闻名的那种迷人风格的呢？很幸运，他亲自把他的故事告诉了我们。

“每当我读到特别令我感到愉快的一本书或一段文章时——这

本书或文章很适当地叙述了一件事，或提出了某种印象，它们之中含有一股显而易见的力量，或是在风格上表现出愉快的特征——我一定要立刻坐下来，要求自己把这些特点模仿下来，第一次不会成功，于是再试一次，经常是连续多次不成功。至少，从这些失败的尝试里，我在文章的韵味、和谐、各部分的协调与构造方面，获得了一些练习的机会。

“我以这种勤勉的方式模仿海斯利特、兰姆、华兹华斯、布朗爵士、霍桑及蒙田。”

“不管喜欢与否，这就是我的方法。”大诗人济慈更是以这种方法学习，在文学上很少有比济慈更优美的气质了。

这种模仿方法最重要的一点就是要找好学习模仿的对象，对于所无法完全模仿的一些特点，去尝试并不怕失败。

“失败是成功之母”的确是一句古老而十分正确的格言。

林肯在写给一位渴望成为名律师的年轻人的信上说：“成功的秘诀就是拿起书本，仔细阅读及研究。努力工作才是最重要的。”

你可以从斑尼特的《如何充分利用一天的24小时》开始，这本书和洗冷水浴一样具有刺激的效果。它将告诉你很多你最感兴趣的事情，那就是你自己。它将向你显示你每天浪费了多少时间。这本书只有103页，你可以一周之内轻松地看完。

杰斐逊总统写道：“我已经放弃阅报，改为阅读古罗马历史学家泰西塔斯和古希腊史学家修昔底德的著作，我发现，我自己变得快乐多了。”如果你学习杰斐逊的做法，把阅报的时间至少缩短一半，几周之后，你将发现自己比以前更快乐、更聪明了，你难道不愿意如此尝试一个月，并把省下来的时间用来阅读一本好书？你在等待电梯、巴士、送餐、约会的时候，何不取出你随身携带的那本书来看看呢，它一定能增加及改进你的词汇。

如果你这样做，将会得到什么报酬呢？逐渐地，不知不觉地，但必然地，你的辞藻将会开始变得华丽而优雅。慢慢地，你也就具有了你这些精神伙伴的荣耀、美丽和高贵气质。德国大文豪歌德说：“告诉我，你读了些什么，我将要说出你是哪种人。”

马克·吐温是如何培养出他对语言文字的灵巧而熟练的运用能力呢？他年轻时，曾搭乘马车从密苏里州旅行到内华达州。旅程缓慢，且相当痛苦，马克·吐温随身带了一本厚厚的《韦氏大词典》。这本大词典伴他翻越山道，横渡荒凉的沙漠。他希望使自己成为文字的主人，因而努力从事为达成这项目标而必须做的工作。

庇特和查特罕爵士把词典念过两遍，每一页、每一词都读了两遍。替林肯写传记的尼可莱和海伊说，林肯常常坐在黄昏的阳光下翻阅词典，直到他看不清楚字迹为止。这些例子并不特殊，每一位杰出的作家及演说家都有过相同的经验。

威尔逊总统的英文造诣极高，他的一些作品在文学史上占有一席之地。下面是他亲口说出的他学习运用文字的方法。

“我的父亲绝对不准家中的任何人使用不正确的字句。任何一位小孩子说走了嘴，必须立即更正；任何生词立即予以解释；他鼓励我们每一个人把生词应用在日常的谈话中，以便将它牢记下来。”

纽约的一位演说家，一向以句子结构严密、文辞简洁美丽而得到人们很高的评价。他在一次谈话中，披露了他选择正确而有力文字的秘诀。每当他在谈话或阅读当中发现不熟悉的单词时，他立刻把它抄在备忘录上，晚上就寝之前他要先翻翻词典，弄清楚那个生词的意思。如果在白天没有收集到任何生词，他就阅读一两页费纳德著的《同义词、反义词及介系词》，研究每一个词的正确意义。一天一个新词，这就是他的座右铭。在一年当中，他至少可获得365件额外的表达工具。这些新词全都记在一个小笔记本上，白天一有空闲就取出来复习它们的词义，他发现，一个新词在使用过3次之后，就会成为他自己的词汇。

试着准确说出你的意思，表达你思想中最微妙的部分。这是很不容易办到的，即使是有经验的作家也不一定办得到。美国著名的女作家芳妮·赫斯特曾说，她有时候把写好的句子一再改写，难的要改写到几十次。有一次她特意计算了一下，发现她竟然把一个句子改写了104次。另一位作家辛勒说，她有时会花一整个下午的时间，只是为了从一个短篇小说中删去一两个句子。

美国政治家莫里斯曾这样评说著名作家大卫斯为了使作品精益求精，是如何潜心使用词句的：

他小说中的每一个词，都从他所能想到的有数的单词中挑选出来，都必须是最能经得起考验的词。他的每个词、每个句子、每一段落，每一页，甚至整篇小说，都是改了一遍又一遍。他采用的是一种“淘汰”原则。如果他希望描述一辆汽车转弯驶入某院大门，他首先要作冗长而详细的叙述，任何细节都不放过。然后，他开始逐一删减，在经过如此的努力之后，呈现在读者面前的就是那些简洁而明了的语句。有了这个特点，他的小说及爱情故事才会一直受到读者的喜爱。

※ 将自己的经历转化为演讲题目

有一次，卡耐基请讲习班上的老师们，用小纸条写出“初学者最容易面对的难题”。经过统计后发现，超过半数的老师都选择了这个问题：“教导初学者就适当的题目演说”。确实，这个问题是卡耐基上课初期最常遇到的问题。

什么才是适当的题目？假如你和它共同生活过，并最终将它变为自己的经验，你便可以确定这是个适合你的题目。怎么去寻找题目呢？深入你的记忆，从你的经历里去寻找那些有意义，且留给你深刻印象的事情。数年前，卡耐基根据听众的喜好作了一个题目调查，发现最为听众欣赏的题目，都是从演讲者的个人经历中演化而来的。

卡耐基指出，早年的成长历程、家庭和童年的回忆、学校的生活，这些题目会引起大多数人的共鸣。因为自己在成长过程中所克服的困难，能给别人带来启示，从而引起他人的兴趣。

不论何时何地，只要有可能，就把自己早年的实例穿插到演讲词中去。脍炙人口的戏词、电影和故事，都能让听众兴趣盎然。这些关乎人们早年遭遇的实例，会让听众有认同感，足见这方面的题材可用于演讲。但是，如何确定别人会对自己童年发生的小事产生兴趣呢？有个测验的方法：如果你在多年之后，仍然对此事印象深刻，宛如历历在目，那么别迟疑了，台下的听众一定愿意听你讲一讲。

卡耐基认为，以下这些个人的经历都可能转化为很好的演讲题目。

(1) 早年在事业上的奋斗

这是洋溢着人情味的经历。例如，叙述自己早年是如何为了发迹而努力的？你是如何才获得工作机会的？是什么样的情况造就了你的事业？告诉听众，你在这个错综复杂的世界中，为了创建事业所遭遇的挫折、你的希望，以及你的成就。如果你能诚挚地讲述出一个人真实的生活，这将是最保险的题材。

(2) 嗜好和娱乐

这方面的题目要依各人喜好而定，因此，也是最可能引发争议的题材。讲述一件自己爱好的事物，是不可能出差错的。他对某一特别的嗜好发自内心的热诚，能使你把这个题目清晰明白地讲给听众。

(3) 特殊的知识领域

多年在同一领域工作，已使你成为这方面的专家。运用你多年的工作经验来研究谈论相关话题，也能博得听众的注意力与尊重。

(4) 不寻常的经历

你见过大人物吗？你曾在炮火下生还吗？在你的一生中可经历过精神颓丧的危机？这些经验都可成为最佳的演说题材。

(5) 信仰与信念

或许你曾花费了很多精力去考虑如何面对这个纷繁复杂的世界，假使你确实在这方面下了苦功去研究，你就有资格去谈论它们。只是当你这样做的时候，一定不要忘记多举实例来说明自己的信念。听众可不爱听千篇一律的陈词滥调。此外，你也不能随意从报纸杂志上摘录信息作为自己的谈资。如果你在某方面的学识不比听众更深入，那你还是免谈为妙。可是反过来说，如果你确实耗费了多年的时间去研究某项课题，那么毫无疑问，这就是你该说的，你也一定要用到它。

卡耐基反复强调，演讲的准备不是对演讲稿的死记硬背，也不是机械地照猫画虎，更非随意从杂志报纸中抽取第二流的信息。它潜藏在你脑海和心灵深处，需要你深深地挖掘，将你过去数年贮藏的经验汇总讲解明白。不必怀疑你是否拥有它，它是取之不尽的。也不要说这样的题材太个人化，无法被听众接受。只从你自身考虑，问问自己：我是否愿意听到有关这个话题的演讲？相信你会得到肯定的答案。让你感动的题材必然会使听众感动，让你快乐的事情也能使听众开怀大笑。

只有谈论有关于自己的话题，才能有流畅而不间断的演讲，才能让你轻易、快捷地学会当众说话。

※ 一定要按照听众的兴趣来演讲

康威尔著名的演讲《如何寻找自己》，先后讲过近6000次。你或许会想，重复这么多次的演讲，应该已经根深蒂固地印在演讲者的脑海中，演讲时，学习与音调该不会再变了吧？其实不然，康威尔博士晓得听众的程度与背景各异。他觉得必须使听众感到他的演讲是独特的、生活的东西，是为这群，而且是专为这群听众而作的。他如何在一场接一场的演讲中成功地维系着演讲者、演讲与听众间活泼愉快的关系呢？

“当我去一城或某一镇访问时，”他写道，“却是设法尽早抵达，以便去看看邮政局长、理发师傅、学校校长、牧师们等，然后进店去同人们交谈，了解一下他们的历史与他们拥有的发展机会。然后，我才去发表演说，对那些人谈论适用于他们的题材。”

康威尔博士明白，成功的沟通，有赖演讲者使他的演讲成为听众的一部分，并使听众也成为其演讲的一部分。由于康威尔博士聪敏、善于洞察人性，而又谨慎勤奋，因此，同一演讲不会说上两次，尽管他就相同的题材已对将近6000场的听众讲过。你可借此例而有所领悟：准备演讲时，脑海中就想着特定的听众。

一般来说，应当根据听众的兴趣来演讲，既可以有效地吸引听众，又可以使自己尽早进入演讲的角色。康威尔博士就很注意这一点。他经常在自己的演讲中插入许多当地人的论述和实例。听众感兴趣，是因为他的谈话内容与他们有关，与他们的兴趣有关，与他们的问题有关。这种与听众最感兴趣的联系，也就是与听众本身的事物联系，将可把握听众的注意，并能保证沟通畅通无阻。

艾力克·钟斯顿曾任美国商会会长和电影协会会长，几乎在他的每一场演讲中都使用这种技巧。我们看他在俄克拉荷马大学的毕业典礼上，是多么机智地使自己很快就进入演讲角色，并使听众对演讲感兴趣。下面就是他的演讲：

“各位俄克拉荷马人，对于危言耸听的贩子们，再熟悉不过了。你们不必回想便会记起来。他们一向将俄克拉荷马州列于书本之外，以为它是永远绝望的冒险。在1930年，所有绝望的乌鸦都告诉其他的乌鸦们说：‘最好避开俄克拉荷马，除非自己携带口粮。’他们把俄克拉荷马的将来归为永恒不变的新美洲沙漠的一部分，认为永远不会再有东西开花的；但是到1940年，俄克拉荷马却成了花园地带以及人们举杯祝颂的对象。因为，这个地方再一次地有小麦的波浪起伏，散放清香。再过短短的10年之后，这个长久干旱的地带，遍地长满很高的玉米，这是信仰的结果，也是有计划冒险的结果……因此，我们观望自己的时代时，总是憧憬着未来。当我准备来访时，我曾去寻找档案里的《俄克拉荷马日报》，看看1901年的春天是怎样的。我想尝尝50年前在本地的生活滋味。结果我发现了什么？我发现了当地人全都很重视俄克拉荷马的未来，他们都对未来充满了希望。”

如果说按照听众的兴趣来演讲，这便是个绝佳的例子。艾力克·钟斯顿采用的有计划的冒险事例，实际来自于听众。他让听众觉得，他的演讲不是油印出来的复制，而是新鲜的，是特别为他们准备的。演讲者依着听众的关切和兴趣而讲，听众是不会不去注意的。这样，就必然能够很快地进入演讲的角色。

在演讲时可以先问问自己，所讲题材里的知识，能不能帮助听众解决问题，达到他们的目标。然后再开始说给他们听，这样就必然会获得他们的注意。如果你是个会计师，你的开场白可以这样说：“我现在要教你们如何可以省下55～100美元的退税。”如果你是律师，你告诉听众如何拟立遗嘱，你一定会赢得很多兴致勃勃的听众。当然，在你个人的知识蕴藏里，必然会有某个题目能对听众有所帮助。

许多人无法成为一名谈话好手，主要的原因是他们只会讲些他们自己感兴趣的事情。而这些事情却不是其他人感兴趣的。

把这种过程逆转过来吧，引导其他人谈论他的兴趣、他的事业、他的成就。如果对方是位母亲的话，谈谈她的孩子们，这样，你专注聆听对方说，将会给予他们乐趣。你将被认为是一位很好的谈话对手，即使你说得很少。

※ 精心准备一份思路清晰的演讲稿

在大多数人的心目中，没有什么事情比在众人面前演讲更使人感到害怕了。毫不奇怪，一项全国性的研究表明，演讲压倒经济问题、登高、深海、孤独、飞行……甚至死亡，成为一些人最感恐惧的事情。一想到自己站在众人面前，因紧张而结结巴巴的连话都说不出来，当众出丑，人们就对这种处境感到胆战心惊，自尊心也会受到严重的伤害。而这种紧张和恐惧，常常又会导致没有安全感；说话咕哝，表现欠佳，这样反过来又会使你更加坚信你的演讲注定要失败，这似乎成为了一种恶性循环。然而，也完全可以出现与此相反的情况：通过学习使自己能自信、大胆地演讲，你就能为自己创造成功的体验。但是，首先你必须意识到这样的成功完全在于你自己的努力。

人们常常陷入思考的陷阱之中，认为一个成功演讲人的素质是与生俱来的。代表这种看法的说法有：“他是一个天生的演说家”，或“我恨死了演讲——我就是不敢站在众人面前讲话”。事实上，演讲是一种任何人都能培养和掌握的技能。卡耐基发现，口头表达能力直接与准备时间的长短、研究工作做得如何、演练的次数以及在准备演讲稿和直观教具上付出努力的多少有关。无论你在演讲时感到多么的紧张和不舒服，经过认真的准备，你都可以成为一个成功的演讲者。说不定用不了多久，你可能就会喜欢演讲！

那么，怎样准备思路清晰的演讲稿呢？

（1）确定合适的题目

确定一个演讲的题目，你首先需要使自己沉浸于对一个问题的思考之中，然后把你的话题缩小到一个具体的题目上来。在酝酿题目的过程中，你需要思考你的演讲想达到一个什么样的目标。你想告诉人们重要的事实或观点吗？你想说服人们接受一种信仰，改变观点或采取某种行动吗？抑或你希望同时达到这两个基本的演讲目标？换而言之，通过明确你希望达到的目标，一开始就得出你演讲的结论，然后再返回头构造演讲，这样你就能实现这些演讲目标。

题目一旦选好，第一步要定出自己要演说的范围，并谨守在此范围内。不要妄想去涵盖一望无际的领域。

有个青年想要演讲两分钟，而他准备的题目却是《公元前500年的雅典与朝鲜战争》。卡耐基认为这简直就是个笑话！他才讲完雅典的建造，时间就已经用光了；他想在一场演讲中阐述太多的概念，却变成了个冤枉鬼。也许这是个极端的例子，但的确有许多演讲，都因范围不明确——涵盖太多的论点而无法把握听众的注意力，最终失败。怎么会这样呢？因为人的注意力不可能一直维持在一连串单一的事件上。假使你的讲演听起来像是世界年鉴，这也意味着你的演讲失去了重点。

选个简单的题目，像《黄石公园之旅》什么的。若是演讲者把自己限定在公园的某一方面，例如野生动物或温泉，这场演讲该会是多么的令人难以忘怀啊！这样，你便可以有时间来描绘生动的细节，使得黄石公园的色彩缤纷与变化无穷展现于听众眼前。

这个道理适用于任何题目，不管你要讲的是销售术、烤蛋糕、减免税赋或者是飞弹制造，全部都一样。开始之前，必须先对你的题目加以限制和选择，把它缩小到某一范围内，以便你能更好地利用时间。

在短短的不超过5分钟的演讲里，你只能期望自己说明一两点而已。在某些长的，比如那些达到30分钟的演讲中，演说者也很少能够一次把四五个概念讲透。

或许人们在演讲中最感恐惧的是“卡了壳”，或大脑一片混乱，没有头绪。如果你的思路很清楚，演讲的主要观点及它们之间的联系像一幅清晰的画映在脑子里，或写在演讲稿中，那么，这种思维“断电”或“卡壳”的现象就会大大地减少。

(2) 引人入胜的导言

这个部分主要告诉听众你想表述的主要观点是什么。但是，它也需要引人入胜，能抓住听众的注意力。许多演讲者喜欢用与演讲题目有关的个人经历来开头，这有助于把演讲人自己与听众联系起来，引发听众的兴趣。其他的导言方法包括：运用生动的实例，讲幽默故事，要求听众回答有争议的问题，或背诵一段名言等。在思考你的导言时，不妨想一下如果你是一位听众，怎样的开头才会引起你的注意。

(3) 充分论述的正文

这个部分主要是充分地论述你的观点。除了清楚地阐述你主要的观点之外，你也需要用一些实例、理由、证据和他人的证言来支撑你提出的观点。严密的组织正文取决于你演讲的内容和你想要达到的目标。有许多思考的模式，你可运用它们来组织书面的论文或口头演说。一般来说，在每一次的组织过程中，同时运用几种思考模式效果是很不错的。

(4) 总结性的结论

结论是对全文的综合，也即对主要的观点进行总结，一锤定音，以期给人留下深刻的印象。与导言一样，你可以用个人的经历、一段幽默的故事、一个生动的实例，或一句名言来结尾。

※ 在演讲前一定要进行完全的准备

卡耐基说：“在演讲前一定要进行完全的准备。”

“完全的准备”是指要完全将演讲稿背诵下来吗？如果有人提出这个问题，卡耐基就会大声说：“不！”为了不出丑，免得在当众说话时处于思维混乱的境地，很多演讲者便一头栽进背诵的误区里。一旦染上这种心理麻醉的瘾，便会不可救药地浪费大量的时间去作无用的准备，这将会毁掉演说。

资深的美国评论家卡龙·波恩在哈佛大学当学生时，也曾参加过一项演讲竞赛。当时他准备的是一则题目为《先生们，国王》的短篇故事。他把这篇故事逐字逐句地背诵下来，并且预讲了数百次。

比赛那天，他刚说出题目“先生们，国王”，脑子里便空白一片，什么都想不起来了。他又惊又怕，几乎不知所措。在绝望之中，他只能用自己的话来阐述这个故事。而最终当他拿到第一名的奖章时，他简直认为自己是在做梦。从那天开始，卡龙·波恩再也不曾背诵过一篇演讲稿，这也是他广播事业成功的秘诀。他只会提前做重点笔记，然后用自己的语言向听众陈述出来。

卡耐基指出，背诵演讲稿，不仅浪费时间和精力，反而易招来失败。我们平时说话总是发于自然。我们无时无刻不处于思考当中，当思绪成熟时，语言便会自动从心里流淌出来的，而不需要加以琢磨考虑。

话虽这么说，但做起来却并不容易，就算是温斯顿·丘吉尔也费尽周折才学到了这一点。年轻时的丘吉尔也喜欢编写、背诵演讲稿。然而，某天当他在英国国会召开前，独自背诵演讲稿时，忽然思绪被卡住了，无论他如何努力，也记不起下一句是什么。他感到非常尴尬，连忙从头再背了一次，然而情况还是一样，他无法把整篇演讲稿完整地背诵下来。他的脸憋成了猪肝色，脖子上青筋绽出，一切无济于事，他只能颓然坐下。从那以后，丘吉尔再也不背诵演讲稿了。

逐字逐句地背诵演讲稿，在面对听众的时候，便很可能会遗忘。即使完整地背下来了，我们的演讲方式也会变得十分僵硬。这是为什么呢？因为它不是来自我们的内心，只是机械地复述而已。在平时与人交谈时，我们会自然而然地把心中所想的说出来，并未特别留意遣词造句。如果我们一直都是这么做的，那么面对听众时，我们又何必去改。如果你一定写演讲稿，记演讲词，你就很可能会重蹈因死记演讲稿而失败的演讲者的覆辙。

凡斯是巴黎波欧艺术学校的学生，几十年后他成了世界最大保险公司之一——衡平保险公司的副总裁。他年轻时，曾被派遣到弗吉尼亚州的“白矿泉”，在来自全美各地2000名“衡平人寿”代表所组成的会议中发表演讲。当时他从事保险行业才不过两年，但是由于业绩突出，因此他被安排要做20分钟的演讲。

听到这个消息后，凡斯欣喜异常，他觉得这是个出人头地的机会。然而，不幸的是，他犯了个愚蠢的错误。他把演讲词整个背了下来，并在镜子前反复练习了40多次。在他看来，一切已准备就绪，就连每个动作、表情，他都设计得天衣无缝。

当凡斯站起身演讲时，却忽然害怕了起来。他只说了一句：“我在本计划里的职责是……”就再也说不下去了，他的脑袋一片空白。慌乱之下，他咳嗽了两声，打算重来。但那些演讲词却无论如何也想不起来了。他把那句话重复了3次，仍然无法接着继续下去。看到台下人们脸上的笑容，他不禁向后退去。演讲台有4英尺高，后面没有栏杆，讲台与墙之间还隔有5英尺宽的距离。由于不住地后退，他一不小心，竟然后仰摔下了讲台，被夹在了讲台和墙壁的缝隙里。听众随即哄堂大笑，有个人因笑得太过厉害，甚至翻出椅子，摔到了过道上。在衡平保险公司的历史上，在演讲台上出了这样滑稽事件的只有凡斯一个人。更为可笑的是，观众还以为这是娱乐节目，不住地叫好，希望他再表演一次。至今，衡平保险公司的老员工们，还对这次表演津津乐道。

那么，演说者本人——凡斯又如何呢？他告诉卡耐基说，演讲之后的那一段日子，是他一生中最难熬的时光。他觉得羞愧难当，便递交了辞职信。

凡斯的上司把信撕掉，并最终说服了他，鼓励他应该重建自信，而凡斯也确实那样做了。在那次事件之后，凡斯再也不写什么演讲稿了，更不要说去死记硬背。现在，他成了公司里首屈一指的演讲好手。

卡耐基指出，对演讲内容进行认真的研究和精心的组织，形成思路清晰的演讲稿，是使你的演讲取得成功的必要条件。但卡耐基提醒我们，除此之外，也有其他一些需要注意的重要因素。

(1) 熟悉演讲稿，对内容做到胸有成竹

虽然你可以把你演讲的内容全部写出来，但是，千万不要照本宣科。当你照着准备好的演讲稿去念时，你的声音听起来就很不自然，很呆板，你就无法经常与听众进行目光接触。听众喜欢对着他们讲话，也就是说你应该看着他们，讲话充满活力，表明你确实像你说的那样在思考，而不是简单地宣读以前准备好的思想。为了使你的演讲取得满意的效果，而不是照本宣科，你需要进行预演，直到你完全熟悉了演讲的内容，然后，准备好提醒自己主要观点的演讲稿。如果你在演讲中，一时找不到演讲稿中的某个准确的措辞或恰当的用语，请不必着急：你只要与听众进行直接的和亲密的接触，就能弥补这一点。

(2) 运用辅助的直观教具

研究表明，对人们所听到的东西，他们只能加工处理和记住少部分的内容。因此，直观的教具，如图表、实例、图片、录像片段等，就成为辅助和强化你演讲内容非常有效的手段。他们可以为听众提供其他的参考资料，帮助听众把你讲的内容综合到他们自己认识的框架之中。许多人喜欢用投影仪来辅助演讲，而有的人则比较喜欢给听众分发复印材料，这样听众可在上面做笔记，并保留起来作为将来的参考。

(3) 演讲要有自信，充满活力

虽然你在内心中可能因恐慌和没有安全感而发出尖叫，但是，你在外表上必须表现得镇定自若，充满信心。外表镇定自若实际上会使你感到更有自信，并唤起听众对你的信心。站在那里，姿态端庄，直视听众；说话响亮，清晰，不要太快；你的一举一动都要表现出你对自己很有自信。总之，通过你的举动表现出你相信自己和你演讲的内容，那么，你的听众也会信任你，这反过来又会增强你的自信心，有助于你更加相信自己。

(4) 运用好非言语动作

在演讲时，通过面部表情、姿势、声调和身体动作等“非言语动作”，可以给听众传达许多信息。在演讲时，努力使自己放松下来，不时地来回走动，辅之以恰当的手势，从而给自己演讲的内容以及你传递的思想注入活力和感情。要达到这种境界，你需要在朋友或家人面前（及镜子前）进行练习，并征求他们的看法和意见。

※ 保持轻松乐观的态度，克制羞怯和恐惧

卡耐基指出，当你发表演讲时，你一定要让自己在众人面前说话时，保持轻松乐观的态度；你一定要把决心印记在每个词句、每项行动上，倾全力培养这种能力。因为任何人若想迎接语言挑战，达到言简意赅的地步，就必须具备断然的决心。

有这样一个人，卡耐基了解他时他已高高地登上经营的阶梯，成为商界里的传奇人物；但是在大学时代，他初次起立讲话时，却因言辞不足而失败，老师指定的5分钟讲演，他讲不到1分钟，便脸色发白，噙着眼泪匆匆走下讲台。那个青年学生虽有那样的经历，却不肯让那样的失败击倒他。他立下决心要做个优秀的演说家，片刻不懈，最后终于成为政府的经济顾问，举世钦重，他就是蓝道尔。

蓝道尔在他发人深省的著作《自由的信念》一书中，提到当众演讲时写道："我的演讲排得满满的，现身的场合有厂商协会的午、晚餐会，还有商务部、扶轮社、基金筹募会、校友会等。我曾经在密歇根州的艾斯肯那巴发表爱国演说，于慷慨激昂中投身一次世界大战；我曾与米基·龙尼下乡作慈善演讲，与哈佛大学校长柯南和芝加哥大学校长胡钦斯下乡宣导教育；我甚至曾以极蹩脚的法语做过一场餐后演说。我想我了解听众要听的是什么，以及他们希望它被怎样地讲出来，对于堪当事业重任的人而言，这其中的窍门是：只要他愿意去学，没有什么学不会的。"

在卡耐基训练班里，有个人一开始就不以做一名房屋建造商为满足，他要做"全美房屋建造协会"的发言人。他最想要做的是，在全国上下奔走，告诉人们他在房屋建造业中所遭遇的问题与获得的成就。他有死命地狂热，他想要谈论的，不只是地方性的问题，还包括全国性的问题，并且他对这些欲望绝非三心二意。他彻底地准备自己的演讲，仔细地练习，绝不错过一次上课的机会，哪怕是在一年里最忙碌的时节。他毫不含糊地依学生本分去做，结果他进

步神速，连自己都感到吃惊。两个月的时间，他就已经成了班上的佼佼者，被选为该班班长。他的名字叫哈佛斯蒂。

约一年后，主持该班的教师这样写道：“我已经完全忘了俄亥俄州的哈佛斯蒂了。

“一天早晨，用早餐的时候，我打开《维吉尼向导》，其中赫然有幅他的照片与一篇称誉他的报道。前一天晚上，他在地区建造商的盛大聚会中发表演说，依我看，他岂止是‘全国房屋建造协会’的发言人而已，他其实就是会长呢！”

因此，要想成功，必须具备的条件就是：用欲望来提高热情，用毅力来磨平高山，以及相信自己一定会成功。在卡耐基演讲口才训练班里，有一个经久不变的规定，就是每个学生至少必须在同学面前演讲 1 ～ 2 次。为什么？因为不当众说话，谁也学不会在大庭广众面前演讲的——就好比一个人不下水，便学不会游泳一样。你可以把有关当众演讲的著作都读遍，却依旧开不了口。书本只是能对读者起到一种指引作用，而读者要想有收获，还必须将书上的建议付诸实施才行。

当萧伯纳被询问他是如何学会这种声势夺人的演讲方式时，他答道：“我是以溜冰的方法来做的——我一个劲地让自己出丑，直到我习以为常。”年轻时，萧伯纳是伦敦最胆怯的人之一，他常常犹豫地走个 20 多分钟，才会壮起胆子，去叩响别人的家门。他承认：“很少有人像我这样，因为单纯的胆怯而痛苦，并为之感到羞耻。”

后来，他无意间用了最好、最快、最有把握的方法来克制羞怯、胆小和恐惧。他决心把弱点变为自己最强劲的资产。他加入了一个辩论学会。伦敦每有公众讨论的聚会，他必定会参加。由于全心投入社会主义运动，并四处为该运动演讲，结果，他变成了 20 世纪上半叶里最出色的演说家之一。

说话的机会随处皆有，不妨参加任一组织，志愿从事需要讲话的职务。在公众聚会里站起身来，让自己出个头。去试着教教书，或是做个童子军领队或加入团体，让自己有机会可以活跃在各个聚会当中。你只要往周围望望，便会发现，没有那种商务活动、社交、政治、事业，甚至是社区里的活动，是你不必举步向前，开口说话的。除非你说话，不停地说，否则你永远也不知道自己会有怎样的进步。

※ 在演讲中讲好故事，引起听众的兴趣

在演讲中，适时插入一个好故事，更能引起听众的兴趣。

讲故事，有 5 个要素，何时、何地、何人、何事、何故，每一个故事都应该包括这五项内容，才算表达清楚，何时的表述要注意开门见山，警示性的引起听众注意，何地的表述要尽快地进入场景，这样才会突出你想表达的主题，何人的表述要有名有姓，有名有姓才显得真实，也方便听众理清思路，何事的表述应注意具体化。描述细节化，何故的表述相对不太重要，是对听众一个心理释放。

讲故事，最重要的是对何事的讲解，换句话说也就是重现场景。重现场景的一个技巧就是表达具体化。描述细节化，这才能使听众以一个一致性的画面进入情节，限制听众的随意思考。

卡耐基指出，在讲故事的时候，要注意如下几点。

①不要用模糊的概念。“可能是甲，可能乙”，“好像是 1938 年”等句子，模糊的概念可能会转移听众的一部分注意力，也会使你的故事的真实性显得有点下降。相比之下，直接确定为甲，或是直接说是 1938 年，故事则显得更有说服力。

②不要用解释性的语言，尽量使用描述性的语言。在描述故事的天气时，如果你说“那天因为天气很热，所以我穿得很少”，就不如“那天天气太热，我只穿了个裤衩”；“因为台子有 8 米高，所以我站在上面发抖”，也不如“我站在 8 米高的台子上，双腿发抖”这样不会使人的思维走岔路。

③讲故事时，不要有谦虚的开场白。这样无疑会打击听众的信心，认为从你的讲话中学不到什么东西；而且你自己连这个自信都没有，如何让听众有这个自信？一般情况下，一个话语啰的人往往是讲半天话还在兜圈子，这时听众已经听烦了，大量的圈外活动使听众的心理期待数次落空。这时你的讲话就很难达到预期的效果。

④把握好第一句。在讲故事之前，第一句话的语音语调语速，

是非常关键的。如果第一句话较有力，那么首先会吸引听众的吸引力，再者下面的故事陈述就会流畅得多。所以，在讲话之前，要吸一口气稳一下自己的心神，然后再开始，不要慌慌张张地开始。

⑤尽量用生动的事实进行描述。在讲一个事情或心理的效果时，尽量使用事实来侧面反衬，这样给听众的印象是生动的、形象的、记忆深刻的。比如描述害怕，说事后发现衣服湿透了，则更加逼真。

⑥避免使用抽象化的语言。如果你想陈述你的学习成绩，如果你说你“总是优秀”，就是一个笼统概念；你要说，你考试成绩“不是第一，就是第二”，就会取得更好的效果。

⑦运用恰当的比喻。一个恰当的比喻，可以省略你10分钟的描述，如“长得像葛优”，下面关于长相的话就不用说了，人物也活了。

※ 最好以自己的亲身经历来证明论据

多年前，卡耐基的训练班的教师们在芝加哥的康拉德·希尔顿饭店开会。会中，一位学员站起来说：“自由、平等、博爱，这些是人类历史上最伟大的思想。没有自由，生命就变得毫无价值。试想，人类的行动若是处处受限，那会是怎样的一种生活？”

这位学员只说到这里，就被他的老师制止了，老师问他为什么会发表出这样的高论，为什么会有这样的论点？是否有什么亲身经历，或是亲眼所见来证明他所说的一切。于是，他讲了一个动人心魄的故事。

他曾是法国的一名地下斗士。他讲述了他和家人在纳粹的压迫下所遭受的屈辱。他以鲜明、简洁的言辞叙述了自己这一家人是如何逃过秘密警察的追捕，逃到美国来的。他以这样的语言作为结束词：“今天，我能自由地走下密歇根街来到这家饭店，没人阻拦我。当我经过一位警察的身边时，他对我毫不理会。而当我走进饭店时，也不需要出示身份证。会议结束后，我可以依照自己的想法，前往任何地方。因此请相信，自由是值得奋斗的。”

这位学员话音刚落，全场的人都站起来热烈的鼓掌。

卡耐基指出，述说生活经验的演说者，永远不会令听众厌倦。

然而，很多演说者并不认同这个真理，他们避免谈及自己的往事，认为这太琐碎且具有局限性。比起亲身体验，他们宁愿漫无边际地扯一些主观的概念以及哲学原则。可悲的是，他们全没想到“阳春白雪”毕竟只有少数人才能理解，凡夫俗子更愿意从别人的处事经验中吸取养分。我们渴望新闻，他们却给予社论。当然，我们不是说要反对社论，只是这要由具有谈论资格的人来讲述——比如报社编辑。因此，如果你把重点放在生命对你的启示上，别人就愿意坐下来听你述说。

爱默生就喜欢听人讲自己的经历，不论对方的身份多么卑微，他也能听得津津有味。因为他觉得自己从任何人身上都能学到东西。

卡耐基指出：“一个人若是以他的亲身经历来证明论据，无论他的道理多么琐碎，多么微不足道，我也总觉得受益匪浅。”

数年前，卡耐基讲习班上的一位教师为纽约市立银行的资深官员开设了当众说话的课程。这些高官平日忙得分不开身，常常为没有时间做事先准备而烦恼。他们毕生所学到的，都是一己的思想；看问题站在个人角度；获得的也是自己的原始经验。他们已经积存了 40 年的谈话材料，但他们当中的大部分人就是不明白这一点。

一个星期五，从事银行工作的麦克逊先生发现自己的讲台下站着 45 人，而他要讲的是什么呢？在来此之前，他走出办公室，在报摊上买了一份《弗贝》杂志。在路途中，他读了杂志中一篇名为《十年成功秘诀》的文章。他读这篇文章并非出于兴趣，而是必须在演讲前多吸收些东西作为谈资。

一个小时后，他站起身来，打算把这篇文章完美地诠释一遍，想让听众信服。

结果又如何呢？

麦克逊没有消化那篇文章的内容，没有将它变成“自己的东西”。“想要”这个词用在这里十分恰当，他只是“想要”而已，他摸索着把内容讲解了出来，但却毫无头绪，让人摸不着头脑；他的仪态和音调也暴露出这一缺点——像这样的演讲，又怎么能期待听众与他产生共鸣呢？他不断地提到那篇文章，引用作者的言论。在他的演说里，充斥着《弗贝》杂志的内容，让听众听得厌烦，遗憾的是他自己的东西却太少了。

当他演讲完毕，老师这样问他说："麦克逊先生，我们对那篇文章和那位不知何方神圣的作者不感兴趣。他不在这儿，我们也不打算去拜访他。可是我们想听听你的意见，你对事物的看法。告诉我们，你是怎么想的。不要谈别人如何，只要把你的想法放到演讲里就足够了。下个星期请你再演讲这个题目好吗？把这篇文章再读一遍，问问自己是否同意作者的观点。如果是，就将你的看法与作者的相结合，并根据自己的经验阐述出来；如果不同意，就谈出区别，告诉我们为什么。将这篇文章作为一个起点，而不是将它当做拐杖。"

晚上回家后，麦克逊先生重读了这篇文章，他不得不承认自己并不同意作者的论点。紧接着，他开动大脑去思考自己的想法，结合自己的生活经验得出独特的结论。他以自己在银行工作的经历为铺垫，详尽地推演。扩展了自己的思绪。在后来的演讲中，充满了他个人的思想，他讲给我们的不再是"加热"过后的杂志文章了，他留给我们的是矿石，而自己得到的是金币。那是一场撼动人心的演讲。

※　讲演者要能够为提供热情和兴趣

卡耐基一再强调，对自己的题目要有深切的感受，这一点极为重要。他说，除非对自己所选择的题目有着特别偏爱的情感，否则就不要期望听众会相信你那一套话。道理很明显，如果一个人对选择的题目有实际接触与经验，对它充满热诚，那么就不愁到时会不热心了。几十年前，卡耐基在纽约遇到一场演讲，其热诚所造成的说服力，至今无有出其右者。卡耐基说这次演讲是真诚战胜常识的绝例。

在纽约一家售卖公司里，有个一流的销货员提出反常的论调，说他已经能够使"兰草"在无种子、无草根的情形之下生长。根据他的经验，他将山胡桃木的灰烬撒在新犁过的土壤里，然后一眨眼间兰草便出现了！他坚决相信山胡桃木灰而且只有山胡桃木灰是兰草长出的原因。

评论他的演讲时，卡耐基曾温和地对他指出，他这种非凡的发现，如果是真的，将使他一夜之间成为百万富翁。因为兰草种子每公斤价值好几块钱。卡耐基还告诉他，这项发现会使他成为人类史上一位极杰出的科学家。其他人也都觉得他说得非常荒谬，而他连一点点的领悟也没有。他对自己的理论非常热烈，热得不可救药。他即刻站起来告诉卡耐基，他没有错。他抗议说，他并未引据理论，只是陈述自己的经验而已。他说他知道自己说话的对象的，并继续往下说，扩大了原先的论述，提出更多的资料，举出更多的证据，他的声音充满着真诚与诚实。

事情的发展简直令不可思议。好几个学生都站到他那边去了，许多人开始怀疑。卡耐基也知道一半以上的人将会站在他那边。于是就问那些站到他那边的人，是什么动摇了他们原先的观点的？他们一个接一个，都说是演讲者的热诚和笃信使他们自己怀疑起常识的观点来。

由于人们如此易于轻信，卡耐基只得写信给农业部请教这个问题。果然，农业部的人答复说，要使兰草或其他活的东西自山桃木灰里长出，是不可能的，他们并且说，他们还从纽约收到另一封信，也是问这样的问题。原来那位销售员对自己的主张太有把握了，因此回去后也即刻写了封信。

这种事给了卡耐基一个难忘的启示。演讲者若是热切强烈地相信某件事，并热切强烈地演讲它，便能获得人们对他的信任和拥护，即使是他宣称自己能由山胡桃木灰当中培植出兰草也无妨。既然这样，我们所归纳、整理出来的信念，即使在常识和真理这边，又会有多大的说服力呢？

几乎所有的演讲者都会怀疑，自己选择的题目是否能引起听众的兴趣。只有一个方法保证会叫他们感兴趣，那就是点燃自己对题目的狂热，就不怕不能把握人们的兴趣了。

多年前，卡耐基听到一个人在演说中警告听众，如果任由人们在奇沙比克湾捕石鱼的方法继续下去，而且不出数年这个品种便会绝迹。他对自己的题目确实感受深刻，对它是真诚热烈之至，他的内容及态度实在都显示出这一点。其实，在他起初讲话时，卡耐基也不晓得奇沙比克湾里有什么石鱼这玩意儿。他猜想多数听众也和他一样孤陋寡闻，并且缺乏兴趣。可是，这个演讲者尚未讲完，卡耐基说恐怕我们全体已经愿意联名向立法机关请求立法、保护石鱼了。

有一次，有人问起前美国驻意大利大使理查·华须本·乔尔德，他何以能成为一位意趣无穷的作家？成功的窍门在哪里？他回答说："我非常热爱生命，因而无法静下来不动，只是觉得必须告诉人们这点而已。"遇上像他这样的演讲者或作者，也由不得不为他所吸引了。

在伦敦，有一次卡耐基和一行人听完演讲后，其中一个著名的英国小说家说这场演讲的最后一部分要比第一部分更令他所欣赏。卡耐基问他何以如此，他回答说："演讲者本身似乎对最后一部分兴趣较大，而我一向都是依赖演讲人来为我提供热情和兴趣的。"

在现实生活中，每个人都是如此，所以，一定要记住这一点：点燃自己对题目的狂热，就不怕不能把握人们的兴趣了。

※ 一定要使自己的演讲语言生动具体化

在第一次世界大战期间，一位著名的英国主教对军队讲话。他们正要前往战壕作战，其中只有少数人了解自己为什么被派往前线作战。可是这位主教却对他们大谈"国际亲善"以及"塞尔维亚在太阳下应有权占一席之地"的话。他们之中，半数的人连塞尔维亚是城镇还是疾病都不知道。既然如此，他倒不如对精深的"星云学说"发表一篇响亮的颂词，不过，在他演讲中，倒没有一个骑兵想要乘机溜掉，宪兵就站在每个出口上，防止他们逃掉。

卡耐基认为，这位主教是一个不折不扣的学者。在一群宗教人士面前，他很可能声势夺人，功力尽见；但对这些军人却失败了，而且是全军覆没。原因何在？他不了解他的听众，也显然不知道自己演讲的真实目的，也不知如何达成目标。换句话说，就是没有使自己的演讲具体化。

那么，演讲的目的是什么呢？卡耐基指出，任何演讲，无论选择什么样的题目，它的目的都被包含在以下这四项里：一是说服或引发行动；二是说明情况；三是增强印象，使人信服；四是娱乐大众。

卡耐基曾以林肯总统演说生涯里一些具体的实例，来说明这一问题。

很少人知道林肯曾经发明过一种装置并获得专利，这种装置可将搁浅在沙滩或其他阻碍物上的船只吊起。他在自己律师办公室附近的技工店里，制造了这种器械模型。遇着朋友上办公室来看模型时，他便不厌其烦地讲解，这种讲解的主要目的，便是说明情况。

当林肯在盖茨堡发表精彩的演讲时，当他作第一次和第二次总统就职演讲时，当亨利·柯雷过世，他就其一生发表演讲时，在所有这些场合里，林肯的主要目的都是增强听众的印象，使人信服。

他对陪审团讲话时，是想赢得有利的决定。在政治演讲里，是想赢得选票。他的目的，在这时便是获得行动。

林肯在当选总统的两年前，曾准备了一个有关发明的演讲，他的目的是想使人们快乐，至少，那是他原先的目标，可惜没有成功。他想做个通俗演说家，结果在这方面却是挫折不断，有一次在某镇里甚至没有任何人来听。

可是他在别的演说上却出人意料地成功了，其中一些已经成为人类语言中的经典之作。原因何在？主要是他在这些演说里了解自己要达到的目标，并懂得如何使自己的演讲具体化。

卡耐基曾举过这样一个事例：假如你想说明，尼加拉大瀑布每天浪费掉的潜在能量极为惊人。如果你只是在这后面接着说，如果这些能量能够加以利用，并以它的收益来购买生活必需品，那么将有很多人可以获得温饱。这样的叙述方法是否能引起听众的兴趣呢？不能！我们来看看爱德文·史洛森在《每日科学新闻公报》中对这件事的报道。

我们知道，美国境内有几百万穷人，吃不饱，穿不暖。然而在尼加拉瀑布这儿，却平均每小时浪费相当于 25 万块面包的能量。

我们可以这样想象，每小时有60万枚新鲜的鸡蛋从悬崖上掉下去，在旋涡中制成一个大蛋卷。如果印花布不断从一架像尼加拉河那样宽达4000英尺的织布机上织出来，那也就表示同样数量的布料被浪费掉了。如果把我国图书馆放在瀑布底下，大约在一两小时内就能使整座图书馆装满各种好书。或者，我们也可以想象，一家大百货公司每天从伊利湖上游漂下来，把它的各种商品冲落到160英尺下的岩石上。

看看这里有哪些形象般的字句。它们在每一个句子中跳跃出来，然后迸到你眼前，给你直观的刺激："25万块面包；60万枚鲜鲜的鸡蛋自悬崖上掉下去；旋涡中的大蛋卷；印花布从4000英尺宽的织布机织出来；一个漂浮的大图书馆被冲落；悬崖下面的岩石和瀑布。"

要想不理会这样的一场演说或文章，就如同拒绝观看电影院里放映的精彩片段一样困难。

赫伯特·斯宾塞早已在他那篇著名的论文《风格哲学》中指出，优秀的文字能够唤起读者对鲜明图画的联想。

当我们思考一件事情时，不要用一般性的抽象概念，而要用特殊的形象概念。我们应该尽量避免写出像这样的句子："一个国家的民族性、风俗及娱乐，如果是残酷而且野蛮，那么，他们的刑罚必然严厉。"应该把它们改成下面这样："一个国家的老百姓如果喜爱战争、斗牛，并欣赏奴隶公开格斗以此取乐，那么，他们的刑罚必将包括最不人道的绞刑、烧烙、拷打。"

在《圣经》和莎士比亚的著作中，能够带给人图画般享受的句子，多得像春天的蜜蜂。例如，一位作家曾说，多余的兴味，就是把已经完美的事物再试图加以改善。莎士比亚如何表达这同样的想法呢？他写出了精彩的句子："替提炼过的黄金镀金；给百合画上油彩；把香水洒在紫罗兰上。"

你可曾注意到，那些世代相传的谚语，几乎全部是具有视觉效果的字句？在那些长久流传被广泛使用的比喻里，更是不难发现同样的图画般的效果："狡猾得像只狐狸""跑得比兔子还快""僵死得像一枚门钉”“像煎饼那般扁平”“硬得像石头”“像打字机那般机械”“像去年的鸟巢那般毫无生气”。

林肯一向爱用具有视觉效果的词句来说话。当他对每天送到白宫办公桌上的那些冗长、复杂的官式报告感到厌倦时，他提出了反对意见。但是，他不会以那种平淡的词句来表达，而是说出令人记忆深刻的图画式的语言：“当我派一个人出去买马时，”他说，“我并不希望这个人告诉我这匹马的尾巴有多少根毛，我只希望知道它的特点何在。”

将视线投在明确而特殊的事物上，描绘出心灵的图景。使它与众不同，形象而分明，如映衬着落日余晖的公鹿头角的长影。比方说，“狗”这个字，便或多或少地使人想起了这种动物的影像：也许是只短腿、长毛、大耳下垂的小猎犬；也许是一只苏格兰犬；或是只灰色大狼狗；或者是只德国黑贝。如果演说者仅仅说出“牛犬”，那么跳入你脑海中的形象，能够有多鲜明？恐怕你没有什么印象，因为这个名词包含的意义较单纯。

“一只有斑纹的牛犬”是不是唤起了比刚才更鲜明的形象？说“一匹黑色的雪特小马”是否比说“一匹马”形象了许多？“一只白色，断了腿的矮公鸡”，难道不比光是“鸡”一个字，给人更真切而显明的图像感吗？“他手里拿着一条香烟”，听了这句话，听众得到的只是一个模糊的印象，为什么不再具体一点说“一条骆驼牌香烟”？这样，那条骆驼牌香烟就清晰地“画”在听众的面前了。

《风格之要素》的作者说：“那些精通写作艺术的人，如果有一共性的话，那就是：认为唤起并掌握读者注意力，最稳妥的方法是要详细，要明确，要具体。最伟大的作家如荷马、但丁、莎士比亚，他们之所以高明，多半是由于他们有能力处理特殊的情况，并可以叙写出紧要的细节。他们的词句能唤起读者脑海里的景象。”写作是这样，讲话也如此。

有位法国哲学家说：“抽象的风格总是晦涩的，在你的句子里应该充满了石头、金属、椅子、桌子、动物、男人和女人这类通俗易懂的言辞。”

日常对话也是这样。这些技巧使得谈话焕发生气和光彩的。任何人只要想成为更高明的演说者，都可遵循这里的劝告并付诸实践，相信你必定获益匪浅。销售员把细节应用在推销讲词里，也会发现它具有特别的魔力。那些担任主管职务的人、家庭主妇，及教师们，更会发现自己在下达命令和传授知识、发布消息的方式和效果上，因使用的具体、实际的细节而大有改进。

※　打开沟通之门，拉近与听众的距离

通过一定的联系与听众融为一体。也有助于演讲者很快进入角色，缩短与听众之间的距离。在演讲中，最好是一开始便指出自己与听众之间有某种关系。如果觉得很荣幸能应邀发表演说，就照实说。如哈罗德·麦克阿兰在印第安那州的德堡大学向毕业班发表演说时，开头一句话便拉近了与听众沟通的距离。

“我很感激各位热烈的欢迎，身为英国的首相，应邀前来德堡大学，实非寻常等闲之事。不过我认为，本人当前的政府职位，恐怕不是各位盛邀的主因。”接着，他提到自己的母亲是美国人，出生于印第安纳州，而父亲则是德堡大学首届毕业生之一。他接着说：“我可以向各位保证，我深以与德堡大学有关联为荣，并以重温故乡的传统为傲。”

毋庸置疑，哈罗德·麦克阿兰提到美国学校，以及他母亲和身为先驱的父亲所知悉的美国式生活，即刻就替自己赢得了友谊，也使自己很快进入了演讲角色。

另一种可以打开沟通之门的方法，是使用听众中的人名。

有一次，卡耐基在宴会上坐在主持人旁边，他很惊异主持人对于大厅里的每个人都非常好奇。因为他不停地问宴会主人，某一个穿蓝色西装的人是谁，那帽子缀满花朵的女子芳名叫什么，但等他起身说话时，好奇的原因立刻便显露了。他非常机智地把方才得知的名字编入自己的演讲里，而名字被提到的那些人脸上有着显著的快乐，这个简单的技巧为演讲者赢得了听众的友谊，并使他在一片掌声中进入了角色。

通用动力公司总裁法兰克•裴斯在演讲中也曾使用过几个名字，产生了意想不到的效果。他在纽约“美国生活宗教公司”一年一度的晚宴上演讲时说：

“在许多方面对我而言，今晚是最令我愉快的一晚。首先，我自己的牧师罗伯·艾坡亚便在听众席里。他的言语、行为和领导，已使他成为我个人、家人，以及整个会众的一种激励和启示。其次，路易·施特劳斯和鲍伯·史帝文斯二人对宗教的热诚，已由他们对公共事业的热忱说明无遗。坐在他们二位中间的，是给我带来莫大快乐的源泉之一的……”

要小心的是，如果要在演说里用上奇特的名字，这些名字是为了这个场合经由询问而得知的，就必须确定它们正确无误，必须了解自己使用这些名字的原因，并只能以一种友好的方式来提到它们。

另一种可以使听众的注意力保持在巅峰状态的方法，就是采用代名词“你”，而不要用“他们”。这种方式可以使听众维持在自我感觉的状态中。演说者如果想把握听众的注意力和兴趣，这一点是不容忽视的。美国医药协会的健康教育组组长包尔博士很受听众欢迎，他就常在无线电和电视演讲中采用这个技巧。他有一次这样对听众说：“我们都想知道怎样去选个好医生，对不？我们既然想从医生那里获得最佳服务，我们是否应该知道怎样做个好病人呢？”

※ 采用良好的身体姿态以吸引听众的注意力

卡耐基发现，演讲时保持良好的姿态，对于吸引听众的注意力，并从而融听众于演讲中，引起他们共鸣也有积极的作用。

他建议，演说者在演说之前，不要坐着面对听众，而应以崭新的姿态到达会场，这样比听众眼中的老形象要好一些。

但是，如果我们必须先坐下来，那么，我们就要十分注意我们坐的姿势。你一定看过别人四处张望找空位子的情形，那很像一头猎犬在找一处可让它躺下来过夜的地方。他们四处张望，当他们真的找到一张椅子，他们就会加快脚步跑上前去，然后就像扔一个口袋般把自己的身体猛地放到椅子上去。

懂得坐下艺术的人，先用脚背碰一下椅子，然后使头部到臀部轻松地维持直立的姿势，在完美地控制下，使自己缓缓坐下去。

卡耐基反复强调，在演讲的过程中，不要玩弄你的衣服或你的首饰，因为这样做会使听众分散对你的注意力。另外还有一个原因，这样做会给人一种懦弱且缺乏自我控制力的印象。任何不能增加你演说分量的动作都会减少听众对你的注意力。没有任何动作是不会吸引听众注意力的。因此，你必须以一种平静的状态站着或坐着，控制你自己的身体，这将使听众对你产生一种有心理控制力、泰然自若的感觉。

当你准备站起来向听众发表演说时，不要急急忙忙地开口。这是业余演说家的通病。先深深吸一口气，望着你的听众大约 1 分钟的时间，使听众之间的嘈杂声或骚动停下来，等到一切平静为止。

你的双手应该如何处理呢？忘掉它们。如果它们能够很自然地下垂在身体两侧，那最理想了。如果你觉得它们就像一大串香蕉似的，千万别认为没有人会去注意它们，或是人们对它们没兴趣。最好能让你的双手轻松地下垂在你身体的两侧，这样才不会受到注意。即使是最吹毛求疵的人也不能批评这种姿势。此外，当情况需要时，它们还能自然而不受妨碍地摆出各种强调性的手势。卡耐基认为，从书上学来的任何姿势，很可能都是一大浪费，你要想学会有用的姿势，只能自己去揣摩，从自己的内心，从自己的思想，从你自己对这方面的兴趣中去培养。有价值的手势就是你天生就会的那一种。卡耐基说：“一盎司的本能比一吨的规则更有价值。”

比喻一个人的手势，就如同他的牙刷，应该是专属于他个人使用的东西，人人各不相同，只要他们顺其自然，应该每个人的手势都各自不同。

不应该训练两个人采取完全相同的手势。你可以想象，个子修长、动作笨拙、思想缓慢的林肯，和说话很快、个性急躁的道格拉斯使用完全相同的手势，那真是荒谬无比。

据曾经和林肯共同执行法律业务并且替他撰写传记的贺恩登说：“林肯用手做手势的次数，不比他用脑袋做姿势多。”

林肯经常使用后者，用力如此这般地甩动头部。当他企图强调他的某种意思时，这种动作尤其有意义。有时候这个动作会猛然顿住，仿佛把火花飞溅到易燃物上。他从来不像其他的演说者那般猛挥手势，好像要把空间劈成碎片，他从来不进行舞台效果的行动……随着演说程序的进行，他的动作愈来愈自由而且安然自在，最后达到优美的程度。他拥有完全的自然感和强烈的特点，因此，他也就显得尊严高贵。他看不起虚荣、炫耀、造作与虚伪……当他把见解散播于听众的脑海中，他右手的手势很有强调意义。有的时候，为了表示喜悦与欢乐，他会高举双手，大约成50度的角度，手掌向上，仿佛渴望拥抱他所喜爱的那种精神。如果他所要表现的是厌恶的情绪，例如谴责奴隶制度，他会高举双臂，握紧双拳，在空中挥舞，表现出真正崇高的憎恶感。这是他最有效果的手势之一，表现出一种最生动的坚定决心，显示他决心把他痛恨的东西拉下来，丢在灰尘中践踏。他绝不会把某只脚放在另一脚之前。他绝不会扶住或靠在任何东西上支撑身体。在整个演说过程中，他只对姿势与态度作少许的变化。他绝不会狂喊乱叫，也不会在讲台上来回走动。为了使他的双臂能够轻松一点，他有时会用左手抓住外衣的衣领，拇指向上，剩下右手可自由地做出各种手势。著名雕塑家圣高登斯把他的这种姿态雕成一座雕像，竖立在芝加哥的林肯公园。

这就是林肯的方法。罗斯福则比林肯更有活力、更激昂、更积极。他的脸孔因为充满热情而显得生气勃勃。他握紧拳头，整个身体成为他表达感情的工具。政治家布莱安经常伸出一只手，手掌朝天。葛雷史东经常用手掌拍桌子，或是用脚踩地板，发出很大的声响。罗斯伯利习惯高举右臂，然后以无比的力量猛然往下一甩。所有这些都重要，不过首先需要要求演说者思想与信念具有相当的力量才行，这样才能使演说者的姿势强而有力，显得自然，从而引起听众共鸣。

卡耐基指出，不要重复使用一种手势，否则会令人产生枯燥、单调的感觉。手势不要结束得太快，如果有人用食指强调人的想法，一定要在整个句子中维持那个手势。一般人都会忽略这一点，这是很普通但也是很严重的一项错误。这种错误会削弱你所强调的，而相比之下，一些不重要的事情反而变得仿佛很重要，而真正的要点却显得不重要了。

当你在听众面前进行演说时，应该只做出那些自然发出的手势。当你练习时，如果必要的话，强迫你自己做出手势。

在强迫你自己这样做时，会显得如此清醒而刺激。不久，你的手势将会自然而然地流露出来。

※ 在演讲中运用好语调的变化

所谓语调，就是指说话时声音的高低、轻重、快慢、停顿的变化。这种变化对于传情达意来说，具有非常重要的作用。无论高兴、喜悦、难过、悲哀、愁苦、犹豫、轻松、坚定、豪迈等复杂情感，都能通过语调的变化表现出来。同时，这种变化还可以造成声音的多样化，从而使听众乐于接受，并赋予听觉上的美感。一般地说，在演讲中，语调有以下几种运用技巧。

(1) 轻重变化

对演讲者来说，利用轻重音起伏跌宕的变化来有效地传情达意，是非常必要和重要的。当然，这是指逻辑重音的运用。它既能突出演讲中某些关键的词、句和段，从而突出地表现某种思想感情，又能加强语言的色彩，美化语言。

演讲者的成功经验表明，一般的演讲，尤其是那种议论型的演讲，其结尾段往往重音较多，甚至整段都是重音，以此来造成一种强烈的气氛，突出结尾所概括的演讲的主要内容、中心议旨，把整个演讲推向高潮，给听众留下更深刻的印象。

(2) 快慢变化

演讲的声音应当有快慢缓急变化。怎样变化呢？主要是根据表达思想感情的需要。在表达一般内容时，语速可以适中，既不要太快，也不要太慢。当表达热烈、兴奋、激动、愤怒、紧急、呼唤的思想情感时，出言吐语就要快些，要滔滔汩汩、势如破竹；讲到庄重、怀念、悲伤、沉寂、失落、失望的思想感情时，语速可以放慢些，娓娓道来。

演讲语音的变化，应当是自然、顺畅的。只有音速适宜、快慢有致，才既能有效地传情达意，又能令听众感到优美入耳。如果语速不当，缺乏快慢变化，始终保持一个速度，那就很难准确、恰当地表达出演讲者内心的思想感情，也使听众感到厌烦，难于接受。

(3) 高低变化

语调有高低变化，或者说是抑扬变化。一般说来，高音为升调，即句子调值由低到高，句尾发音往往最高，一般用于疑问句。低音为降调，即句子调值由高到低，句尾发音往往最低，一般用于陈述句、祈使句和感叹句。

在演讲中，为了更有效地表达思想感情，就不能不对语言作高低抑扬的变化处理。既不能一味地高，破嗓裂喉；也不能一味地低，有气无力。只有使音调的高低随意而变、随情而变，才能造成最佳的演讲效果。

(4) 停顿变化

停顿，就是说话时的间歇。演讲不仅要有停顿，而且还应该利用停顿，使停顿变为一种表达艺术，以求更有效地表达演讲者的思想感情。

那么，究竟怎样停顿呢？一般说来，停顿有三种：一是自然停顿，即词语或句子间的自然间隔；二是文法停顿，即段、句之后的较长一点的停顿；三是修辞停顿，即由于某种修辞效果的需要而作的停顿。对演讲来说，无疑地应综合运用这三种停顿，使它们变为一种技巧性的停顿、艺术性的停顿。

具体来说，在一般情况下，可作一般性停顿。然而，在某些特殊情况下，则应作较长一些的停顿了。比如，在向听众提出某个问题之后，在提出自己的某个观点之后，在道出某个妙语警句之后，在讲清一个相对完整的意思之后，都要作较长一点的停顿。

①若想练就超群的口才，自如地进行演讲，没有捷径可走，你应该把成为能言善道者这件事当做自己的目标，在日常生活中多学多练。

②演讲是一种任何人都能培养和掌握的技能。口头表达能力直接与准备时间的长短、研究工作做得如何、演练的次数以及在准备演讲稿和直观教具上付出努力的多少有关。

③一个好的题目是成功进行演讲的基础。最为听众欣赏的题目，都是从演讲者的个人经历中演化而来的。

④除非对自己所选择的题目有着特别偏爱的情感，否则就不要期望听众会相信你那一套话。

⑤任何演讲，无论选择什么样的题目，它的目的都被包含在以下这四项里：一是说服或引发行动；二是说明情况；三是增强印象，使人信服；四是娱乐大众。

第八章　如何采用最得体的推销语言去打动顾客

推销员的主要工作任务就是要说服顾客接受和购买自己的产品。没有一定的表达能力，没有巧妙的说服技巧，不能掌握和迎合顾客的心理都是很难奏效的。无论顾客是想购买某种商品，还是处于正在选择商品的阶段，都有各种各样的心理表现，如何抓住顾客的心理特点，在适当的场合说适当的话，是体现推销人员口才和能力的一个重要方面。

※　在推销中必须要学会采用得体的策略

有位男士和他妻子到东部一座城市的一家大百货公司去买枝形吊灯，这位爱发牢骚的男士坚持要看一个体现文艺复兴时期古典艺术的枝形吊灯。

他对售货员说："一定要给我拿一个小的、能够真正体现文艺复兴时代古典艺术的，而且不要太昂贵的枝形吊灯。"

这位售货员马上意识到，他遇到了一个难以对付和固执己见的顾客。作为一个非常机智的人，他知道自己的任务首先是迎合顾客，然后再尽可能地判断出他心中的固定看法到底是什么样的。

通过对一般性问题的诚恳交谈，这位售货员使这个人平静了下来；又通过一系列巧妙的问题，他终于准确地判断出了这位顾客想要的枝形吊灯。

对这个售货员来说，这样做更容易满足顾客的要求。然而，要把这个人争取过来，并满足他的想法仅有策略是不够的。

策略是成功的助推器，一个人如果要想赢得友谊和获得业务，策略的作用是无法估量的。优秀的商人往往把策略看成他成功诀窍中最重要的一个，其他三个是：热情、关于商品的知识和装饰。

对推销员来说，主要的问题是在接近顾客时就能够得到一个恰当的开始。如果他对人的本性进行仔细的研究，在估量他的顾客时，即使会犯错误，也是很少的。在商业场合，永远都不可忽视了说话策略的力量。

卡耐基年轻时曾遇到过这样一段经历。

那天，他正在办公室忙碌，有一个推销员来向他推销一个商业课程的讲座。“戴尔先生，有一个商业管理的讲座您想不想参加？”

“商业管理？我只不过是一个小职员，要参加这样的讲座至少等到 5 年以后。”卡耐基说。

那名推销员意识到找错了推销对象，低着头离开了。

如果一个推销员不了解对方的业务，他就是在浪费宝贵时间，因为他在试图推销一些别人确实不想要的物品。“这个人没有给我留下深刻的印象，因此他也没有能力说服我。尽管我曾数次拿出我的手表，非常烦躁地在椅子旁边转了几圈，不断地整理着桌子上的信函，向这位推销员做出各种让他走开的暗示和建议，但他仍在试图推销他的商品。他唯一可取的品质就是锲而不舍。”卡耐基最后这样说道。

现在，不合时宜的锲而不舍就是缺乏策略，对此，没有什么值得赞扬的。你应该能够从你潜在顾客的眼中看出你是否已经真的让他感兴趣了。如果没有做到这一点，你就不能使他相信他需要你推销的东西。

赢得一个潜在顾客的信任，给他留下一个美好的印象，打开他的心扉，就像向一个女孩求爱一样。你不能声色俱厉地威胁，也不能随心所欲或显得气急败坏。只有温文尔雅、富有吸引力，而且有策略的方法，才能赢得成功。

培养一种有策略的行为方式，一个最好的办法是，设身处地地为你潜在的顾客考虑，然后为他做在同样的情况下你希望别人为你做的一些事情。

使用策略，可以得到听取意见的机会；没有策略，单靠能力往往不能得到听取客户意见的机会。

很多毫无策略的人在生活中可能会一直拖着空空的鱼钩，他们不知道为什么鱼儿都不上钩，也不知道如何调整自己以适应周围的环境，他们是与环境不相适应的人，好像很偶然地就陷入了完全与他们不适应的环境中了。

策略是世界上最有影响力的说服者，在对方被说服之前，你的任何失误都可能永远地把大门关闭，没有策略的推销员是不会成为一名优秀推销员的，你必须要么学会如何恰当地在鱼钩上装上鱼饵，要么就去从事另外某种更适合你的工作。

※ 每位推销员都必须选择适合自己的推销技巧

成交技巧不下百种，曾经有一段时间，卡耐基尽可能地涉猎书报杂志上所有的成交资讯，并且把他认为有道理的技巧一一加以测试。他认为，就像炒菜一样，每位推销员都必须选择自己认为最拿手和证实效果最好的技巧。

有一些广受欢迎的成交技巧可以回溯到 19 世纪。比如说，有一种叫做“小狗狗”的成交技巧，也就是先让准客户试用你的产品或服务，直到他割舍不下（就好像他对从宠物店里的小狗狗难分难舍一样），而终于决定把产品留下来为止。

有一种叫做“本·富兰克林”的成交技巧，也就是你让客户在笔记本中画一条线，请他们把乐于购买的原因写成一栏，然后把不乐于购买的原因写在另一栏。

有一种叫做“锐角”的成交技巧，让你把反对意见转换成购买的理由。比如说，未来客户说：“我没有办法负担每月的费用。”推销人员就会这样说服：“假如我们能够把这笔钱分摊到更长的还款期限，让每月费用降低，那么你会接受吗？”

还有“走开”“带走”“只限今天”等各种不同组合的结案技巧。身为专业人员，你必须是一位不会让人感到太大压力，甚至毫无压力的销售人员。你不可有任何意图操纵别人的言行，而危及维系销售。

你对未来客户应行事光明磊落，直截了当，有凭有据，绝对不可以使用一些诡计，让客户觉得被迫做出违反自己最大利益的事；绝对不可以企图用任何方法操纵未来客户。

卡耐基指出，有如下八种和以上原则相互呼应的方法，能够将销售对话引导到对你有利的结论，并且维持日后的关系品质。

(1)“我要考虑一下”成交法

我们在提议成交之后，一定会有客户作出拖延购买的决定，因为所有的客户都知道这些技巧。他们肯定会常常说出：“我会考虑一下”“我们要搁置一下”“我们不会骤下决定”“让我想一想”……诸如此类的话语。

如果你真的听到你的客户说出了这样的话，卡耐基认为，这个客户已经是你的了。如果你已经掌握了这个技巧的话。

你可以说：“×× 先生，很明显地你不会说你要考虑一下，除非对我们的产品真的感到有兴趣，对吗？”说完这句话后，你一定要记得给你的客户留下时间作出反应，因为他们作出的反应通常都会为你的下一句话起很大的辅助作用。

他们通常都会说：“你说得对，我们确实有兴趣，我们会考虑一下的。”接下来，你应该确认他们真的会考虑，“×× 先生，既然你真的有兴趣，那么我可以假设你会很认真地考虑我们的产品对吗？”注意，“考虑”二字一定要慢慢地说出来，并且要以强调的语气说出。

他们会怎么说呢？因为你一副要离开的样子，你放心，他们会回答的。此时，你应该跟他说：“×× 先生，你这样说不是要赶我走吧？我的意思是你说要考虑一下不是只为了要躲开我吧！”

说这句话的时候，你得表现出明白他们在耍什么花招的样子，在他们作出反应之后，你一定要弄清楚并更有力地推他们一把。你可以问他：“×× 先生，我刚才到底是漏讲了什么，或是哪里没有解释清楚，导致你说你要考虑一下呢？是我公司的形象吗？”

后半部问句你可以举很多的例子，因为这样能让你分析提供给他们的好处。一直到最后，你问他：“×× 先生，坦率地说，有没有可能会是钱的问题呢？”如果对方确定真的是钱的问题之后，你已经打破了“我会考虑一下”定律。

而此时如果你能处理得很好，就能把生意做成，因此你必须要好好地处理。询问客户除了金钱之外，是否还有其他事情不好确定。在进入下一步交易步骤之前，确定你真的遇到了最后一道关卡。

但如果客户不确定是否真的要买，那就不要急着在金钱的问题上去结束这次的交易，即使这对客户来说是一个明智的金钱决定。如果他们不想买，他们怎么会在乎它值多少钱呢？

(2)“太棒了，钱是我最喜欢的问题”成交法

不知你在推销经历中有没有听过“啊，价格比我预期的高得太多啦”“我没有想过会有这么高的价钱”等诸如此类的话。怎样才能突破这道障碍呢？

这种成交法的第一步就是确定你的产品价格与你的目标客户的预期价格的差额。现在我们假设你销售的产品是一种高速打印机，其价格是 1000 美元，而你的目标客户的预期价是 800 美元，这时你必须弄清楚你们之间的价格差异是 200 美元。

但遗憾的是，我们的业务员在遇到“价钱太高了”的问题时，

通常都会从整个投资来着眼。这实在是一个很大的问题。事实上，一旦确定了价格差额，金钱上的问题就不再是1000美元，而是200美元了，因为你的客户绝对不会平白无故地得到你的产品或服务。

现在你对你的目标客户说："××先生，照这样看来，我们双方之间的价格差距应该是200美元，对吧？现在，我认为我们应该小心地以客户的想法来处理这个问题了。"

我们假设这台高速打印机的正常使用寿命是5年。把你的微型计算机拿给你的目标客户，跟他说："××先生，我们这台打印机的使用年限是5年，这点你已经确定了，对吧？"

"很好，现在我们把200美元除以5年，那么一年贵公司的投资是40美元，对吧？""很好，贵公司一年用得到打印机的时间应该有50周，对吧？如果你把40美元除以50周，那么每周贵公司的投资应该是0.8美元，对吧？"

现在你说："××先生，我知道贵公司的工作时间很长，你们经常加班，所以我假定这台打印机一星期要用5天应该是很合理的，对吧？麻烦你用0.8美元除以5，那么答案是？""是16美分。"记住这个答案让你的客户说出来，因为到最后，你的客户觉得再跟你争执每天16美分已经很可笑了。

你微笑着对你的客户说："××先生，你觉得我们要让这每天16美分来阻碍贵公司获得利润，增加产量吗？来阻碍这种超速打印机为你们带来的扩张能力吗？"如果他回答说不知道。

你再问他："××先生，我还要问你一个问题，这个高速打印机的功能齐全，而且还有省时的优点，我们已经谈过它的优点了，这部机器在一天之内为贵公司创造的利润，应该比一个最低工资人员在一小时里创造的利润多，对吧？"

你的客户会回答："对，我想是这样的。"因为如果不是昧着良心，他没有其他的回答选择。你是否心里在想："哇，真的就这么简单！"

为什么不会这么简单呢？

作为一个业务员，金钱总是你最常会碰到的问题，既然如此，你不妨把这项技巧运用到你的工作上，跟你的同事、拍档一起练习，记住每一句话，并把数字给记下来，然后去使用它。

一旦采取这样的策略，你的销售数字会有惊人速度的增加，如果你用了这个方法还是不行的话，这对你的业绩并没有任何损害，但不去学习并且使用它们，那就问题大了。

(3)“不景气”成交法

现在有许多人都生活在恐惧中，有些人被认为是乐观主义者，其他人则是顽固分子，但大部分的人是左右摇摆不定。毫无疑问，新闻媒体报忧不报喜的态度使得数以千计的具有影响力的人不敢作出决定，因为许多人在此时摇摆，在恐惧与乐观中——甚至是在一分钟——你可以作出决定，释放出能量来。不景气成交法的目的便在此。接下来是适用于一般人的技巧。

“×× 先生，多年前我学习了一个真理：成功者购买习惯是这样的，当别人卖出时买进，当别人买进时卖出。最近有很多人谈到市场不景气，而在我们公司决定不让不景气来困扰我们，您知道为什么吗？（留时间让客户问你为什么。）

然后回答：“因为今天很有财富的人都是在不景气时代建立了他们成功的基础，他们看到了长期的机会，而不是短期的挑战，因此，他们作出购买决定而成功，当然他们愿意作出决定。×× 先生，今天你有相同的机会，你也愿意作出相同的决定，对吧？”

这个成交方法最重要是要灵活运用预先假定的技巧。

第一步你预先假定他是一位成功者，而一位成功者是不会因为经济不景气成为困扰自己或公司的因素。第二步是假定他作为成功者总是会作出明智的决策。第三步则是假定他作出购买的决定才是正确的选择。事实上，只要预先假定运用得恰当、适宜，在许多销售场合你都可以随心所欲地完成你的销售。

(4)“没有预算”成交法

在经济不景气时，每个销售人员在拜访公司或政府机构时一定都会听到这个理由。这个方法是用在当你跟公司的总裁或一级主管见面时，当你听说你的产品或服务不在他们的预算中时，以真诚的语气跟他们这么说：“也许不是这样的！所以我才会跟你联络啊。”

在这时千万别打住了，你要如何推进，要看你是在跟营利性或非营利性机构做生意，我们来看看适用的方法吧。对一般公司的方法：

“×× 先生，我完全可以了解这一点，一家管理完善的公司需要仔细地编制预算。预算是帮助公司达到目标的重要工具，但工具本身是具有弹性的，对吗？你身为高级主管，应该有权为了公司的财务利益跟未来的竞争性来弹性地利用预算，对吧？”（给出时间让你的客户作出反应）

“我们在这里讨论的是一个系统，能让贵公司具备立即并持续的竞争性。告诉我，×× 先生，假如今天有一项产品，对你公司的长期的竞争力和利润都有所帮助，身为企业的决策者，你会让预算来控制你还是你来控制预算呢？”

对非营利公司及政府单位的方法：“我知道每一家管理良好的机构会以精密的预算来控制他们的财务，所以我知道，你的办公室（机关，机构）会随着大众快速改变的需要而改变。事实上真的也是如此吧？”

在客户有反应后，继续说：“这表示你身为这么有效率的机构总裁，一定可以灵活地运用你们的预算，而不是死守在规定里，不然你的民众如何能快速地经由你的机构受利于新发展和新科技呢？”

“所以，您身为总裁应该有权弹性使用预算，让组织可以履行它的责任。”“我们在这里讨论的是一个能立刻持续地节省成本的方法（获得注意，增加访客安全和舒适——什么样的好处都行）。告诉我，×× 先生，在这些条件下，你的预算是有弹性的，还是硬邦邦的规则呢？”

(5)“拖延迟疑”成交法

在我们这个社会中，总有办事很拖沓、犹豫的人，他们明明相信我们的产品质量和服务非常好，也相信如果作出购买决定会对他们的业务产生很大的帮助。但他们就是迟迟不作出购买决定。

他们总是前怕狼，后怕虎。对于他们来说，主导他们作决定的因素不是购买的好处，而是万一出现的失误。就是这“万一的失误”使他们不敢承担作出正确的购买责任。对于这样的顾客，我们就可以采用“拖延迟疑”成交法。

你可以对他说：“×× 先生，华盛顿说过——拖延一项决定，比作错误决定浪费更多美国人民、企业、政府的金钱和时间。而我们今天讨论的就是一项决定，对吗？

“假如今天您说好，那会如何呢？假如您说不好那又会如何呢？假如说不好，明天将和今天没有任何改变，对吗？假如今天您说好，您即将获得的好处是很明显的，这点我想您会比我更清楚。×× 先生，说好比说不好对您的好处更多是不是呢？”

对于这种性格比较软弱的顾客，推销人员必须主导整个推销过程，他的潜意识里面需要别人替他作出购买决定。他总是需要听取别人的意见而自己却不敢拿什么主意。

这种顾客，推销员就必须学会主导整个购买过程，你千万不要不敢为你的客户作决定，你要明白，你的决定可能就是你的客户的购买行为。

(6)“一分钱一分货”成交法

在我们的推销生活中，价格总是被顾客最常提起的话题。不过挑剔价格本身并不重要，重要的是在挑剔价格背后真正的理由。因此，每当有人挑剔你的价格，不要和他争辩。

相反，你应当感到欣喜才对。因为只有在客户对你的产品感兴趣的情况下才会关注价格，你要做的，只是让他觉得价格符合产品的价值，这样你就可以成交了。

突破价格障碍并不是件困难的事情。因为客户如果老是在价格上绕来绕去，这是因为他太注重于价格，而不愿意让你把产品介绍注重在他能得到哪些价值。

(7)“别家可能更便宜”成交法

在推销生涯中，可能会经常碰到“别家的产品比你的产品更便宜”之类的话。这当然是一个价格问题。但我们必须首先分辨出他真的是认为你的产品比别家的贵，或者只是用这句话来跟你进行讨价还价。了解他们对你的产品的品质、服务的满意度和兴趣度，这将对你完成一笔交易有莫大的帮助。

不过无论他是什么态度，你用下面的成交法都能有效地激发他们的购买欲望，除非他们真的对你的产品和服务不感兴趣。但如果你的客户真的不感兴趣，他也不会跟你在价格上纠缠来纠缠去，你说对吗？我们来看下面的成交法，他们也许只不过想以较低的价格购买最好的产品和服务罢了。

既然这样，你就跟他说：“×× 先生，别家的价格可能真的比我们的价格低。在这个世界上我们都希望以最低的价格买到最高品质的商品。依我个人的了解，顾客购买时通常都会注意三件事：产品的价格；产品的品质；产品的服务。”

(8)“是，是”成交法

如果你推销的产品品质优良，而且若干产品的优点正符合客户的需要，在客户承认这些优点之前，要先准备一些让客户只回答“是”的问题。例如，“×× 先生，我们的产品比 A 产品省电 20%，对吗？”“我们的机器比 A 公司的机器便宜 50 美元，是吗？”

当然，这些问题必须能表现出产品的特点，同时在你有把握客户必定会回答“是”的情况下才提出。掌握了这个诀窍，你就能制造一连串让客户回答“是”的问题。最后，你要求客户签订货单时，他也会心甘情愿地回答“是”了。

※ 先取得客户的心理认同感，营造和谐融洽的氛围

有一次，美国《黑檀》月刊的主编约翰逊想争取到森尼斯公司的广告。而该公司的首脑麦唐纳是个非常精明能干的人。开始，约翰逊致信给麦唐纳，要求和他当面谈谈森尼斯公司的广告在黑人社会的重要性问题。

麦唐纳当即回信说：“来信已收到。不过我不能见你，因为我并不主管广告。”

约翰逊并不气馁。又致信给他，问：“我可不可以拜访你，谈谈关于在黑人社会进行广告宣传的政策？”

麦唐纳回信道：“我决定见你。不过，要是你想谈在你的刊物上登广告的事，我立刻就结束会见。”

在见面之前，约翰逊翻阅了美国名人录，发现麦唐纳是一个探险家，曾到过北极，时间是在汉森和比尔准将于 1909 年到达北极后的几年间。汉森是个黑人，他曾就本身的经历写过一本书。这是约翰逊可以利用的条件。于是他找到汉森，请他在书上签名，以便送给麦唐纳。此外，他又想起汉森是他们写篇文章的好题材，于是他从未出版的《黑檀》月刊中抽去一篇文章，而代之以介绍汉森的一篇文章。

麦唐纳在约翰逊走进他的办公室时，第一句话就是：“看到那边那双雪鞋没有？那是汉森给我的。我把他当朋友，你看过他写的那本书吗？”

“看过，”约翰逊说，“凑巧我这里有一本。他还特地在这本书上签了名。”

麦唐纳翻着那本书，显然感到很高兴，接着他又说：“你出版一份黑人杂志。在我看来，黑人杂志上该有一篇介绍像汉森这样的人的文章才对。”

约翰逊对他的意见表示认同，并将一本7月份的新杂志递给他，然后告诉他，创办这份杂志的目的，就是宣传像汉森这样克服一切障碍而到达最高理想的人。

麦唐纳合上杂志说：“我看不出我们有什么理由不在你的杂志上登广告。”

约翰逊并没有开门见山地讲出他的真实意图，而是讲述与广告毫无关系的话题，而这个话题，恰恰是对手所关心的，欣然接受的。于是，在取得了对手的心理认同感，谈判氛围变得和谐融洽之后，约翰逊才逐步地引导对手靠近自己的目标。约翰逊为什么取得了成功？因为他经过精心调查和准备，迎合了对方的口味，引起了对方的兴趣和支持。

在这方面，亚当森先生的做法也非常值得借鉴。

美国优美座位公司经理亚当森来到柯达公司总部，他要面见柯达公司总裁伊斯曼先生。因为他得知，伊斯曼先生捐巨款要在曼彻斯特建造音乐厅、纪念馆和剧院。许多制造商都已前来洽谈过，而没有结果。亚当森希望能争取到这笔生意，更希望借此扩大公司的名声，树立公司在市场竞争中的形象。

他向柯达公司总裁秘书说明自己的意图后，秘书通报了，并告诫他：“我知道你急于得到这批订货，但我现在可以告诉你：如果你占用伊斯曼先生5分钟以上时间，你就完了。他是个大忙人，所以你进去后要迅速地讲，讲完后马上出来。”

秘书领着亚当森进入了伊斯曼的办公室，伊斯曼正忙于桌子上的一大堆文件。亚当森环视办公室左右，静静地等候在那里。过了一会儿，伊斯曼抬起头来，发现了亚当森，便随口问道："先生有何事？"于是，秘书便向总裁简略地介绍了亚当森，便出去了。

亚当森环视办公室，对总裁说："伊斯曼先生，当我在这里等候你的时候，我仔细地观察了你的这间办公室。我本人长期从事室内的木工装修，但从未见过装修得这么精致的办公室。"

"哎呀！你提醒了我差不多忘记了的事情。"伊斯曼总裁高兴地说，"这间办公室是我亲自设计的，当初刚建好的时候，我喜欢极了。但是后来一忙，一连几个星期我都没有机会仔细欣赏一下这个房间。"

亚当森走到墙边，用手指在木板上一敲，说："我想这是英国橡木，是不是？意大利橡木的质地不是这样的。"

"是的。"伊斯曼总裁高兴地说，"那是从英国进口的橡木，是我的一位专门研究室内细木的朋友专程去英国为我订的货。"

伊斯曼总裁情绪极好，竟然站起身来，撇下那堆待批的文件，带着亚当森仔细参观起办公室来了。他把办公室内的所有装饰一件一件向亚当森介绍，从木制谈到比例，又从比例谈到颜色，从工艺谈到价格，然后详细地介绍了他设计的过程。亚当森微笑着聆听，饶有兴致，并且不时给予继续的示意和鼓励，亚当森还不失时机地询问伊斯曼的奋斗经历。伊斯曼便向他讲述了自己的苦难少年和坎坷经历，如何在贫困的生活中挣扎，自己发明了柯达相机的经过，以及自己打算向社会捐献巨款等。

亚当森不但听得聚精会神，而且发自内心地表示敬意。本来秘书警告过亚当森，谈话不要超过 5 分钟，结果亚当森与伊斯曼谈了一个多小时。伊斯曼总裁对亚当森说："上次我在日本买了几把椅子，放在我家的走廊里，但由于日晒，都脱漆了。我昨天到街上买了油漆，打算由我自己把它重新漆好。你有兴趣看看我的油漆表演吗？好，到我家去和我一起吃午饭，再看一下我的手艺。”

午饭以后，伊斯曼总裁动手把椅子一一漆好，并深感自豪。

结果是，亚当森不仅得到了这笔工程的订单，而且和伊斯曼先生结下终身的友谊。为什么亚当森只字未提生意，却出乎意料地成功了呢？他成功的诀窍很简单，通过谈话交朋友，千方百计激发对方谈话的兴趣，从而建立真正的朋友关系，当然生意也就好做了。先交朋友，后做生意——这就是亚当森成功的诀窍。

※ 在推销前要准备好适宜的开场白

要达到接近的特定目的，最重要的首先是讲好开场白。“万事开头难”，推销员与顾客的接触中，最难的就是开篇一席话，既要创造良好的推销气氛，又要尽可能多地了解对方，洞察对方的内心世界，有针对性地开展推销活动，这实在是交际中的难点。而一位专业推销员，他总会准备好适宜的开场白，以收到成功的效果。下面是卡耐基总结的优秀推销员常用的10种开场白：

(1) 用利益吸引对方

几乎所有的企业或个人在购买某种商品时首先考虑的是给自己带来什么利益。所以，用利益吸引对方很容易奏效。利益接近法符合顾客购买商品时的求利心理，直接告诉顾客购买推销品所能获得的实际利益或经济利益，诱发顾客的兴趣，使推销会谈顺利进行。

但使用这种方法时，推销员必须实事求是，讲求推销信用，不可浮夸，更不能无中生有，欺骗顾客。

(2) 真诚的赞美

一般人都愿意得到别人的赞美，客户也不例外。赞美顾客必须要找出别人可能忽略的特点，才能显示出真诚。赞美的话倘若不真诚，听起来就会变为“拍马屁”。奉承的效果当然比赞美差远了。所以，“常胜”推销员，要先经过大脑的思考，再开口赞美。不但要有诚意，而且要选择与推销产品有关的主题与目标。

推销员的赞美之词是对推销成功的铺垫。赞美之词应该发自内心，符合实际，才能达到应有的效果。

(3) 自我介绍法

这种方法是推销员通过自我介绍来接近顾客。自我介绍，主要是通过自我口头介绍及出示身份证件或递上名片来达到接近顾客的目的。

自我介绍法的作用主要在于推销员向顾客介绍自己的身份，以求得对方的理解和信任，消除其戒心，为推销会谈创造宽松的气氛。尽管此方法不能使顾客对推销的产品感兴趣，但与对方初次见面时却是不可缺少的。

(4) 提及有影响力的第三人

告诉你拜访的顾客，是第三者（顾客的亲友）介绍你来找他的。这是一种迂回战术，因为每个人都会“不看僧面看佛面”。所以，大多数顾客对亲友介绍来的推销员都很客气。

打着别人的旗号推销介绍自己的方法，尽管很管用，但是一定要确有其人其事，不能瞎编。否则，一旦暴露，结果会很尴尬。为了取信于顾客，如果能出示推荐人的名片或推荐信最好。

(5) 用产品吸引顾客

这是推销员直接利用推销产品引起顾客的兴趣和注意进而转入面谈的一种接近方法。这种方法最大的优点就是让产品作自我推销，让顾客接触产品，通过产品自身的吸引力，引起顾客的注意和兴趣。

(6) 举著名的公司或人为例

一般人使用新产品，多少会受到其他人的影响。推销员若能把握这种消费心理，利用名人、明星效应，也会收到良好的效果。

举著名的公司或人为例，可以壮大自己的声势，尤其是当所举之例中的人或企业正是顾客所熟悉、所喜欢、所敬仰或羡慕时，效果就会更显著。

(7) 问题接近法

运用这种开场白时，所问的问题必须能跟顾客的兴趣直接有关，并能够导入你的推销活动。在运用问题接近法时，所提问题应是对方最为关心的。

提问必须明确、具体，不可含糊不清，模棱两可，否则便难以达到接近的目的。

(8) 好奇接近法

这是利用顾客的好奇心理达到接近目的的方法。在与顾客见面之初，推销员可通过各种巧妙的方法来唤起其好奇心，引起其注意和兴趣，然后把话题转向推销品。

现代心理学表明，好奇是人类行为的基本动机之一，人们的许多行为都是由于好奇心驱使的结果。好奇接近法正是利用了人们的好奇心理，引起买方对推销品的关注，促使推销面谈顺利进行。

(9) 实地演习展示

这是一种最能引起客户注意的方法，在商品展览会上经常使用，表演接近法实际上是把产品示范过程戏剧化，以增加对顾客的吸引力，使之产生兴趣，为推销会谈铺平道路。

(10) 做顾客的参谋

推销员要受到客户的欢迎，就要经常动脑筋、出主意、想办法，为顾客提供一些新奇的建议和设想。也就是所谓的“高招”“点子”，这样会赢得顾客的尊敬。当然了，在为顾客提供建议和设想时，如果能够巧妙地把客户的需要和本企业的产品连在一起，促成交易，就更好了。

如果，你是一个优秀的推销员，本行业的知识非常熟悉，那么优势就更明显了。因为这样你就更容易得到顾客的尊敬与好感，还可以成为顾客的参谋。

※ 吸引顾客更多的注意，创造更多的商机

在推销产品的时候，吸引顾客是一个非常关键的环节。顾客的注意力被吸引了，才可能对产品产生兴趣，从而引发购买的欲望。谁能吸引顾客更多的注意，谁就拥有更多的商机。以下是卡耐基总结的优秀营销人员常用的几种吸引顾客注意的技巧。

(1) 使用简明的开场白

为了吸引顾客的注意力，在面对面的洽谈中，说好第一句话是十分重要的。开场白的好坏，几乎可以决定一次推销访问的成败。好的开始是成功的一半。大部分顾客在听销售人员第一句话的时候要比听后面的话认真得多，听完第一句问话，很多顾客就自觉或不自觉地决定了尽快打发推销员上路还是准备继续谈下去。

专家们在研究推销心理时发现，洽谈中的顾客在刚开始的 30 秒钟所获得的刺激信号，一般比以后 10 分钟里所获得的要深刻得多。

开始即抓住顾客注意力的一个简单办法是去掉空泛的言辞和一些多余的寒暄。为了防止顾客走神或考虑其他问题，开场白上多动些脑筋，开始几句话必须十分重要而非讲不可的，表述时必须生动有力，句子简练，声调略高，语速适中。开场白使顾客了解自己的利益所在，是吸引对方注意力的一个有效的思路。

(2) 通过提问了解顾客的需要

提问是引起顾客注意的常用手段。在销售访问中，提问的目的只有一个，那就是了解顾客的需要。“你需要什么”，这种直接的问法恐怕顾客自己也不知道需要什么。

销售人员在向顾客提问时，利用适当的悬念以勾起顾客的好奇心，是一个引起注意的好办法。一位好的销售人员的提问是非常慎重的，通常提问要确定三点：提问的内容、提问的时机、提问方式。此外，所提问题会在对方身上产生何种反应，也需要考虑。恰当的提问如同水龙头控制着自来水的流量，销售人员通过巧妙的提问得

到信息，促使顾客作出反应。

(3) 巧言打动顾客的心

一位柜台前的销售员在卖皮鞋，他对从自己的柜台前漫不经心走过的顾客说了一句：“先生，当心摔跤。”顾客不由得停下来，看看自己的脚面，这时销售员乘机凑上前来，对顾客会意一笑：“您的鞋子旧了，换一双吧！”

一位远道而来的推销商与客户洽谈，为了吸引对方的注意，他很喜欢用这样一句话来开始他所销售的产品：“说真的，我一提起它，也许你会不耐烦而把我赶走的。”这时顾客会很自然地作出如下应：“噢？为什么呢？照直说吧！”不用多说，对方的注意力已经一下子集中到客商以下要讲的话题。

为了打动顾客的心，我们不妨将自己放在顾客的地位思考一个问题：究竟是什么因素使我们认真听取销售人员的介绍。

(4) 引旁证引起对方的兴趣

在唤起注意力方面，销售人员广泛引用旁证往往能收到很好的效果。一家著名的保险公司的经纪人常常在自己的老主顾中挑选一些合作者，一旦确定了销售对象，公司征得该对象的好友某某先生的同意，上门访问时他这样对顾客说：“某某先生经常在我面前提到你！”对方肯定想知道到底说了些什么，这样双方便有了进一步商讨洽谈的机会。

引用旁证时，销售人员还可以引用一些社会新闻。谈论旁证材料和社会新闻，首先应以新见长，最新消息、最新商品、最新式样、最新热点，都是具有吸引注意力的素材。

※ 用恰当的提问促成顾客产生购买的欲望

优秀的销售人员常常直接向顾客提问，以引起顾客注意和兴趣，并引发讨论，从而促成顾客产生购买的欲望。

提问时，营销人员可以先提一个问题，然后根据顾客的反应再继续提出其他问题。例如，“张经理，你认为企业目前的产品质量问题是由于什么原因造成的？”产品质量自然是经理最关心的问题，营销人员这一提问，可能会引起营销人员与张经理之间关于提高产品质量的讨论，无疑将引导顾客逐步进入营销面谈。

营销人员也可以一开始就提出一连串的问题，使得顾客无法回避。例如，美国某图书公司的一位女营销人员，总是从容不迫、平心静气地提出下述问题来接近顾客：“如果我送你一套关于个人效率的书籍，你打开书后发现内容十分有趣，你能读一读吗？”“若你读了以后非常喜欢这套书，你会买下吗？”“若你没有发现其中的乐趣，你将书籍塞进这个包里给我寄回，行吗？”此营销女士的开场白简单明了，使顾客几乎找不到说“不”的理由。

通过提问，营销人员一方面启发顾客认识到了自己的需求，另一方面又营销介绍了自己的产品，因此这是一种比较有效的接近方法。运用问题接近法的关键，是发现并提出问题，发现了问题就找到了顾客，提出了适当的问题就意味着成功的接近。需要注意的是，营销人员所提问题应是顾客最为关心的问题。

营销员直接向顾客提出问题，引起顾客的注意和兴趣，引导顾客去思考，并顺利转入正式面谈阶段也是一种有效的营销方法。

比如，“10年之后，你将干什么呢？”这个问题可能引起一场营销员与顾客之间关于退休计划的讨论。

美国一位口香糖营销员遭到顾客拒绝时就提出一个问题：“你听说过威斯汀豪斯公司吗？”零售商和批发商都会说：“当然，每个人都知道！”营销员接着又问：“他们有一条固定的规则，该公司采购人员必须给每一位来访的营销员一小时以内的谈话时间，你知道吗？他们是怕错过好东西。你是有一套比他们更好的采购制度，还是害怕看东西？”

某自动售货机制造公司指示其营销员出门携带一块2英尺宽、3英尺长的厚纸板，见到客户就打开铺在地面或柜台上，纸上写着：“如果我能够告诉你怎样使这块地方每年收入250美元，你会感兴趣，是吗？”

当然，提出问题必须精心构思，刻意措辞。事实上，有许多营销员养成一些懒散的坏习惯，遇事不动脑筋，不管接近什么人，开口就是：“生意好吗？”有位采购员研究营销员第一次接近客户时所说的行话，做了这样一个记录，在一天里来访的14位所谓的营销员中，就有12位是这样开始谈话的：“近来生意还好吗？”这该是多么平淡、乏味！某家具厂营销经理抱怨说五分之四的营销员都是以同一个问题开始营销面谈：“生意怎样？”

为了引起顾客的兴趣而不是厌倦，在提问时应注意以下几点。

(1) 了解他的需求

提问题是为了了解顾客的需求，而顾客需求的具体表现是他已经有了的东西和他所希望得到的东西的差异。因此营销员可以问顾客“已有的”问题，如“你对已经有了的东西喜欢什么”，然后问“想有的”，如“在没有的东西中你希望得到什么？”等等。如果你仔细听他们的回答，就可以听出“他现在已有的”与“他想有的”之间的差异，从而了解他的需求。

(2) 注意问题的表述

一个调查员向一位女士提出了一个简单的问题：“你是哪一年出生的？”结果惹得女士恼怒不已。对于调查员来说问这句话是例行公事，但这位女士深感年华流逝，对出生年份很忌讳，因而大为不满。后来这位营销员接受教训，改为另一种方式提问：“这份汽车登记表上要填写你的年龄，有人愿意填写大于实际一岁，你愿意怎样填呢？”这样说就好多了。可见提问时表述的重要性，经验告诉我们在提问时先说明一下道理对洽谈是有帮助的。

(3) 把握好提问的时机

提问的时间掌握，要依据顾客本人、推销产品的情况及约见的时间、地点来决定。可以一开始就提出问题，如“你需要改善工厂的办公效率吗？”或“你家有高级音响吗？”也可以在引起顾客注意以后，根据顾客生产经营情况或家庭情况提出问题。

※ 从顾客的需要出发说服对方购买

在商谈出现不一致时，不要以硬碰硬，不要讨论分歧点；而要着重强调彼此的共同观点，取得一致后，再自然地转向自己的主张。你可以从对方的需要出发，从对方的角度提出引诱对方承认你的观点。

下面是一个卡耐基讲述过的购买卡车的商谈案例。

卖方：你们需要的卡车，我们有。

买方：吨位多少？

卖方：4 吨。

买方：我们需要 2 吨的。

卖方：4 吨有什么不好呢？万一货太多，不是挺合适吗？

买方：我们也得算经济账啊。这样吧，以后我们要时，再通知你们。

于此，双方只能说“再会”了。

但如果改用下面的诱导方法，结局会大不相同。

卖方：你们运的货每次平均重量是多少？

买方：很难说，大致 2 吨吧。

卖方：有时多，有时少，是吗？

买方：是的。

卖方：究竟需要哪种型号的卡车，一方面要看你运什么货，另一方面要考虑在什么路上行驶，对吗？

买方：对，不过……

卖方：假如你在坡路上行驶，而且你那里冬季比较长，这时汽车的机器和车身承受的压力是不是比正常情况大一些？

买方：是的。

卖方：你冬天出车的次数比夏天多吧？

买方：是的。我们夏天生意不太兴隆。

卖方：有时货物太多，又在冬天的坡路上行驶，汽车不是经常处于超负荷状态吗？

买方：对，那是事实。

卖方：你在决定车的型号时，是不是留了余地？

买方：你的意思是？

卖方：从长远利益看，怎样才能算买了辆值得的车？

买方：当然需要看它能使用多长时间了。

卖方：一辆车总是满负荷，另一辆车从不过载，你觉得哪一辆车寿命长？

买方：当然是马力大，载重量大的了！

卖方：我们的 4 吨卡车正符合这个要求。

于是，终于一步一步诱使对方同自己成交。

他用了循循善诱的战略，用一些基本的常识，比如车在冬季坡路上行驶，受压力大，车长期满负荷，会使寿命减短，来促使对方顺着自己的思路走过来，让他越发感觉你所说的如此合理，于是拍板成交。

※ 一定要专心地注视着对你说话的人

如果你想成为好的经营者，那你就应做一个善于倾听别人讲话的人。

和凡事不留心、注意力散漫的人相处，是一件令人非常不愉快的事情。如果你处在这样的境地，就等于是对方在侮辱自己。很显然，对任何人而言，被侮辱都是很难忍受的！无论你是谁，当你在面对你认为值得注意的人时，都应该精神集中，全神贯注地去应对。同样，当别人以一种高度的热情和专注与你谈话时，你也一定要以同样的专注去面对他。当你和一个心不在焉的人在一起时，就好像他在暗示你，认为你是一个不值得注意的人。退一万步讲，即使对方对你的这种漫不经心不去计较，也就是说你的这种举动不会造成对他人的伤害。但是，你注意力如此松散，对你个人仍然毫无益处。因为如果你是一个注意力集中的人，你本来可以仔细地观察和你在一起的人的人格、态度，甚至是当地的习俗的，但由于你的散漫，却导致你一无所获。也就是说，“这样的人即使能够一辈子和许多伟人相处（这种假设当然不会成立），他也无法从这些伟人身上获得丝毫的教诲。一个无法集中精神、投入全部精力去做该做的事情的人，是无法完满地去完成一项工作的，这样的人也无法成为你永久的知心朋友。”

如果你想成为一名优秀的谈话家，就请做一个注意听话的人。卡耐基提示我们：“要用两倍于自己说话的时间去倾听对方讲话。”

正如一位犹太学者所说的：“要令人觉得有趣，就要对别人感兴趣。”提出别人喜欢回答的问题，鼓励他谈谈他自己和他的成就。

一个成功商业性会谈的秘密是什么呢？根据一位犹太成功商人的说法，“成功的商业性交谈，并没有什么神秘……专心地注视着对你说话的人，是非常重要的。再也没有比这么做更具恭维效果了。”

艾略特是个熟练的倾听艺术大师。美国著名的小说家亨利·詹姆士回忆说：艾略特的倾听并不是沉默的，而是以活动的形式。他直挺挺地坐着，手放在膝上，除了拇指或急或缓地绕来绕去，没有其他的动作。他面对着对方，似乎是用眼睛和耳朵一起听他说话。他专心地听着，并一边听一边用心地想你所说的话。最后，这个对他说话的人会觉得，他已说了他要讲的话。

这种方式浅显而易懂，几乎任何人都不会提出异议。

但是我们知道，有些商人会租借昂贵的地方，干练地购买他们的货品，商店装潢得漂漂亮亮的，花了大量的广告费，但却雇用一些不懂得听别人说话的店员——那些店员打断客人的话，跟人家争执，给人难堪，只会把客人赶出去。

我们注意到，常发牢骚的人，甚至最不容易讨好的人，在一个有耐心、具有同情心的听者面前都常常会软化而屈服下来。这样的听者，在被人家“鸡蛋里挑骨头”、骂得“狗血淋头”的时候，都会保持沉默。

辛格曼·弗洛伊德要算是近代最伟大的倾听大师了。一位曾遇到过弗洛伊德的人，描述着他倾听别人时的态度：“那简直太令我震惊了，我永远都不会忘记他。他的那种特质，我从没有在别人身上看到过，我也从没有见过这么专注的人，有这么敏锐的灵魂洞察和凝视事情的能力。他的眼光是那么谦逊和温和，他的声音低柔，姿势很少。但是他对我的那份专注，他表现出的喜欢我说话的态度——即使我说得不好，还是一样，这些真的是非比寻常。你真的无法想象，别人像这样听你说话所代表的意义是什么。”

请记住，跟你谈话的人，对他自己、他的需求和他的问题，更感兴趣千百倍。他对自己颈部的疖痛，比对非洲的40次地震更感兴趣。当你下次开始跟别人交谈的时候，别忘了这点。因此，如果你要别人喜欢你的话，请记住这条规则。

做一个好的听众。鼓励他人谈论他自己。不要随意打断对方的话。

卡耐基描述过下面一段推销对话场景。

推销员：“科尔先生，经过我仔细观察，我发现贵厂自己维修花费的钱，要比雇佣我们来干，花的钱还多，对吗？”

科尔：“我也计算过，我们自己干确实不太划算，你们的服务也不错，可是，毕竟你们缺乏电子方面的……”推销员：“噢，对不起，我能插一句吗？有一点我们想说明一下，没有人能够做完所有事情的，不是吗？修理汽车需要特殊的设备和材料，比如……”

科尔：“对，对，但是，你误解我的意思了，我要说的是……”

推销员：“您的意思我明白，我是说，您的下属就算是天才，也不可能在没有专用设备的情况下，干出像我们公司那样漂亮的活儿来，不是吗？”

科尔：“你还是没有搞懂我的意思，现在我们这里负责维修的伙计是……”

推销员：“科尔先生，现在等一下，好吗？就等一下，我只说一句话，如果您认为……”

科尔：“我认为，你现在可以走了。”

推销员被科尔下逐客令，原因是这个推销员三番五次地打断科尔的讲话。在推销中，这是一大忌！在现实生活中，经常随意打断对方讲话的人，也只能让讲话者生厌。

对推销员来说，绝对不要随意打断顾客的话，而要让他心平气和地把话讲完，就算他的意见不符合实际情况，也要听下去，除非情况非常特殊。

让顾客充分表达异议，即便你知道他将要说什么，也不要试图打断他。对顾客要礼貌，认真地倾听，尽力作出发应。没有任何顾客愿意去跟那些自作聪明的推销员打交道的。要是你不能表现出对顾客及其问题的兴趣，你永远也不会赢得顾客的信任。

不认真听取顾客在购买时所关心的问题，而是自己随意地罗列出自己关心的情况，结果只有一条：让顾客跑掉！

※ 间接反驳，避免激发顾客的对立情绪

“谈判时不应该争论！”这是谈判老手向谈判新手提出的最好忠告。美国著名推销员鲁布·沃特尔经常说：“不错，你可以随时

向买主和其他人证明他的话显得很无知。但这样做你能得到什么？揭穿买主的愚昧没有任何好处，他绝不会因此而感谢你；在更多的情况下，他会怀恨在心，你的生意早晚会受到伤害。”谈判是一项合作的事业，而争论会激发对手的对立情绪，这对双方达成交易有什么好处呢？

卡耐基指出一向反对争论，在企图向顾客推销的时候，尤其是如此。

有一个人寿保险员一直很纳闷，他弄不明白为什么有个男人他连续拜访了10年都没做成生意，最近却向新到该城的另一个保险员认购了价值10万美元的保险单。其中的原因细究起来其实很简单：大约在8年之前，第一个保险员在拜访了那个男人好几回之后说了句：“我将来会说服你的，老家伙！”

毫无疑问，这句充满情感的话表明了他值得称赞的决心，但这话却绝不应该说出口，因为那“老家伙”当时立即嚷道：“不，你做不到——绝无希望！”打那以后，他就一直信守这种立场。

旧金山一家鞋店的老板则正好与此相反，他应付顾客的手段相当高明，可是他给人的印象并不属于那种伶牙俐齿型。顾客对他抱怨说：“鞋跟太高了！”“样式不好看！”“我右脚稍大，找不到合适的鞋子！”老板只是点头不语，等顾客说完后，他才说：“请你稍等。”随即拿出一双鞋，说：“此鞋一定适合你，请试穿！”顾客半信半疑地穿上鞋，随即是欣喜的回答：“这鞋好像是给我定做的。”于是，很高兴地把鞋买走了。

谈判者应务必记住：不管谈判对手怎样与你针锋相对，不管他怎么一个劲地想与你吵架，你也不要争论。

争论并不等于说服，争论很少能使人真心诚服。大学辩论队的队员在辩论结束后都还会保持原有的信念，败方队员决不会因为对手辩术高超而更改观点。说服的关键在于引导，谈判者通过一系列的努力，让对手经过自身的思想斗争作出决定，接受我方提出的交易条件。

为了防止在商务谈判中出现可怕的争论和一些有争论的话题，下面引用欧洲市场及推销咨询协会名誉主席戈德纳在其著作中所举的一个实例。从这个实例中，你可以根据情景更好地体会出各种避免争论的技巧。约翰·墨菲是一个汽车销售人员，他正在向可能买主奈特介绍一辆赛车。

墨菲：奈特先生，这辆赛车是非常舒适的。（奈特没有作出回答）

墨菲：（意识到自己的口误）请坐到汽车驾驶员的座位上试一试吧？（奈特坐进驾驶室）你坐在里面感到舒适吗？

奈特：舒服极啦！

墨菲：你觉得座位调得如何？你坐在方向盘后面舒服吗？

奈特：行，挺舒服的。不过，驾驶室太小了。

墨菲：还小？你是在开玩笑吧！

奈特：我说的完全是实话。我感觉在里边坐着有点憋气。

墨菲：但汽车前舱的空间有 2 英尺啊！

奈特：不管怎么样，我还是觉得有点憋气。

墨菲：（意识到他的错误，就停止了反驳）当然了，这辆车比不上大型车辆宽敞。但正如你刚才说的那样，坐在里面还是很舒服的。你可能已注意到这辆车的装潢还是相当不错的，使用的装潢材料是皮革。还有比皮革这种材料更好的吗？（他并没有提出具体理由来进一步证实为什么使用皮革材料来进行装潢）

奈特：我不懂得什么皮革不皮革的。但我觉得皮革夏天太热了，冬天又太冷。（奈特向来不喜欢皮革）

墨菲：（墨菲本来可以，也应该在事前了解清楚顾客对各种材料做的座位外套有什么看法。不过，这仅仅是一个无关大局的细节问题。因此，他决定避开它）对，那仅仅是个人爱好问题。其实，我明白你的意思，在炎热的夏天，皮革确实有点热。但在这个国家，夏天从来都不是太热的。应当这样看待这个问题才是，你说呢？不管怎么说，皮革肯定要比塑料凉爽得多。你同意这个看法吗？

奈特：那或许有可能。但有些时候，我要在夏天开车到其他国家去。

墨菲：（墨菲本可以进一步指出，他不可能把车开到赤道去。另外，开车到国外的时间相对来说是短暂的。但他觉得这样谈下去会把话题扯得太远，并且会引起争执）好吧，我们来谈一下其他问题吧。你准备用这辆车来干什么？（墨菲又准备回到汽车的主要用途上，并打算以它来证明这种汽车的前舱空间还是足够的）

奈特：我准备开着车去上班和到我们的乡村别墅去。

墨菲：路程远吗？

奈特：不特别远。

墨菲：家里人口多吗？

奈特：我们有两个小孩，都在念书。

墨菲：那么说，你是想要一辆节省汽油的汽车了，是不是？（墨菲为了绕开汽车大小问题，又换了一个新话题。不过，他还远远没有脱离危险区，因为他又转到汽油价格这样一个人人关心的中心话题上。）你知道汽油的现价吗？

奈特：价格还可以吧。但关于节油的种种说法都是靠不住的。事实上，每一辆汽车所耗费的汽油量总要比说明书上规定的多得多。

墨菲：当然了，耗油量的大小取决于你怎么使用你的汽车。

奈特：（很生气）你这话什么意思？

墨菲：车开快了就需要经常更换挡位，这样耗油量就大一些。

奈特：在很多情况下，宣传说明书上所说的都是不可靠的，不是事实。说明书上说，行驶 20 ～ 30 英里才耗费 1 加仑汽油。我们就按照说明书购买了一辆汽车。结果呢？还没有行驶 15 英里就耗

费了 1 加仑的汽油。宣传归宣传，事实归事实。我的一个好朋友对我说……（接着，他讲了一个很长的故事）

墨菲：（控制住自己）好吧，我们可以在试车的时候检查一下这辆车的耗油情况。奈特先生，你可以亲自开车，好吗？

奈特：好的。（他们开动了汽车）

墨菲：你的夫人也会开车吗？（他准备把这辆车便于操作这一点作为推销要点）

奈特：她准备去听驾驶课。

墨菲：（接过新话题）我们有自己的驾驶学校。如果你需要的话，我可以帮助你夫人联系上课的事。

奈特：不用了。

墨菲：（刚准备有所表示，但及时地控制住了自己。）不管怎么说吧，对你夫人来说，开小车要比开大车容易。你说呢？

奈特：我想是的。（奈特又想出了一条反对的理由）像这样一辆小车怎么那么贵呢？

墨菲：（从奈特这一问题，墨菲意识到车的大小问题并不很重要。所以，他不准备更多地讨论车的大小问题。如果反驳奈特的这一看法，并且指出汽车的价格不高的话，那么他们就有可能发生争论。所以，他决定不直接地讨论价格问题。）奈特先生，你开车是很有经验的，嗯？

奈特：我想还可以吧！

墨菲：那么，依你看，车的哪一方面最重要？（通过承认对方有经验，这就造就了一种融洽的气氛。并且以提问方式把话题转向一些更重要的问题上。）

奈待：唔……当然是车开起来稳不稳、车速和车的质量最重要了。噢，还有转售价格问题。

墨菲：（谨慎地纠正对方的看法）当然也要节省，是吗？

奈特：当然了。

墨菲：所以，应该是稳、速度和节省。奈特先生，就速度而言，你认为哪一方面是最重要的：是最高速度指数还是变速器？

奈特：当然是变速器重要了。不管怎么说，人们一般不使用最高速度。

墨菲：（现在他终于了解到顾客对什么东西感兴趣）你说对了，这些才是最重要的。在决定一辆车的价值的时候，它们的作用是很重要的。在这一点上，我们的看法是一致的。

奈特：是的。

现在，墨菲知道他应该怎样进行洽谈，应该避免哪些问题。他从上述三个方面解释了这辆车的价值，并且间接地反驳了奈特认为车的售价太高的看法。在第三次业务洽谈时，他终于把这辆车销出去了。

※ 避免使用以“我”为中心的词句

在推销中，有些推销员总是使用以“我”为中心的词句和一些言之无物的词句。使用这些词句虽不至于使洽谈无法进行，但对洽谈或多或少有不利的影响。所以，作为一个一流的推销员，应把使用这样的词句视为禁忌。

在业务洽谈中，应当尽量避免使用任何形式的以“我”为中心的词句，下面一些词句就不利于推销员和顾客之间发展正常关系，不利于造成良好的洽谈气氛，不利于进行成功的推销。

“我认为……”

“我的看法是……”

“如果我是你的话……”

“依我看……”

“我要对你说的是……”

“我不会这样做……”

“我的意见是……”

“考虑一下我所说的话……”

如果可能的话，上述每一句话中的“我”字都应当改为“你”字。

要尽量避免使用下面一些言之无物的词句：

“我还想说……”

“正像我早些时候说过的……”

“我想顺便指出……”

“或者，换句话说……”

“确实是……”

“事实上……”

“所以说……”

“是真的吗？”

“无论如何……”

“在不同程度上……”

“你不同意吗？”

“你可以相信它……”

在业务洽谈中，你应该注意正确地运用语言这一交流工具，有些词句有利于达成交易，有些词句对达成交易则毫无帮助。人们把这两种效果截然不同的词句分别称为“推销用语”和“非推销用语”。比如“价值”一词要比“价格”一词好。“拥有”比“购买”好。

※ 用诚恳的态度化解抱怨

沃尔·斯特里特公司的男鞋推销员去拜访他的一个贩卖商。在推销过程中，这位商人抱怨说：“知道吗？最近两个月，我们订货的发送情况简直糟透了。”

这一抱怨对于公司的推销员来说无疑是一个巨大的威胁，谈判有陷入僵局的危险。

这位推销员非常有经验，他的回答很镇定：“是的，我知道是这样。不过我可以向你保证，这个问题很快就能解决。你知道，我们只是个小型鞋厂，所以，当几个月前生意萧条并有9万双鞋的存货时，老板就关闭了工厂。如果你定的货不够多，在工厂重新开工和有新鞋出厂之前，你就可能缺货。最糟糕的是，老板发现由于关闭工厂他损失了不少生产能手，这些人都去别处干活了。所以，在生意好转之后，他一直难以让工厂重新运转。他现在知道了，他过早惊慌地停工是错误的，但我相信，我们老板是不会把现在赚到的钱盘存起来而不投入生产的。”

那商贩笑了，说：“我得感谢你，你让我在一个星期之内头一次听到了如此坦率的回答。我的伙计们会告诉你，我们本周一直在与一个购物中心谈判租赁柜台的事。但他们满嘴瞎话，使我们厌烦透了。谢谢你给我们带来了新鲜空气。”

不难想象，这个推销员用他的诚恳态度赢得了顾客的极大信任，他不但做成了这笔生意，还为以后的生意打下了良好的基础。

这是一个关系营销的时代，生意的往来越来越建立在人际关系的基础上，人们总是愿意和他所熟识和信任的人做买卖。而获得信任的最重要的途径就是待人诚恳。在商务谈判出现僵局的时候，如果谈判者能从谈判对手的角度着眼考虑问题，急人之所急，想人之所想，对谈判对手坦诚以待，对方也必然会作出相应的让步，僵持不下的局面也就随之消失。

在这方面，迪特先生的做法也颇有独到之处。

迪特毛料公司的员工催促一个欠了公司15美元顾客速来结账。

一天，这位顾客愤怒地冲进迪特先生的办公室，说他不但不付这笔钱，而且这辈子再也不花一分钱购买迪特公司的东西了。

迪特先生耐心地让他说了个痛快，然后对他说：“我要谢谢你到芝加哥来告诉我这件事，你帮了我一个大忙，因为如果我们的信托部门打扰了你，他们就可能也打扰别的好主顾，那就太不幸了。相信我，我比你更想听到你所告诉我们的。”

这个顾客做梦也没想到会听到这些话。迪特先生还要他放心，告诉他会把这笔账一笔勾销，迪特说：“你是个非常细心的人，只有一个账目要管，而我们的职员则要照顾好几千个账目。因此，比起他们来，你不太可能出错。既然不再向我们订毛料，我就向你推荐一些其他的毛料公司。”

结果，这个顾客又签下了一笔比以往都大的订单。他的儿子出世后，他给起名为迪特。后来他一直是迪特公司的朋友和贸易伙伴。

一个本来对迪特毛料公司怀有满腔怒火的顾客，被迪特先生短短的几句话说动，不但没有同公司闹僵，反而更加信任这个公司，这全仗该公司的迪特老板善用后发制人之术。欠账还钱，乃天经地义，面对怒气冲冲的顾客，迪特先生深知，如果同顾客计较，即使得到了欠款也无法留住更多的财富，可能会失去一个甚至更多的顾客。所以迪特先生等顾客发泄完后，展开了攻势：首先以一片诚心，感谢这位顾客表达了对公司的意见，继而宣布将欠账一笔勾销，同时赞扬顾客的细心和善于发现问题，结果，顾客完全被这番诚意征服了，做了这家公司的终身顾客。

这正是卡耐基先生所推崇的“后发制人法”。

后发制人法就是先让对方尽情表露自己的言行，然后，采取有针对性的话语或行动制服对方的方法。从心理学的角度来讲，给他一个发泄的机会，可以满足他的发泄心理，以缓其怒气，在心理上达到平静，这样可以达到不制自服的效果。摸清彼情，以此掌握更大的主动权，让他把话讲完，对他的心理状态你也就一清二楚了，这样为你后来的对策提供了可靠情况。后发者既可以从对方的破绽中找出准确的反驳点，也可从对方的话语中引出话题。但前提是要创造好的言谈气氛，听者要有耐心，千万别插话或打断对方的谈话，这种情况，急躁和慌忙会引起神经过敏和思维紊乱，对方就难吐真情了。

使用后发制人方法时，要注意方法艺术。在后发制人的语言和行动上要同前者有必然的逻辑联系。后发制人中的前者与后者不仅仅是时间上的谁先谁后的关系，而且还是体现为内容前后的内在联系。根据不同的要求，针对先发之言或分析，或反驳或赞许，而不要他说他的，你说你的，完全是两张皮，凑不到一起，那就失去了后发的意义了。

※ 尽量满足顾客在商品之外的心理需求

几年前，纽约电话公司遇到了一桩麻烦事。一位苛刻的用户对电话公司的接线员的服务不满意，因此在电话公司要求他付电话费的时候大发雷霆。他认为这些费用对于他所享受到的服务而言，简直不啻于敲竹杠。于是，他怒火满腔地宣称，要把电话连根拔掉，并且到有关方面进行申诉、告状。

为了解决这一矛盾，电话公司派出一位最干练的“调解员”前去见那位无事生非的用户。在双方见面之后，那位暴怒的用户向调解员淋漓尽致地发泄着他的愤怒，而调解员则静静地听着，不时地说：“是的。”对用户的不满表示同情。

事后这位调解员回忆道：“他滔滔不绝他说着，而我洗耳恭听，整整 3 个小时。我先后去见过他四次，每次都对他发表的论点表示同情。在第四次会面的时候，这位用户说他准备成立一个‘电话用户保障协会’，我立刻表示赞成，并说我一定会成为这个协会的会员。这位用户从未见过一个电话公司的人同他用这样的方式和态度进行交谈，于是，他的态度变得友善起来。前三次见面，我甚至连同他见面的原因都没有提过；但是在第四次见面的时候，我们已经化敌为友，事情顺利地解决了。这位用户要付的费用全部照付了，而且还主动撤销了向有关方面的申诉。”

而那位无事生非的用户，他在与电话公司的这场矛盾中，自认为是扮演了一个主持正义、维护大众利益的角色；而事实上，他所需要的只是一种重要人物的感觉。当调解员以耐心地倾听来面对他的控诉之后，他获得了他所需要的这种感觉，满足了他的权力欲和虚荣心之后，那些无中生有的牢骚自然就烟消云散了。电话公司的调解员成功地运用了一种从心理学角度上讲所谓的“暗示性赞美”，而这种赞美恰好是人类隐秘的通病所需要的药方。

卡耐基指出：任何人，当他受到来自他人的尊敬和信赖的时候，他都会从内心感到高兴；虽然明知道那是拍马屁，但听起来也会感到舒畅。自尊心越强的人，越会有这种倾向。在谈判桌上，自尊心很强的人往往比较难以对付。如果你希望你的顾客能够接受一项繁杂而又为一般人所难以接受的条件时，最好的办法是迎合他的自尊心，尽量满足他在商品之外的心理需求。

※ 推销员应该顺从地承认顾客是正确的

随便拒绝顾客的抱怨，以抱怨对抱怨是推销的一大禁忌。

推销员普遍认为“顾客总是正确的”这样的一句口号，比其他任何一句口号都难以接受。因为推销员知道顾客往往是错误的。当推销员清楚地知道顾客是错误的时候，他就极不愿意违心地承认顾客是正确的。推销员是否应该顺从地承认顾客是正确的呢？

从本身利益出发，推销员应该顺从地承认顾客是正确的。因为，顾客的抱怨提供了达成交易的良好机会。然而，低劣的推销员却往往以能够证明顾客是错误的为乐趣。

推销员不思索，不分析，就随便拒绝顾客抱怨的另外一个原因是他可能把顾客的抱怨看做是对他本人和对他推销工作的批评。假如推销员抱有这种态度，他会马上向顾客证明，顾客的指责是毫无道理的。他这样做的目的是要把别人的批评消灭在萌芽状态。而优秀的推销员清楚，只要正确处理，顾客的抱怨并不是一个坏事。

“顾客任何时候都是正确的”这句话可以被另外一句“让顾客正确是否值得？”来代替。

推销员或负责处理顾客抱怨的人发现,“让顾客正确是否值得？”为他们提供了一个可以接受的解决办法。在明知顾客是错误的情况下，他再也不会违心地承认顾客是正确的了。现在，他可以根据具体情况，充分考虑本公司的利益，然后作出决定，是否值得让顾客正确。一般说来，他只需考虑两个问题：其一，接受顾客的抱怨所产生的后果；其二，拒绝接受顾客的抱怨所产生的后果。

一般说来，公司对顾客的抱怨和索赔采取宽宏大量的态度和积极的解决办法是符合自己利益的。俗话说：你怎样对待别人，别人就会怎样对待你。受到别人友好热情的款待，人们是不会忘记的，他还会告诉别人。由于采取了宽宏大量的做法，许多难以处理的抱怨和索赔都顺利地得到了解决。这些都是非常有说服力的例子。宽宏大量地对待顾客的抱怨往往就像一种黏合性很强的胶水，经过黏合的部位比未经黏合的部位牢固得多。当顾客的抱怨得到满意的处理后，他和推销员或供应商之间的关系就会随之得到加强。

有些时候，推销员发现顾客的抱怨没有任何理由，因为产品完好无损，无懈可击。其实，顾客的不满并不在于产品本身，而在于产品的实际效用。

你的产品可能不符合顾客的需要，或者你的产品过去符合顾客的需要，但由于某种情况的变化，现在已经不符合了。技术专家最容易忽略这一问题。因为一旦顾客提出抱怨，他们往往从产品本身查找原因。为什么会出现上述问题，道理是难以讲清楚的。可能是推销员使用了倾力推销法；也可能在推销产品或交货时没有给顾客一些必要的技术指导；也可能是顾客本人或推销员错误地判断了顾客的需要。你可以这样坚信，无论是哪一种可能，不管产品的质地如何，顾客都不会对产品感到十分满意的。即使在这种情况下，提出“让顾客正确是否值得？”的问题，也是恰当的。

不要拒绝接受顾客对你的产品提出的反对意见。拒绝接受顾客的反对意见，会使你的整个推销工作毁于一旦。因为，如果你对顾客有反对意见时，顾客也不会相信你。记住：对顾客来说，任何一种产品都有其固有的长处和短处，他也深知这一点。只有在产品的长处大于短处时，顾客才会作出购买决定。另外，固执的推销员往往也会使顾客变得固执起来。

※ 在对方说“不”时要听而不闻

一位成绩斐然的推销员说，头一次提出成交要求就获得成功的买卖，在他做成的所有买卖之中只占 1/10。他在签合同前做着被拒绝一次、两次、五次、七次、甚至十次的准备。他根本不怕遭到对方的拒绝，那样反而能增加他进一步争取成交的动力。

他并不停下来去反驳对方的决定，而是设法找出促成对方成交决心的哪些因素还尚未利用，继续说：“哦，对啦，我还有一点没给你讲清楚呢！”接着便展开另一个说服要点。

在遭拒绝时具有毫不退缩的精神，是所有谈判人员争取胜利的必备素质。当对方说“不”时仍能坚韧不拔，才会有助于你的工作。

卡里森就是这种锲而不舍的人，他千方百计地要把自己的阀门出售给芝加哥的一家糖果厂，而这个厂使用另一个牌子的阀门已有 25 年的历史了。

一天，在吃午饭时，卡里森截住糖果厂的总机械师，说下午两点要会见他。

两点刚过，总机械师气冲冲地走进客厅，用愠怒的目光瞪了卡里森一眼。

卡里森慌忙请他坐下，开门见山地问："你用的阀门漏不漏？"

"买阀门不是我的事！"总机械高声嚷道，"你去找总工程师吧！"

卡里森装作没听见他的话，继续问："什么设备上的阀门泄漏最多？"

"焦糖蒸汽罐上，"总机械师不情愿地承认，"但我无权购买任何阀门。"

这时，卡里森已经开始展示自己的样品，他把阀门拆开让总机械师看：由于在特硬底座和堵盘之间垫的是修剪好的薄钢片，因而阀门可以做到绝对密封。

"你们的焦糖蒸汽罐上使用多大尺寸的阀门？"他问。

"3/4 英寸的，"总机械师回答，"但我已经告诉你——我什么阀门也不能要。"

卡里森根本不听此话，却对陷入困惑的总机械师说道："你写一张请购单，就说需要一只 3/4 英寸的实心阀门，进屋去向你们采购员要一张订单。然后你就会看到阀门的泄漏问题将会彻底解决。快去吧！"

总机械师走进屋子，为那一只试用的阀门拿来订单。

卡里森在几分钟之内做到了他们公司其他销售人员 25 年来未曾做到的事，原因是只要对方说"不"时，他的耳朵就会自动堵上。在推销商品或商务谈判中，锲而不舍、坚韧不拔往往能开辟出一片新天地！

（1）在商业场合，永远都不可忽视了说话策略的力量。培养一种有策略的行为方式，一个最好的办法是，设身处地地为你潜在的顾客考虑，然后为他做在同样的情况下你希望别人为你做的一些事情。

（2）你对未来客户应行事光明磊落，直截了当，有凭有据，绝对不可以使用一些诡计，让顾客觉得被迫做出违反自己最大利益的事；绝对不可以企图用任何方法操纵未来顾客。

（3）如果在商业活动中运用“美言”来迂回地深入主题，就比单刀直入、开门见山的效果要好——既自然生动又不落俗套，在有意无意间实现目的。

（4）在推销产品的时候，吸引顾客是一个非常关键的环节。顾客的注意力被吸引了，才可能对产品产生兴趣，从而引发购买的欲望。

（5）如果你希望你的顾客能够接受一项繁杂而又为一般人所难以接受的条件时，最好的办法是迎合他的自尊心，尽量满足他在商品之外的心理需求。